ディープラーニング

G検定

ジェネラリスト

徹底解説 ＋ 良質問題 ＋ 模試（PDF）

最強の合格テキスト

第 2 版

株式会社GRI分析官 picture academy講師
アガルートアカデミー講師
ヤン ジャクリン

株式会社GRI 代表取締役CEO
上野勉

Generalist Exam

[Clear explanations and quality exercises]
Powerful textbook leading you to success!

SB Creative

本書に関するお問い合わせ

この度は小社書籍をご購入いただき誠にありがとうございます。小社では本書の内容に関するご質問を受け付けております。本書を読み進めていただきます中でご不明な箇所がございましたらお問い合わせください。なお、お問い合わせに関しましては下記のガイドラインを設けております。恐れ入りますが、ご質問の際は最初に下記ガイドラインをご確認ください。

ご質問の前に

小社 Web サイトで「正誤表」をご確認ください。最新の正誤情報をサポートページに掲載しております。

▶ 本書サポートページ

URL　https://isbn2.sbcr.jp/22756/

上記ページの「正誤情報」のリンクをクリックしてください。なお、正誤情報がない場合、リンクをクリックすることはできません。

ご質問の際の注意点

- ご質問はメール、または郵便など、必ず文書にてお願いいたします。お電話では承っておりません。
- ご質問は本書の記述に関することのみとさせていただいております。従いまして、○○ページの○○行目というように記述箇所をはっきりお書き添えください。記述箇所が明記されていない場合、ご質問を承れないことがございます。
- 小社出版物の著作権は著者に帰属いたします。従いまして、ご質問に関する回答も基本的に著者に確認の上回答いたしております。これに伴い返信は数日ないしそれ以上かかる場合がございます。あらかじめご了承ください。

ご質問送付先

ご質問については下記のいずれかの方法をご利用ください。

▶ **Web ページより**

上記のサポートページ内にある［サポート情報］→［お問い合わせ］をクリックすると、メールフォームが開きます。要綱に従って質問内容を記入の上、送信ボタンを押してください。

▶ **郵送**

郵送の場合は下記までお願いいたします。

〒 105-0001
東京都港区虎ノ門 2-2-1
SB クリエイティブ　読者サポート係

INTRODUCTION

この本は 1 冊だけで十分に G 検定の合格が狙えるように作られた企画です。

世の中の G 検定対策の書籍に対する利用者の悩みとして、以下の点をよく聞きます。

- 「テキスト式」である場合、練習問題の数が試験対策として不十分である
- 「問題集」である場合、体系的な理解が得られず、G 検定に合格したとしても、知識を業務などで使える実感がわきにくい
- 「この 1 冊で受かる！」という書籍がないため、何冊も購入することになり、結局、どの書籍も中途半端な取り組みになってしまいがちである

上記の悩みに応えるべく、本書では、**出題分野を満遍なく体系的に収め、徹底してわかりやすく解説**しています。そして、各章末には**厳選した良質な問題と、それらの明瞭な解説を豊富に**ご用意しています。さらに P.459 から紹介している模擬試験の PDF をダウンロードすれば、**本番さながらの練習を行うことができます**。この**模擬試験は本番試験の出題内容に限りなく近い**ので、真剣に解いて復習すれば、試験のパフォーマンスが向上すること間違いなしです。**この本 1 冊だけで G 検定の合格を狙うことができます！**

本書は 2021 年に初版が刊行して以来、増刷を重ねています。「**テキスト＋問題＋模試（PDF）が揃った全部入りの完全バイブル**」として、とても多くの方々に利用されています。今回の第 2 版では、以下の点においてパワーアップを施しました。

- 生成 AI をはじめとする最先端の技術を網羅的に解説
- 社会情勢の移り変わりに伴い、改めて注目すべき法律と倫理の知識を加味
  （例：生成 AI と著作権、AI の軍事利用、独占禁止法など）
- 数理統計の章を新設し、演習が不足しがちな「数理・統計学」の対策まで完璧に
- 章末問題と模擬試験も最新の出題傾向に更新し、解説をさらに豊富に

本書は **G 検定の書籍の中でも最も充実した内容**を目指しており、**本の解説だけで480 ページ**、PDF の模擬試験問題と解答解説まで含めると、**全部で 727 ページ**にも上ります。**世の中にあるすべての G 検定の本の中でも、圧倒的に分厚く、たくさんの情報が詰まっている本**です。自信をもって読者の皆様にお届けできます。

さらに本書の詳しい内容である「**4 つのポイント**」を次ページから紹介します。

Point 1 　驚くほどわかりやすく、覚えやすい！　理解しやすい解説！

　G検定は、ディープラーニングの知識をビジネスに活かす人材の育成が目的であり、暗記だけでは解けない問題も多く出題されます。一方で多くの受験者は知識の暗記にこだわりすぎて、受験後にはせっかく得た知識を忘れてしまいがちです。

　概念を「真に」理解していれば、暗記にさほど努力をしなくても知識がスッと頭に入り定着しやすくなります。本書は**読者に「真の理解」を届ける**ことを目指しています。

　試しに、P.17 からはじまる本書の本文に目を通してみてください。各分野の知識を**体系的に、懇切丁寧に、まるで「読者に語りかけるような口調」で解説**しているのを感じていただけると思います。これにより自然言語処理、深層強化学習、生成 AI といった難関分野であっても**「驚くほどわかりやすい」学習を実現**します。

　受験者の皆さんが安心して勉強を進められて、いつの間にか「勉強」を楽しいと感じられるようになれた時点で、その知識はすでにあなたの財産として定着しているのです。

Point 2 　本書オリジナルの演習問題は妥協しない質と量を誇る！

　本書の著者は講師として G 検定の合格者を数多く輩出しています。本書では、著者による G 検定の過去問の分析に基づいた、**良質な章末問題 96 問と模擬試験問題 191 問のオリジナル問題を提供**しています。これらの演習問題は妥協しない質と量を誇っており、**問題の難易度と出題形式が本番試験に極めて近く、最新の出題傾向を的確に反映**しています。

　具体的には「奇抜な問題」や「簡単すぎる問題」（常識や消去法で解ける問題）を避け、「しっかり勉強すれば解ける良問」を中心に演習問題を設計しています。これらの問題を繰り返し解き、その解説もしっかり復習することによって、本番試験の大部分を難しいと感じないレベルに達することができるでしょう。

　詳しい学習法は次ページや、P.14、460 などでお伝えしますが、皆様へのおすすめは各章のテキストを学習し終えた後、すぐに**一問一答の章末問題で最重要知識を確認**することです。そして、**本番試験の出題内容と難易度、およびデザインフォーマットを再現した PDF の模擬試験を予想問題として解く「リハーサル」**を行うことによって、本番で焦らず試験に臨むようにしましょう。

赤シートを最大限に活用し、いつでも・どこでもラクラク覚える！

本書の本文も章末問題の解説文章も、**「特に出題されやすい箇所」が赤字で書かれています**。これらに、**付属の赤シート**を重ねると文字が消えます。この特徴を活用すると**最重要な語句をピンポイントで確認し、効率的に知識を吸収できます。**

例えば、1回目は普通に本文を読み通し、2回目以降の復習では、文字を赤シートで隠しながら読み進めることで、まるで「穴埋め問題」を解いているかのような効果が期待できます。しかも、隙間時間にもサッと試験勉強したり、試験直前の知識の整理に使用したりできるのも魅力的です。

G検定の合格後も長く使える！ 実務でも使えるテキスト！

著者は、データサイエンティスト集団の企業にてデータ分析の実務と AI 人材の育成に関わっております。さらに、複数の社会人スクールにて、AI・データサイエンスの講座で講師を務めています。豊富な指導経験を有する AI 教育の専門家だからこその知見を皆様にお伝えしたく、G 検定に出題される各概念を、実務の現場の事例を使って説明しています。

そのため、**本書は、G 検定に合格するだけでなく、その後の実務でも長く使える1冊**になっています。実際、本書の多くの読者は、合格後も本書を業務や更なる学習の際の参考にするために側に置いていただいております。また、本書を学習用のテキストとして採用する企業も増えてきております。

たくさんの方々に読まれている本書は「**緑本**」という愛称で呼んでいただいております。
ぜひ、これから活用していただける読者の方々も「**緑本**」と呼んでいただけると幸いです。

最近の G 検定試験の難易度が上昇傾向にあります。受験者が特に苦手意識を持つ**「法律・論理」**、**「数学・統計学」**、**「生成 AI」**などの難関分野をいかに対策するかが合否の決め手となります。**本書の解説と問題は、これらの難関分野に関して、世の中にある全ての G 検定の書籍の中でも最も充実した内容**になっています！

CONTENTS | 目次

CHAPTER 1　人工知能

CHAPTER 2　機械学習

CHAPTER 3　ディープラーニングの基礎概念と応用技術

CHAPTER 4　ディープラーニングの研究分野

CHAPTER 5 AIプロジェクトに必要な知識

CHAPTER 6 AIの社会実装に伴う法律・論理

CHAPTER 7　G検定に出る数理統計学

APPENDIX　模擬試験 問題・解答のダウンロード方法

INDEX

Mock Exam　模擬試験 問題・解答

ダウンロード PDF　模擬試験・問題（PC 画面用）

ダウンロード PDF　模擬試験・問題（印刷用）

ダウンロード PDF　模擬試験・解答（PC 画面・印刷兼用）

本書の構成

はじめて AI 分野の学習をする方は、本書の Chapter1 から順に学習することをおすすめします。既に一部の分野に馴染みがある場合は、比較的苦手な分野から学習し、最後に全体を通して確認する方法でも構いません。

1 テキストの本文

シラバスの内容を、最も学習しやすい構造で、7 つの章（Chapter）にカテゴライズしています（詳しくは P.8 からはじまる目次参照）。

---

❶ **本文**：熟読することで合格に必要な知識を体系的に学べるようにしています。

❷ **太字**：出題されやすい内容です。このうち赤い太字は特に頻出な語句であり、赤シートを重ね文字を見えなくすることで、一問一答形式の学習に活用できます。

❸ **ココが試験に出ます！**：試験に頻出の要点をまとめた一覧です。学習範囲を把握するとともに、試験直前の最終確認チェックリストとしても活用できます。

❹ **概念図**：イメージしにくい概念は図にしてわかりやすく伝えています。

❺ **COLUMN**：本文の内容の理解力と定着性を高めるとともに、今後の実践に役に立つ知識や話題を知ることができます。

❻ **講師のアドバイス**：G 検定に精通した講師が、知識の覚え方や G 検定試験で得点アップにつながるコツをわかりやすく述べています。

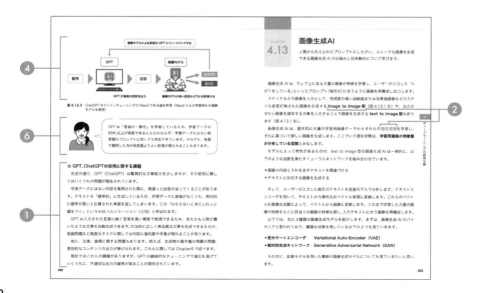

2 章末の演習問題

章末には演習用の問題が用意されています。解答は赤シート対応になっています。テキストの学習後、一問一答の形式で、すぐに理解度を確認できます。

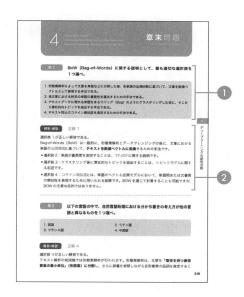

> 章末問題 ＋ 解答・解説
>
> ❶ 問題：出題頻度の高い良問を厳選。
> ❷ 解答・解説：各問題を詳しく解説します。「他の選択肢」が不正解の理由や、関連知識についても丁寧に解説しています。赤シートを活用して徹底的に復習してください。

3 ダウンロードして利用する模擬試験のPDF

試験本番のリハーサルを兼ねる模擬試験の PDF を用意しています。印刷用の PDF も用意していますが、**G 検定はオンラインで受ける試験です。模擬試験も PC 画面で受けるとよいでしょう。** 詳しくは P.459 からはじまる APPENDIX をご確認ください。

模擬試験 191 問 ＋ 解答・解説

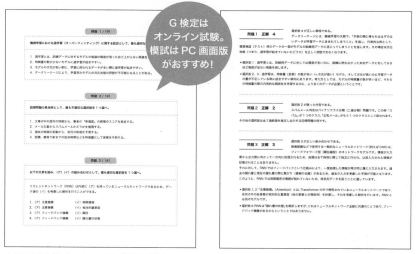

G 検定はオンライン試験。模試は PC 画面版がおすすめ！

本番と同じ構成の 191 問の模擬試験を掲載。　　章末問題と同様に詳細な解答・解説。

G検定の概要と出題傾向

　G検定（ジェネラリスト検定）は、一般社団法人日本ディープラーニング協会（JDLA; Japan Deep Learning Association）が実施する資格試験です。**AI・ディープラーニングの知識を事業に活用するための基礎知識を認定**します。

　G検定で問われる機械学習や深層学習の技術は、画像認識や自然言語処理といった分野の最前線で活躍しています。そして、AIプロジェクトの進め方や関連する法律・倫理の知識も問われます。G検定の「G」は「ジェネラリスト」（generalist）を意味しているように、**G検定は技術と社会実装の双方の理解ができるビジネストランスレーターの育成を目指しています。**G検定の試験概要は以下の通りです。

試験概要	受験環境：オンライン受験　　問題数：191問程度　　試験時間：120分 4つの選択肢から答えを選ぶ多肢選択式（シラバスより出題）※
受験資格	制限なし（複数回受験可）
受験料	一般：13,200円（税込）（2024年の場合）、2回目以降：半額、学生：5,500円（税込）
試験日程	通常年に6回（2024年以降は年6回へ） 日程の確認と申込：https://www.jdla.org/certificate/

※特定の概念について適切・不適切な記述を選択、文章の空欄を埋めるなどいくつかの問題パターンがある。

G検定試験の合格者数と合格率

　G検定は2017年12月に第1回目が実施され、それ以来、AI人材育成の需要とともに、ますます注目度が高まりました。近頃、様々な業界で、内定者や転職者にG検定の取得を必須条件とする企業が増えています。全体として受験者数が右肩上がりであり、「合格者率」は60〜70%と言われています。　　　　※参考：https://www.jdla.org/certificate/

出題分野と傾向

　過去の試験問題や合格基準は非公開であることから、「どのような問題が解ければ合格できるのか」を悩む読者も多いでしょう。ここで学習をサポートする情報をお伝えします。G検定では、専門用語の定義さえ暗記すればよいというわけではありません。人材育成の観点から、AI開発やデータ活用に携わる全ての人が習得すべき事項として、以下がよく出題され、右ページの上図のようにまとめることができます。

- 解析手法や応用技術の特徴、その背景で使用されているアルゴリズムに関する理解
- AI技術を事業・社会に実用化する上で必要な知識（AIプロジェクトの進め方、法規制、倫理など）

- **人工知能（AI）… Chapter1 に相当**

  人工知能（AI）の定義、3度の AI ブームと AI 技術の動向（知識の獲得、推論・探索など）、強い AI と弱い AI、AI 分野で議論されている諸問題（例：トイプロブレム、フレーム問題、身体性、シンボルグラウンディング問題など）

- **機械学習 … Chapter2 に相当**

  機械学習の基本概念、様々な具体的なアルゴリズム、データの前処理や特徴量設計、モデルの構築と精度評価、ハイパーパラメータ、過学習、特徴量、パラメータの最適化

- **ディープラーニングの基礎と応用技術 … Chapter3 に相当**

  ディープラーニングのベースである「ニューラルネットワーク」の構造と学習の仕組み、最適化アルゴリズム、精度向上の工夫、必要とする計算リソースとデータ量、CNN を用いた画像認識、RNN を用いた言語解析、深層強化学習など

- **ディープラーニングの研究分野 … Chapter4 に相当**

  ディープラーニングの応用技術（一般物体認識、自然言語処理、音声認識・深層強化学習・ロボティクスなど）、マルチモーダル技術、生成 AI（画像生成 AI、文章生成 AI）の学習法、技術動向、実用化の現状、モデルの解釈性の向上に向けた研究

- **AI・データ活用の社会実装とプロジェクトの進め方 … Chapter5 に相当**

  AI 開発やデータ活用のプロジェクトを計画・推進する上で必要な実践的な知識、一般的な開発に比べて、AI 分野特有の契約や開発方式、開発をサポートする周辺技術や開発環境

- **ディープラーニングの応用に伴う社会的課題 … Chapter6 に相当**

  多くの受験者にとって得点を取りづらい苦手分野は、AI 関連の法律・倫理、生成 AI などの最先端技術といった「慣れない分野」です。個人情報保護法、著作権法、特許法、不正競争防止法など、データ、AI モデル、開発者、利用者に関する「権利」を保護するための法律が多いです。倫理に関しては、透明性、説明責任、公平性が主な論点です。近年では、AI の軍事利用や独占禁止法、国内外の諸規制などもシラバスに加わっています。生成 AI の社会への普及に伴い、身につけるべき法律・倫理の知識がさらに増えています。

- **AI を理解するための数理統計学 … Chapter7 に相当**

  ディープラーニングの理解には、数学・統計学の知識が重要です。そのため、G 検定には毎回、基礎的な数学と統計学（「数理統計学」）が数問出題されます。数問とはいえ、確実に点を狙いたい部分です。なぜなら、G 検定に出題される数理統計の問題は（他の分野に比べて）範囲と形式が限定されており、傾向を把握し、しっかり対策すれば点数を取りやすいからです。ここで点数を落とすのは実にもったいないです。

　なお、G 検定の数理統計の問題は大きく分けて、①「一般的な数学・統計学の問題」と②「AI・機械学習に特化した問題」（G 検定特有の数学）の2種類です。

①の出題例 （高校の数学の知識が必要）	微分、偏微分、確率、条件付き確率、ベイズの定理、線形代数（ベクトル、行列の計算）、期待値の計算、確率分布、基礎的な統計量（平均、中央値、標準偏差、相関係数など）、他。
②の出題例 （さらに本書の Chapter2~4 の技術分野の知識が必要）	活性化関数、ニューロンモデル、畳み込み演算、学習済みモデルの精度計算（混同行列、適合率、再現率など）、データ処理（正規化など）、回帰方程式、データ点の間の距離、他。

ヤン先生のおすすめ学習法と試験対策

ヤン先生

> G検定試験合格に向けた効果的な学習方法をお伝えします。学習スタイルは人それぞれであり、ご自身のニーズに合わせて取り入れてください。試験当日のアドバイスもお伝えします！

おすすめ学習法 1 練習問題を徹底的にこなす ＋ 出題パターンに慣れる

　G検定では、**120 分の制限時間の中で 190 問以上が出題されます**。この厳しい時間制限の中で、幅広い分野の問題を解くためには、知識のインプットだけでは不十分で、様々な質問の仕方に対して、学んだ知識をアウトプットできる訓練が大変重要です。

　つまり、本書の**章末問題および模擬試験を「G検定の予想問題」として用いて、徹底的に問題演習をこなす**ことが、最も効率的な試験対策法になります！

- 各章の本文を学習し終えたら、**すぐに章末問題で理解度を確認**してください。
- 章末問題や模擬試験を解いた後に、解答の**解説文を誤りの選択肢も含めて必ず熟読**してください。本書の解説では「答えを説明する最小限のもの」ではなく、「**合格につながる重要なポイント**」を多く伝えています。
- 解説を読む際に赤シートを活用することで、「空欄に入る用語を答える問題」を解くのと似たような効果が得られます。
- 模擬試験は本番をイメージした環境で時間を測って解いてください。**1 問あたり30 秒程度しかない**と思ってください！ 本番試験は模擬試験よりも体力的に大変です。出題パターンに慣れることで本番の緊張を和らげることができます。
- 間違った問題にはチェックや付箋などでマークを付け、少し時間を置いてから再び同じ問題を繰り返し解いてください。

> G検定は場所を問わないオンライン受験なので、試験中でもテキストの参照やウェブ検索を行うことができます。しかし、いちいち調べていると時間内に全問回答できない可能性が高くなります。調べなくても解けることを目指しましょう！

おすすめ学習法 2 知識の覚え方を極める！

G検定で問われる専門用語を「まるで記号のような丸暗記」にすると苦痛になります。以下は、よりラクに、効果的に知識を覚えるための技です。

- テキストを読んでいる際に**「理解した！」と実感できるまで同じ場所を繰り返し読む**。苦手分野は同じ問題でも繰り返し解くことは有効
- 目の前の**仮想的な質問者**に**「自分の言葉で相手に説明できるか」**を試す
- **「どうしても覚えきれない項目」だけをまとめたノートやチートシートやフラッシュカードを作る**。本番直前に「これだけ見ればよい！」のような存在にすることで、心の安定感と自信にもつながる

おすすめ学習法 3 学習計画を立てる！

G検定試験では、AIやディープラーニングに関する幅広い内容が出題されます。学習開始前に公式の「シラバス」と本書の序論を確認し、学習の範囲の具体的なイメージを把握してください。開始時点の自分の知識レベルに基づいて、合格に必要な学習量を見積もり、受験日から逆算して日ベースの詳細な学習計画を立ててください。**計画表にチェックマークを付けて進捗管理するとモチベーションを維持しやすくなります。**

繰り返し問題をこなすことで「体で慣れる」ようにしてください。知識が深く根付いていれば、本番で試験問題文を見た瞬間、「自分の名前を答える」と同じくらいスラスラと解答できるはずです。

おすすめ学習法 4 ウェブリソースを上手に活用する！

AIの概念や研究に関するリアルタイムな事例を知ることが、知識の定着を助けます。ウェブ検索を上手に使ってください。G検定で出題される、AI、機械学習、ディープラーニング、生成AI、どれも日々技術が進化していく分野です。そのため、試験の内容は毎回変移していく可能性があります。関連するニュースを日頃から確認し、読みやすいウェブ記事のサイトに登録するなどすると、キャッチアップしやすくなります。

※さらに詳しい試験のアドバイスと戦略がP.459-461にあります。試験だけではなく、本書の模擬試験を受ける前にも確認しておきましょう。

難問の意図について

　G検定の多くは、基礎知識として知っていることが期待されている内容が出題されます。一方で、最新の技術動向を完全にフォローすることは容易ではありません。**最新の技術や議論の中には、まだ十分に世の中に認識されていないものもあります**。そのような内容を問う問題を一部解けなくても、**受験者は自信を失う必要は全くありません**。まず、このような難問は合否に直接繋がるわけではないです。著者は、このような最新動向に関する出題は、受験者へのメッセージを込めて、意図的になされていると考えています。

　難易度の高い問題は、受験の際に知識を持っていることが必ずしも期待されているわけではありません。どちらかというと、**「受験を機に、解けなかった問題については自発的に調べて知識を広げてください」**というメッセージとして受け止めてよいと思います。ディープラーニングや生成 AI は、完成された学問分野ではなく、日々技術が進化し、社会への実装がリアルタイムで試みられている領域です。それに伴い、学ぶべき内容が変わっていくのは当然です。G 検定が認定するのは、「受験したタイミングにおける基礎知識」に過ぎません。一度合格しても、継続的に学習を続けなければ、最先端の知識をもっていると言えないわけです。

受験後について

　本書は G 検定合格を第一の目的としながらも、より深く、実践的に AI・データサイエンスの業務内容を理解できるように解説しています。その意味で本書は G 検定に合格した後でも、実務で百科事典のように長く使える一冊になっています。それが、本書のタイトルにある**「最強」**の一番の意味になります。

合格はゴールではなく、ジェネラリストとしてのスタートです！継続的に勉強を続ける姿勢、それこそがジェネラリストに求められることだと思います。

人工知能

Artificial Intelligence

最初の章では、まず人工知能（AI）や機械学習の重要概念と技術動向、AI の研究開発の歴史や問題点、「AI と人間の知能はどう異なるのか」などについて学びます。これらは後続章で学ぶ専門性の高い内容を理解するための土台となります。試験では純粋な知識問題が出題されやすいため、しっかり勉強すれば確実に点数が上がります。

Generalist Exam
[clear explanations and quality exercises]
Powerful textbook leading you to success!

人工知能(AI)の定義

人工知能（AI）には、機械学習やディープラーニングなど様々な分野が包括されています。この節では、G検定の第一歩としてAIの定義を正しく理解しましょう。

　私たちは、日常的に「人工知能」「機械学習」「ディープラーニング」「生成AI」などの言葉に触れるようになりました。皆さんはこれらの用語の正しい定義を自分の言葉で説明できるでしょうか？

　例えば、次の2つの質問についてじっくり考えてみてください。

「人工知能とは何か？」
「人工知能と機械学習はどう違うのか？」

　Chapter1では、まず人工知能に関連する重要概念の本質を正しく理解することで、Chapter2以降で説明する技術の内容がより学びやすくなります。続いて、人工知能の各種技術がどのような経緯を経て開発されてきたのか、そして、人工知能の研究がこれまでに抱えてきた問題点についても学んでいきます。

1.1.1 人工知能(AI)とは

　人工知能は「AI」と略記されます。**Artificial Intelligence**（アーティフィシャル・インテリジェンス）の頭文字をとったものです。

- Artificial = 人工的な
- Intelligence = 知能

　実は、AIには「絶対的な定義」は定められていません。AIの定義に関しては専門家の中でも意見が食い違います。表1.1.1に国内の研究者が述べている定義をいくつか紹介します。

発表者	定義
松尾豊 東京大学大学院工学系研究科教授	人工的につくられた人間のような知能、ないしはそれをつくる技術
松原仁 東京大学次世代知能科学研究センター教授	究極的には人間と区別が付かない人工的な知能のこと
武田英明 国立情報学研究所教授	人工的につくられた、知能を持つ実態。あるいはそれをつくろうとすることによって知能自体を研究する分野である
長尾真 京都大学名誉教授	人間の頭脳活動を極限までシミュレートするシステムである

表 1.1.1：専門家による AI の定義にはばらつきがある　出典：『人工知能学会誌「人工知能」』

ご覧のとおり、わかったようでわからない説明だと思いませんか。

なぜ、AI の定義を 1 つに定めることがこんなに難しいのでしょうか。理由は簡単、人間の持つ「知能」や「知性」そのものの定義が一意に決められないからです。それでも、研究者たちの間では、概ね以下のニュアンスを持つ意見が大半を占めています。

- 「人間が持つ知的な情報処理能力を機械に持たせること」
- 「周囲状況（入力）によって行動（出力）を変える能力を持つ機械」

ところが、ここでいう「人間が持つ知的な情報処理能力」のレベルが人によって解釈が異なるため、「どこまでが AI と言えるのか」が難しい問題となります。推論、探索、認識、判断などの具体的なタスクに落とせる場合は、AI にその能力を持たせることはまだ比較的たやすいです。しかし、人間が持ち合わせている感情、物理的な身体感覚、痛みを感じる神経網などの複雑な機能は果たして、AI で再現できるでしょうか。「人間が持つ知的な情報処理能力を持ち合わせた AI」と言えるためには、どこまでを要求すべきでしょうか。

おそらく、皆さんの間でも議論が尽きないと思います。

身近なところで考えてみましょう。
洗剤の自動投入機能のある洗濯機は AI といえますか？
ATM でのローン審査は？　お掃除ロボットは？
スマートスピーカーは？

人工知能の最初の定義

　はじめて「人工知能」という言葉に定義が与えられたのは、米国の人工知能研究者および計算機科学者のジョン・マッカーシー（John McCarthy）によってでした。1956年に米国で開催された**ダートマス会議**にて、「知的な機械、特に、知的なコンピュータプログラムを作るための科学技術」と定義されました。

　ダートマス会議は、「考える」「行動する」能力を持つプログラム全般をテーマとする会議であり、ジョン・マッカーシーの他に、マービン・ミンスキー（Marvin Minsky）など、AI 研究に関連する心理学、神経科学、情報科学、言語学、哲学の分野における著名な専門家たちが参加しました。ダートマス会議を境に**「人工知能」は学術分野の１つとして正式に認められた**のです。

COLUMN ｜ ATM は AI と呼んでよいのか？

　洗剤の自動投入機能のある洗濯機などの AI 家電は「人間が決めたルールにしたがって動作しているだけではないか？」と疑問に思う方がいてもおかしくないですね。それでは、AI と「呼べる」判断基準とはいったい何でしょうか。

　次のような考え方はどうでしょうか。AI と認められるための、最低限クリアすべき基準は「**自動化**」と認識してみます。

　AI 搭載洗濯機は、洗濯物を入れるだけで、その重さや嵩（かさ）によって、水の量や洗剤の量を調整し、洗浄・脱水・乾燥まで一通り人間の手を介さずに完了させてくれます。お掃除ロボットは、スイッチをオンにするだけで、家中を満遍なく掃除してくれます。

　では ATM の場合はどうでしょうか。ATM では暗証番号を入れると、背後のデータベースとパターンマッチングを実行した上で、人間が入力した金額を引き出したり、逆にお金を吸い込んで暗証番号とマッチした口座に貯めたりします。ある意味で「ルールベース」の AI に似ていませんか。しかし、ATM はその目的を果たすため、逐次的に人間の操作が必要で、「自動化」という最低限の条件を満たしていません。そのような理由で、私は ATM は AI とは呼べないという意見を支持します。

　将来的に、暗証番号の入力は必要なく、顔認識で個人を特定でき、音声認識で引き出したい金額を指示できるようになれば、ATM は立派な AI と認められることでしょう。

CHAPTER 1.2 人工知能と機械学習の関係性

ここからは、AI と深く関連する重要な技術を整理していきましょう。本節では特に、シンプルなルールベース AI とデータを用いた機械学習の違いを学びます。

AI の全体像を知るために、以下の 2 点を理解していきましょう。

● **人工知能と機械学習はどのような関係にあるか**
● **機械学習におけるディープラーニングの立ち位置**

1.2.1 人工知能と機械学習の関係

最初に「**機械学習（Machine Learning)**」を定義づけたのは、はじめての学習型プログラムを開発した米国の計算機科学者のアーサー・サミュエル（Arthur Samuel）です。その定義は以下の通りです。

「明示的にプログラムしなくても学習する能力をコンピュータに与える研究分野」

「明示的にプログラムしなくても」の部分が機械学習の性質を表現しています。その意味を、この後で理解できるように解説していきます。

先の「人工知能と機械学習はどのような関係にあるか」に対する回答を図 1.2.1 に示しました。図に示す通り、**機械学習とは人工知能の中の 1 つの手法**です。人工知能は、大きく**ルールベース**と**機械学習**の 2 つの手法に分けることができます。言い換えると、**機械学習は人工知能の部分集合**にあたります。

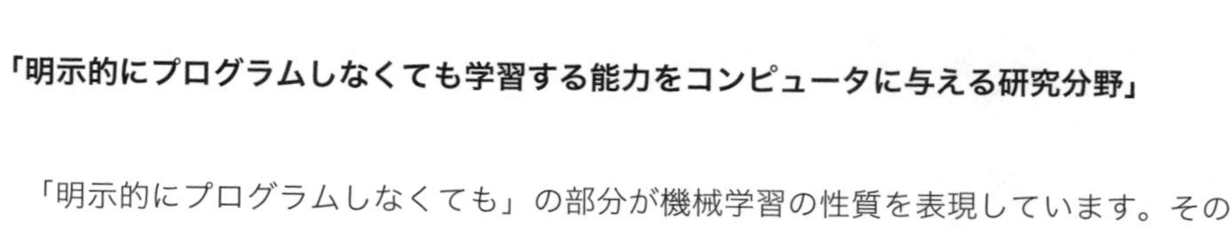

人工知能

ルールベース
ルールにしたがって判断する
条件 A の下で入力 B ➡ 出力 C

機械学習
学習データから**自動的に情報を整理**し、裏の法則を見つける

図 1.2.1：機械学習は人工知能を実現する 1 つの方法

●ルールベース

あらかじめ設定した動作ルールにしたがって行動する仕組みです。「条件Aの下でデータBが入力されたら、Cという出力をしなさい」のような一連のルールが事前に人間が設定し、AIはそれに忠実にしたがって出力するだけです。

●機械学習

学習データをもとに、汎用的なルールやパターンを、学習というプロセスを介して導き出す手法です。「汎用的」という表現は、**学習済みモデル**を用いて未知のデータに対する予測の精度がある程度担保されているということです[※1]。

機械学習の定義の重要なポイントは、**「学習データを用いること」**と**「学習のプロセスを必要とすること」**です。

　コンピュータに「人間らしい」認識能力・判断能力を持たせるためには、**振る舞いの基準**を定める必要があります。

　例えば、年齢や年収によってクレジットカード審査が通るかどうかを判定するAIプログラムについて考えましょう。この場合、「年齢と年収の基準値」、つまり判定軸と**閾値**[※2]を決める必要があります。次のような基準を一旦仮定します。

- 公務員の場合は20歳以上で年収が250万円以上であればOK
- 公務員以外の場合は22歳以上で年収が300万円以上であればOK

　このように判定軸（年齢、年収、職種）と閾値（20、300、250、公務員か否か）を決めて、導き出したい回答（クレジットカードの審査を通すか通さないか）を得るようなプログラムになります。ルールベース手法を採用した場合、人間がこの判断基準を明確に指定する必要があります。

※1 一般的には、予測の対象であるデータは学習データと同種類のデータ、あるいは似たような分布にしたがっているデータであることが前提。
※2 閾値とは、条件分岐の境目であり、閾値から少しでもずれたら何か状態が変わる、という値。

一方、機械学習を採用した場合、最も的確な振る舞いを可能にする基準をコンピュータが計算を通じて自ら見出す仕組みとなります。**判断基準の最適値を自動的に見出すことがまさに機械学習における「学習」なのです！**

サミュエルさんによる機械学習の定義「明示的にプログラムしなくても」の意味がわかった気がします。ルールベースと違って、いちいち人が判断基準をシステムに教えてあげなくてもよいということですね。

その通りです！
機械学習では計算機の内部で学習データに基づいて計算モデルを回して正しい答えを自動的に見つけるからです。

2000 年頃から、**インターネット**の普及によりデータの流通・収集・蓄積が容易になり、いわゆるビッグデータの時代と呼ばれるようになりました。膨大な量のデータ（＝ビッグデータ）を学習に活用できるようになると、機械学習で汎用的なパターンを効率的に見つけることが可能になります。

その効果がはっきりと表れている分野の 1 つが「ネット広告」です。近年、機械学習による広告表示の精度が急速にあがりました。例えば「エステ」商品の広告はもはやエステ関連のページにだけ表示されるのではなく、「恋愛」「占い」「カフェ」「男性アイドル」の関連ページに至るまで表示されるようになってきました。人間が従来手法で、「エステに興味を持つ人は恋愛にも興味を持つ可能性が高い」と推測はできても、カフェや男性アイドルとの関連までは簡単に導き出せませんでした。**人間が手に負えない大量のデータを処理し、新しい発見を導き出し、その改善のプロセスを高速に行えるのが機械学習のすごいところです。**

1.2.2 機械学習の仕組み

　次は、機械学習における「学習」と「予測」の工程についてもっと具体的に見ていきましょう。両者は次のような順番で行います。

① コンピュータが入力データを受け取り、モデルを学習させる
② 学習済みモデルを使って計算結果を出力する

　機械学習で最も広く使われる「教師あり学習」（2.2 節参照）を使って、①と②の工程の様子を図 1.2.2 と図 1.2.3 に簡単に表しました。

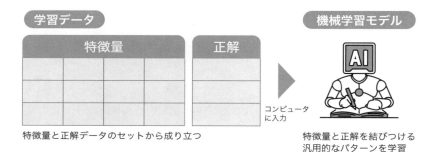

図 1.2.2：教師あり機械学習における「学習」の工程

図 1.2.3：教師あり機械学習における「予測」の工程

　教師あり学習では、**特徴量**と**正解データ**の2種のデータをコンピュータに入力します。特徴量とは、学習用データの特徴を定量的に表す変数であり、予測の手がかりとなります。正解データは、**正しい予測結果のお手本役**と解釈できます。教師あり学習の目的は**特徴量と正解を関連づける法則**を見つけ出すことであり、「このような特徴の組み合わ

24

せを持つ場合 → この出力を出すのが正しい」を発見しようとします。

　このような法則を学習し終えたモデルを**学習済みモデル**と呼びます。学習済みモデルに、答えが未知である新しいデータが入力されると、学習を通じて獲得した法則に基づいて、「正解らしき答え」を出力します。

正解データには、「**教師データ**」「**正解ラベル**」「**ターゲット**」など様々な呼び方があります。

　構築したモデルを社会に実装する前に、**テストデータを用いて学習済みモデルの精度を検証**する必要があります。モデルの精度が不足している場合は、**データ収集の方法、学習用データの再構成、モデルの種類や詳細設定の変更**などを再検討し修正する必要があります。このような試行錯誤を繰り返すことで、自信を持って「汎用的」と言えるモデルにたどり着きます。

　本節で学んだことは、次に学ぶ「ディープラーニングと機械学習の関係」、そしてChapter2 で学ぶ以下の内容と深く関連します。

- 機械学習の手法の種類（教師あり学習、教師なし学習、半教師あり学習、強化学習）
- 機械学習における精度検証の仕組み
- データの前処理と特徴量設計

自分の言葉で他人に伝えられることが重要です。
なぜなら、自分の言葉で説明できないことで、きちんと理解できていない現実に気付けるからです。

機械学習における
ディープラーニングの立ち位置

この節では、機械学習の手法の1つであるディープラーニング（ニューラルネットワーク）の特徴を理解していきましょう。

1.3.1 機械学習の中のディープラーニング

前節で、AI（人工知能）はルールベース手法と機械学習手法に分けることができる、という話をしました。AIの一手法である機械学習にはさらに目的別に様々な手法が存在しています。その中でも近年特に注目されているのは**ディープラーニング（深層学習；Deep Learning）**です。図1.3.1は、AIと機械学習とディープラーニングの関係性を表しています。

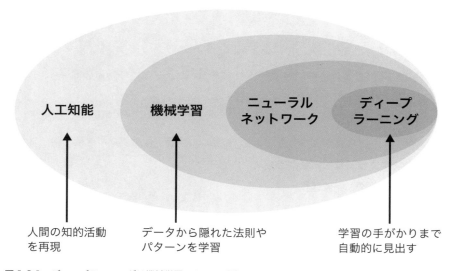

図1.3.1：ディープラーニングは機械学習の1つの手法

機械学習では大量のデータからパターンや法則を自動的に見出せるように学習を行います。しかし、従来の機械学習を活用する上で大変な作業があります。それは**特徴量の準備**です。前節では、特徴量について、「**学習データの中で着目すべき、学習または予測の手がかりとなる変数**」と説明しました。手元にある生データを、そのまま何の工夫もなしにモデルに入力して学習させても、よい精度を得ることは難しいのです。

Chapter2 では特徴量の準備について詳細に説明します。ここではまず特徴量の大まかなイメージを与えるために、以下の「スーパーマーケットのお客さんがクーポンに反応するか否か」を予測するケースを考えましょう。データとしては、過去 3 か月の購買データ（何を、いつ、どこで、どれだけの量と金額で買った、クーポン使用の有無など）と個人属性（年齢、性別、居住地など）が与えられたとします。

例えば、「クーポンを使う確率の高い人は、自宅から店舗までの移動コストが低い人である」という仮説に基づいた場合、住所をそのまま入力データとしても予測への手がかりとしては期待できません。郵便番号なら多少意味合いが出てくるかもしれませんが、できれば、住所から経度・緯度を割り出し、「店舗と自宅との距離」を入力データとしたいところです。それも直線距離ではなく、移動距離が算出されるとなおよいです。これで、住所データから算出できる店舗・自宅間の距離という「特徴量」に着目した結果が反映されることになります。

もちろん、高額な肉類を買う人はクーポンに反応しやすいとか、単身世帯（と推定できる人）はクーポンに反応しにくいとか、予測結果を左右する要素は他にもたくさん考えられます。

このように、一般的な機械学習を有効に使うためには、**人間が悩みながら相当な労力をかけてデータの前加工を施す**必要があります。データの前加工のプロセスは、欠損値の補填、文字列の数値化、集計、分割、結合など様々な煩雑な作業を含みます。

- データにある欠損値、外れ値、異常値を削除する、もしくは補填／補正する
- 文字列データをダミー数値に変換する（文字に適当な数値を割り当てる）
- 予測に有効な形になるよう、データを結合、分割、集計する
- 必要な列を選別し、不要な列を削除する

ただし、上記は最低限のプロセスに過ぎません。仮説にしたがった形式にデータを加工しても、学習済みモデルが精度を発揮するという保証はどこにもありません。先のスーパーの例では、よかれと思えた「この方は単身世帯であるかどうか」の推定が誤っているかもしれません。あるいは、天気の悪い日（これまた定量的に定義をするのは難しい）はクーポンに反応しにくいことが後から判明することもあるでしょう。

このような無限とも思える**前加工のプロセスを幾度も行い、試行錯誤を経て、ようやく有力な学習済みモデルにたどり着く**ことを強いられます。

せっかく機械学習を意思決定の自動化や効率化に使いたいと思ったのに、結局その精度は「職人技」に依存するのか、と落胆する方もいるでしょう。

　その中で登場してくるのが**ディープラーニング**です。ディープラーニングの最大の特徴は、**精度の高い結果を導くために必要な情報（特徴量）をデータから自ら抽出できる**ことです。この点が従来の機械学習との大きな違いです。

　例えば、図 1.3.2 のような、画像から犬と猫を見分けるというタスクがあったとします。ディープラーニングが普及する前は、従来の機械学習手法（例えば、Chapter2 で学ぶサポートベクトルマシン）を用いて画像認識を行っていましたが、特徴量の設計がかなり大変でした。画像の「線の曲がり具合」「小さな領域の明暗」「輪郭」を数値化するような学習データを準備しなければいけません。さらに、「耳がこのような形、ひげがこの角度であれば猫である」のような特徴を 1 つひとつ人間が細かく指定しなければいけません。

　これに対して、画像認識にディープラーニングの技術を活用する場合は、単に「犬」か「猫」と正解をラベル付けされた画像を大量に用意してモデルにインプットするだけです。**「各領域の明暗」のような基本的な特徴量から、対象物を分類するための詳細な特徴量まで、全て自ら認識することができます。**

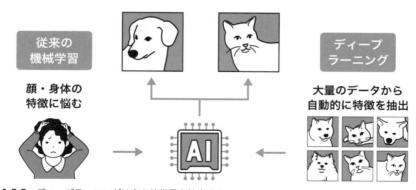

図 1.3.2：ディープラーニングは自ら特徴量を抽出する

　重点を以下にまとめます。

- **ディープラーニングは機械学習の多くある手法のうちの 1 つである**
- **ディープラーニングを使用すると、データから特徴量を自動的に導き出せて、人間によるデータ前加工の労力を削減できる**

特徴量を自ら認識・整理できるディープラーニングとはどんな仕組みで動いているのか気になることでしょう。その仕組みは Chapter3 で詳しく解説することにして、ここでは少しだけ触れておきます。

1.3.2 ディープラーニングの基本的な仕組み

ディープラーニング（深層学習）に使われるアルゴリズムは**ニューラルネットワーク（Neural Network）**です。**人の神経構造を模したネットワーク構造**をしており、**入力層、隠れ層（中間層）、出力層**の 3 種の層から成り立っています（図 1.3.3）。隠れ層を多数組み合わせた、非常に深くて複雑な構造を持つネットワークです。

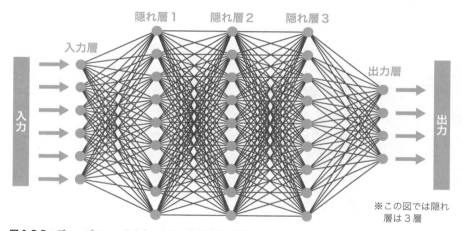

図 1.3.3：ディープニューラルネットワークは人間の神経のように何層にもなっている

ニューラルネットワークの入力層の役割は**外部からのデータを受け取る**ことです。出力層の役割は**予測結果を出力する**ことです。入力層と出力層の間にある数多くの隠れ層では、ネットワークに入力されたデータから、**識別に必要な特徴量を導き出す**役割を果たします。図 1.3.3 のように、隠れ層は様々な経路で繋がれています。これらの経路に沿って、大量のデータがその特徴に基づいて処理されていきます。**学習プロセスの中で、経路の構造や性質は、正解を導き出せるように変化していき、最適化されていきます。**

人工知能の4つのレベル

AIの定義の1つの捉え方である「周囲状況（入力）によって行動（出力）を変える能力を持つ機械」の視点に立ってみると、AIは4つのレベルに分類することができます。

レベル1 シンプルな制御プログラム

入力に応じて、あらかじめ決められたルールに忠実にしたがって出力するプログラムです。ルールベース型AIのうち最もベーシックな部類です。エアコンの温度調整の自動化、AI搭載洗濯機の洗剤投入や水量調整の自動化、単純なモニタリングなど、わかりやすくてシンプルな振る舞いを行うシステムが挙げられます。レベル1のAI技術は、制御工学、システム工学などの分野で長年培われてきました。

レベル2 古典的な人工知能

レベル2のAIは、探索、推論、知識データベースを利用したAIです。レベル1のAIに比べてもう少し複雑なデータ処理と判断を行うことができ、対応可能な入力・出力の組み合わせの数も多くなります。お掃除ロボット、診断プログラム、ルールベース型チャットボットが挙げられます。例えば、お掃除ロボットはセンサーの察知機能により部屋の形や障害物の存在を探索・推論し、同じ所を通過せずに効率よく掃除することができます。「古典的な人工知能」と呼ばれる理由は、レベル2になってはじめて利用者が「人工知能らしい」と感じるようになったからです。「古典的」とはいえ、**特定の分野に限定した場合は高い性能を発揮**し、十分に人間を補助できます。実は、レベル4で登場するディープラーニングの研究は、レベル2のAIから出発したという説があります。

レベル3 機械学習を取り入れた人工知能

レベル3のAIでは、**機械学習の手法を取り入れ、大量な学習データの分析を通じて、入力と出力を結ぶ汎用的なパターンや法則を見出します。**その後、導出済みの法則（学習済みモデル）に基づいて新しい入力情報に対する判断を行います。レベル3のAIは、2000年以降のビッグデータの時代に台頭しました。

レベル4 ディープラーニングを取り入れた人工知能

レベル4のAIは機械学習の一種であるディープラーニングを取り入れたものです。他の機械学習の手法と違って**特徴量をデータから自動的に見出す**ことができます。そのため、画像、音声、テキストといった非構造化データを対象とした予測タスク（例：顔認識、機械翻訳など）において高い性能を出すことができます。例えば、自動運転車は、ボールが転がってきた時、数秒後に子供が飛び出すことを予測し、減速します。これは、周囲から危険を予測するための特徴量を自動的に抽出できるからです。

AIと聞くと「自ら考えて行動しているコンピュータ」のようなイメージを持たれてしまうことがあります。他方で、新しい技術が実装されても、私たちはそのからくりを知ると、「それは単なる自動化であって、知能ではない」や「知能は人間しか持つことができない」と思いたがる傾向にあります。その結果、「人工知能」という技術的なアイデアに抵抗感を抱きやすくなります。

このように、**人間が一旦AIの仕組みを知ってしまうと、AIに知能らしきものがなく、ただの自動化システムに過ぎないと思う心理状態**を **AI効果** と呼びます。

ココが試験に出ます！

- 1956年に開催された**ダートマス会議**をきっかけに「人工知能」の定義が与えられ、学問分野として認識された。

- 人工知能は**ルールベース**と**機械学習**の2種に分けられる。ルールベース手法では人間があらかじめ設定した動作ルールにしたがって行動する。機械学習では、学習を通じて、学習データから**汎用的な法則・パターン**を導き出す。学習を終えた**学習済みモデル**を用いて新しいデータに対する予測を行う。

- **特徴量**とは、予測の手がかりとなるデータの特徴を定量的に表した変数。

- ディープラーニングは機械学習の一手法。**特徴量をデータから自動的に抽出**できるため、画像やテキストなどの**非構造化**データの解析も得意とする。

- **AI効果**とは、AIの仕組みを一旦知ると、「人工の知能ではなく、単なる自動化に過ぎない」と思ってしまう人間の心理のこと。

CHAPTER
1.5

人工知能の歴史

ここまでは、AI、機械学習、ディープラーニングの基本的な概念を解説してきました。次に、それらの技術はどのような歴史をたどって発展してきたのかを見ていきましょう。

これまでには、以下のような3度の「AIブーム」が発生したと言われています。

> **第1次AIブーム（1950年代後半～1960年代）**
> ● 当時のAIは、明確に定義された問題に対しては性能を発揮したため、AIへの期待が一時的に高まった
> ● **実世界の複雑な問題を解けない（トイ・プロブレム）**と判明しブームが下火

> **第2次AIブーム（主に1980年代）**
> ● 専門知識を大量に蓄積し、専門家のように応答する**エキスパートシステム**を実用化
> ● 知識を満遍なく用意し、管理することが困難であることが判明し再びブーム終息
> ここから長い冬の時代へ突入 …

> **第3次AIブーム（2000年以降）**
> ● ビッグデータの時代に機械学習の研究が大きく進歩した
> ● 自動的に特徴を抽出できる**ディープラーニングが技術的なブレイクスルーに**

1.5.1 第1次AIブーム

　第1次AIブームはおおよそ1950年代から1960年代まで続きました。この時代に現代のPCの元となった汎用コンピュータが登場したことで、「人間の脳の働きを再現する研究」が可能になりました。

　特に、**推論と探索**に関する研究が進展し、その研究対象として主に**パズル**、**迷路**、**チェス**などが扱われました。これらは、AIが**明確かつ狭いルール**に基づいて挙動することが共通点です。ゲームAIは探索を通じて有利な手を見出し、効率よくゴールや勝利に到達しようとします。この時代のAIは、**明確に定義された特定の問題**に対しては解を出せたため、一時的に大きな注目を浴び、最初のAIブームを引き起こしました。

しかし、実世界の複雑な問題に対してはそうはうまくいきません。探索をすればする ほど、**実行可能な手の組み合わせは爆発的に増加していくため、現実的な時間の中で最 適解を見出すことが困難**でした。結果、推論と探索だけを行う AI の成果には限界があ るという見解に至り、第 1 次 AI ブームは終息しました。

身の回りの複雑な問題を解決できない「おもちゃ」と評価されて しまったため、この時代の AI の課題は、1.8 節で取り上げる「**ト イ・プロブレム**」（**おもちゃの問題**）と呼びます。

1.5.2 第2次AIブーム

第 2 次 AI ブームは主に 1980 年代に出現しました。第 1 次 AI ブーム時代の反省を活 かして、**現実の問題に役に立つ AI** が考案されました。第 2 次 AI ブームを代表する AI 技術は**エキスパートシステム**です。専門家（エキスパート）からヒアリングした知識を 大量にコンピュータに蓄積します。質問をされた際に、コンピュータが**知識データベー ス**から答えを抽出して、まるで人間の専門家のように返答します。これはルールベース 型 AI そのものです。エキスパートシステムは、医療診断や対話システムなどに応用さ れ、確実に社会貢献していました。もはや「おもちゃ」ではなくなり、めでたく 1980 年代には AI の研究が再びブームを迎えました。

専門医の知識をコンピュータに移植し、エキ スパートシステムを作る

エキスパートシステムが、症状から病名を特 定する
質問例：「喉が痛い？」「熱はある？」
診断例：「喉が痛いなら A と B の病気の可能 性があるが、熱がなければ、B の可 能性が高い。」

図 1.5.1：医療目的での使用を想定したエキスパートシステムの仕組み

しかしそのうち、エキスパートシステムにも限界があることがわかりました。エキスパートシステムが的確な判断を下すためには、**ありとあらゆる専門知識を教え込む作業**が必要となり相当の労力がかかります。また、知識を管理するためのルールに、世の中の「全て」のルールを適用することは非現実的です。それゆえ、システムを使用していく中で**例外や矛盾**にぶつかることが頻繁に起こり、挙句にはシステムが矛盾に対処できずにフリーズしてしまうこともありました。

結局、エキスパートシステムは、**例外があまり生じないような比較的単純なタスクにしか対応できない商品**となりました。第 1 次 AI ブーム時代の「おもちゃ」よりは活躍できたものの、第 2 回目のブームもやはり失望に終わりました。1990 年前後から 2 回目の「冬の時代」に突入しました。

1.5.3 第3次AIブーム

第 3 次 AI ブームは 2000 年以降に到来しました。これはビッグデータの活用が盛んになりはじめた時代です。それまでのルールベース AI とは異なり、自ら知識を獲得する機械学習を中心とした技術が採用されました。中でも特に、**特徴表現を自動的に抽出できるディープラーニングの成果が、第 3 次 AI ブームに拍車をかけ、2010 年頃からブームが本格化しています**。それまで数十年も研究されてきたディープラーニングが、2010 年以降に実用化が一気に加速化した背景には、以下の要因があります。

- 2000 年以降に**インターネット**の普及によって、**データ**が発生しやすく、集めやすくなった
- GPU などの演算リソースの性能が向上し、膨大な情報を短時間で処理可能になった
- 高性能なアルゴリズムが開発された

さらにクラウド技術を使ったサービスが広く普及したこともあります。従来の AI 研究では、学習データや演算装置はローカル（手元）のリソースに制限されていました。しかし近年、「データを保存する」「抽出する」「計算する」「結果を出力する」といった一連の処理は、クラウドという「仮想コンピュータ」の上で実行可能になりました。Google、Amazon、Microsoft など大手 IT 企業が機械学習の開発用にクラウドサービスを提供しています。**ビッグデータの処理を、誰でも、どこでも実行できる**ようになった環境の変化が、AI 技術の発展に大きく寄与してきました。

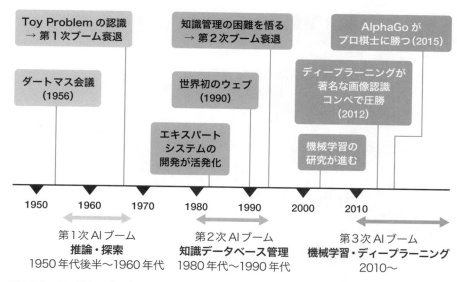

図 1.5.2：AI の歴史はブームとその終焉が繰り返されてきた

ココが試験に出ます！

- **第1次 AI ブーム**：1950 年代後半 〜 1960 年代に開発された AI は、ゲームなどルールが明確な定義された問題に対しては性能を発揮したため注目されたが、**実世界の複雑な問題**を解けないと判明し、ブームが終わる。

- **第2次 AI ブーム**：主に 1980 年代に、専門知識を大量に蓄積し、専門家のように応答する**エキスパートシステム**が様々な産業・企業分野にて実用化された。しかし、膨大な量の知識の整合性と一貫性を保つためのルール整備が困難であること（**知識獲得のボトルネック**）が判明したため、ブームが終わる。

- エキスパートシステムの代表例：**DENDRAL** は有機化合物の分子構造を推定する。**MYCIN** は感染症の専門医のように診察を行う。**CASNET** は緑内障の診断支援を行う。

- **第3次 AI ブーム**：2000 年以降、ビッグデータ時代に伴い機械学習の研究開発が盛んになり、特に自動的に特徴を抽出できるディープラーニングの技術が大きく進歩した。

AIの技術動向

CHAPTER
1.6

本節では、機械学習が普及する前に行われていた AI の研究開発を取り上げていきます。まずは推論と探索を用いた研究について、続いてエキスパートシステムの成果と課題について述べていきます。

1.6.1 推論と探索の研究

　第 1 次 AI ブームの時代には、AI を実現しようとする熱気の中で、野心的な研究が行われていました。この時代を代表する研究分野が**推論（inference）**と**探索（search）**でした。第 1 次 AI ブームの時に、推論と探索を用いた AI は、定義が単純で明確な問題という限定的な条件下ではあるが、解を導き出すことができました。

　「推論」とは、既知の知識を基に未知の出来事を推測することです。「探索」については、この後詳しく見ていきましょう。

■ 探索とは

　探索とは、最初に与えられた状態から、**目的状態に至るまでの道筋を、場合分けや試行錯誤**をしながら探っていくことです。迷路を思い浮かべるとイメージがしやすいでしょう。迷路の中にいる人間は、行き止まりになるまで道に沿って進み、道の分岐点では進行方向を選択し次の分かれ道が来るまで再び進行します。行き止まりにぶつかったら 1 つ前の分岐点まで引き返し別の道を試します。このように、「場合分け」と「選択」を繰り返しながら解までたどり着くプロセスを「探索」と考えることができます。

　コンピュータの場合、「記号」を活用して迷路の問題を表現し直すことによって最適な「解」（探索の道順）を導出します。一般的に、**ノード（node）**[※1] **を動線で繋いだ木のような構造**で表現します。スタートノードとゴールノードがあり、その間を繋ぐ道の分岐点ごとにもノードがあります。木の枝が分かれる部分にあるのがノードだとイメージしてください。

---

memo　※1 右ページの図 1.6.1 参照。

このように情報を分岐させた木構造を探索木と呼びます。この木構造の中でノードを進める順番が、道筋のパターンを表現することになります。コンピュータの中で全ての道筋パターンを調べて、その中から最適なルートを計算の末に判断します。

重要なのは、同じくゴールに着けたとしても、探索の手法によって、効率のよい進み方と効率の悪い進み方があるということです。探索木の手法は、幅優先探索と深さ優先探索の2つに分類されます（図 1.6.1）。この2つの違いはよく理解しておきましょう。

幅優先探索は、同じ階層をしらみ潰しに当たってから次の階層に進むやり方です。深さ優先探索は、一旦深さ方向に行けるところまで掘り下げてから、うまくいかないなら引き返して次の枝に移るやり方です。図 1.6.1 では数字の順番に探索を行っています。図の同じ位置のノードでも、探索方法で順番の数字が違ってくるのがわかると思います。

コンピュータにとって、2つの探索法は一長一短であり、その比較を表 1.6.1 にまとめました[2]。

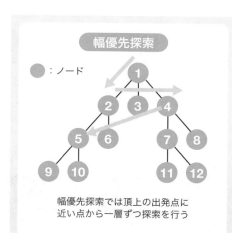

幅優先探索では頂上の出発点に近い点から一層ずつ探索を行う

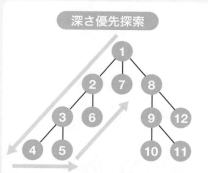

深さ優先探索では出発点から深さ方向に進み、最下段でゴールが見つからない場合は引き返すように探索を行う

図 1.6.1：（左）幅優先探索の模式図 （右）深さ優先探索の模式図

---

memo　※2 実世界の問題では、特殊な問題に対して特別に速く解けるように、幅優先探索と深さ優先探索のそれぞれのよいところを組み合わせた手法の研究が行われている。

	アプローチ	メリット	デメリット
幅優先探索	**出発点に近い点から順に探索**	原理上、**最短距離**の解は必ず見つかる	一層ずつ進むため、途中のノードの情報を全て記憶に保持するので、**メモリ消費が大きく記憶容量を超えてしまう危険性がある**
深さ優先探索	**深さ方向に進み、それ以上進めなくなったら一歩戻って再び探索**	深さ方面（ゴールの方面）に進んで、ダメなら戻って次の分岐を試すので、メモリを節約しやすい。運がよければ、枝を何本も試す前にゴールに着ける	運が悪ければ、遠回りになって時間がかかることもある

表 1.6.1：幅優先探索と深さ優先探索の特徴とよし悪し

1.6.2 イライザ（ELIZA）

1.5 節では、第 2 次 AI ブームの目玉技術となった**エキスパートシステム**を紹介しました。ここでは、「**知識の獲得**」という視点からもう少し深掘りしていきましょう。

本格的なエキスパートシステムが普及する前の 1960 年代では、あくまでも人間の「知性」を持つように見せかけているシステムが作られました。最も有名な例は**イライザ（ELIZA）**です。イライザは、1964 年に開発された**対話システム**であり、現在のチャットボットの「祖先」と言われています。テキストデータをユーザーとやり取りすることで、ユーザーに**コンピュータと実際に会話をしている**ように感じさせます。

以下のようなイメージです。

人間：「体調がよくない」
イライザ：「なぜ体調がよくないのですか？」

以下のように話題を逸らしたり、口答えしたりすることもあります。

イライザ：「他のトピックを話しましょうか」
人間：「わけわからないことを言わないで！」
イライザ：「なぜわけわからないことだと思いますか？」

（対話の参考：松尾豊（2015）『人工知能は人間を超えるか』）

　上記のような会話の展開は、**システムに仕込まれた単純なルールに基づいて、文言が出力される**ことによって実現されています。相手の言葉を「対話マニュアル」と照合し、**ルールマッチング**で返答しています。

　下記の図 1.6.2 はイライザが実際に行ったやり取りの一例です。現在、私たちはチャットボットや音声案内板、AI スピーカーなど、「人間らしく」振る舞う AI に日常的に遭遇します。私たちが慣れている AI システムの UI（User Interface；ユーザーインターフェイス）に比べて、当時のイライザの対話の様子はだいぶ無機質に思えてしまいますね。それでも、当時の人々は「人間の知識を持っているように見えるコンピュータ」から大きなインパクトを受けていました。イライザは、現代の音声会話システムやオンライン心理セラピストの開発に貢献した成果です。

イライザは、エキスパートシステムと違って「知識」を出力させていたわけではなく、「この用語が入力された場合、必ずこう返す」にしたがって動作をしていただけですね！

```
Welcome to
                EEEEEE  LL      IIII   ZZZZZZ   AAAAA
                EE      LL       II        ZZ  AA   AA
                EEEEE   LL       II       ZZ   AAAAAAA
                EE      LL       II      ZZ    AA   AA
                EEEEEE  LLLLLL  IIII  ZZZZZZ   AA   AA

Eliza is a mock Rogerian psychotherapist.
The original program was described by Joseph Weizenbaum in 1966.
This implementation by Norbert Landsteiner 2005.

ELIZA: Is something troubling you ?
YOU:   Men are all alike.
ELIZA: What is the connection, do you suppose ?
YOU:   They're always bugging us about something or other.
ELIZA: Can you think of a specific example ?
YOU:   Well, my boyfriend made me come here.
ELIZA: Is it important to you that your boyfriend made you come here ?
YOU:   He says I'm depressed much of the time.
ELIZA: I am sorry to hear that you are depressed.
YOU:   It's true. I am unhappy.
ELIZA: Can you explain what made you unhappy ?
YOU:
```

図 1.6.2：イライザ（ELIZA）が実際に実施したやり取りの例
出典：https://en.wikipedia.org/wiki/ELIZA

図 1.6.2 の翻訳は以下となります。設定としては、ある女性が心理士の役を務めるイライザと対話で相談しています。

```
ELIZA：「何か困っていることがありますか？」
YOU：「男は皆同じだ」
ELIZA：「何が原因と思いますか？」
YOU：「常に何らか面倒をかけてくる」
ELIZA：「具体例を思いつきますか？」
YOU：「例えば、私の彼氏が私をここに来させた」
ELIZA：「あなたの彼氏がここに来させたことは重要ですか？」
YOU：「彼曰く、私はいつも落ち込んでいる」
ELIZA：「いつも落ち込んでいて、お気の毒ですね」
YOU：「本当だよ。私は不幸せだ」
ELIZA：「なぜ不幸せなのか説明できますか？」
```

1.6.3 エキスパートシステム

単純なルールにしたがう AI を中心とした第 1 次 AI ブームが過ぎ去った後、次は現実的な課題に対応できる AI を開発しようという動きが見られました。イライザのような形式的な対話システムの登場後、しばらくして有用な専門知識を提供できる**エキスパートシステム**が開発されました。1980 年代に入るとその活躍が「**第 2 次 AI ブーム**」という形で AI 分野の研究に再び活気を取り戻しました。

エキスパートシステムは医学・生物学、生産、会計、金融など様々な分野において導入されました。医者の代わりに診断できるエキスパートシステムを作る場合は、病気に関する膨大な量の知識、過去の診察結果やカルテの情報をコンピュータに蓄積します。弁護士の代わりになるエキスパートシステムを作る場合は、法律に関する膨大な量の知識や過去の判例をコンピュータに蓄積します。

表 1.6.2 にはいくつかのエキスパートシステムの産業への応用例を示します。

分野	システム名	手段
化学	DENDRAL	有機化合物の分子構造を推定するプログラム
医学	MYCIN	伝染性の血液疾患を持つ患者を診断し、抗生物質を処方する投薬決定システム
医学	PIP	腎臓の病気の診断支援システム
医学	CASNET	緑内障の診断支援システム

表 1.6.2：代表的なエキスパートシステム
出典：上野晴樹『エキスパート・システム概論』情報処理 Vol. 28 No.2

　有名な一例は、1970年にスタンフォード大学で開発された、**感染症の専門医の代わ
りに診察を行うMYCIN**です。専門医の経験則に基づいた数百個のルールがあらかじ
め用意されており、質疑応答を通じて得られた情報（細菌の形、痛みの程度など）から、
感染した細菌を特定し、適切な抗生物質を処方することができました。MYCINの診断
の精度は70%程度でした。この精度は、専門医の精度（80%程度）には劣っていたが、
細菌感染を専門としていない医者よりは高かったです。当時このレベルに達したシステ
ムが実現されたことは賞賛すべきです。

　1980年代になると米国の大企業の3分の2が何らかの形でエキスパートシステムを
使用していました。ちなみに、同じ時期に、日本でも政府によって「第五世代コンピュー
タ」と名付けられた大型プロジェクトが推進されていました。

　エキスパートシステムと類似した、野心的なプロジェクトとして**Cyc（サイク）プ
ロジェクト**があります。人間が持つ「常識の全て」をコンピュータに取り込み、人間同
等の推論システムを構築することを目指しています。目標が高すぎるものだけに、現在
でも未完成の状態のままです。

■ エキスパートシステムの課題

　1.5節でも述べたように、エキスパートシステムは使用されていく中で課題が明らか
になりました。1つは**知識の抽出と蓄積の大変さ**です。コンピュータに大量な専門知識
を蓄えるためにはいちいち専門家にヒアリングしなければならず、さらに知識データ
ベースから目当ての知識だけを取り出す処理も必要です。これらは非常にコストの高い
作業でした。

　もう1つは、**数多くのルールが存在する場合、お互いに矛盾が発生し一貫性を保て
なくなる**ことです。ルールが追加されればされるほど、その維持管理が大変になります。
非常に専門性の高い知識を内包している一見賢そうなシステムでも、それを利用する人
間が日常的に使う言葉の中に潜む曖昧性を汲み取れず、いうならば「常識」を持ってい
ません。AIによる知識の獲得に関するこのような課題は、特に**知識獲得のボトルネッ
ク**と呼ばれます。

当時は、どこかフェイクな相手と会話していると意識しながらも、イライザとの対話に夢中になる人々がいました。単純なルールに基づいた言葉遊びのようなやり取りでも、そこに「知性」を感じてしまう人間の心理がとても興味深いです。

同様な現象として、Siri などの音声でやり取りできるスマートフォンやスマートスピーカーが発売された当時は、Siri に向かって「愛しています」と話す人がいたり、お掃除ロボットに愛着を感じたりする例が挙げられます。

一方で、これは相手が本当の人間ではないとどこかで意識しているからこそ、AI が失敗した際もイライラせずに許すのではないでしょうか。相手が本当の人間の場合は、簡単な掃除さえ上手にできない、訳のわからない言葉ばかり発するなどの現象に対して相当ストレスを感じて、嫌気がさしてしまう人もいることでしょう。

ココが試験に出ます！

- **探索**：初期状態から目的状態に至るまでの道筋を、場合分けや試行錯誤しながら最適解を探すこと。

- **推論**：既知の知識を基に、未知の出来事を推測すること。

- **探索木**：情報の場合分けを木構造で表現し、効率的な探索の道筋を探すための手段。

- **幅優先探索**：同じ階層をしらみ潰しに当たってから次の階層に進む探索木の仕組み。理論上**最短距離の解**は必ず見つかるが、**メモリ消費**が大きい。

- **深さ優先探索**：一旦深さ方向に進み、それ以上進めなくなったら一歩戻って再び探索する探索木の仕組み。ゴールまで時間がかかることもある。

- **イライザ**（**ELIZA**）は、1964 年に開発された対話システム。知識を保持していないが、コンピュータと実際に会話している感覚を実現。

- **Cyc（サイク）プロジェクト**とは、人間が持つ「常識の全て」をコンピュータに取り入れることを目指した、現在未完成のシステムである。

知識表現の獲得

AI 技術の動向を捉えるにあたっては、AI が知識を獲得し表現するための手法がどのように発展してきたのかを理解することが重要です。

　エキスパートシステムの開発と同時期に、**知識表現**の研究が栄えていました。この研究は、**人間が自然言語で学ぶ・伝える知識を記号体系に変換してコンピュータに受け継がせる**ことを目的としています。

　専門知識を蓄える場所は**知識ベース（ナレッジベース）**と呼ばれます。これは現実世界に関する事象やルールを構造化したデータの集合体です。

- 知識ベースの利点：永久性、一貫性（同じ質問に対し毎回同じ答えが戻る）
- 知識ベースの欠点：柔軟性、適応性、創作性がない

1.7.1　意味ネットワーク

　コンピュータで知識を表現する研究の中で**意味ネットワーク（Semantic Network）**が有名です。その起源は、認知心理学における記憶構造モデルにあります。**各概念にラベルが付与され、概念と概念の間の関係性を記号で表すネットワーク型モデル**となります。知識リンクをたどれるので**直感的・視覚的にわかりやすく、検索にも便利**です。

　図 1.7.1 に意味ネットワークの簡単な例を示しています。「関係」で結びつけられている「概念」の階層構造に着目してください。ここで、「概念」は上位から順に（果物）、（バナナ、みかん）、（種子、皮）です。下位概念が上位概念の属性を引き継ぐ矢印が使われています。「関係」を表すものとして、「**is-a 関係**」と「**part-of 関係**」が使われており、以下のように表現できます。

- **is-a 関係「…である」**

  バナナ is-a 果物「意味：バナナは果物である」

- **part-of 関係「…の一部」**

  種子 part-of みかん「意味：種子はみかんの一部である」

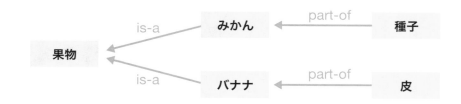

図 1.7.1：意味ネットワークでは概念が関係で結びつけられる

1.7.2 オントロジー

　知識表現と深く関係するもう 1 つの研究は、**オントロジー（Ontology）** です。オントロジーは、**知識・概念を共有・活用しやすいように体系化**するための方法論です。知識の獲得に関する研究が進む中で、知識を記述・共有・再利用することが難しいとわかってきました。例えば、エキスパートシステムの知識の整備と保守には高いコストがかかっていました。このような課題を解決すべく、オントロジーの研究が注目され始めました。

　オントロジーという言葉の語源は哲学用語の「存在論」にあります。つまり、存在に関する体系的な理論のことでしょうか。なんだか抽象的で難しく感じますね。

　情報科学の分野においては、**誰にでも通用する形で情報を明確に記述する**ことは非常に重要です。もしコンピュータで知識を記述する際に、誰もが自由な形式で記述をしてしまうとどうなるでしょうか。コンピュータは取り込まれた大量の情報を整理できなくなり、意味を正しく共有できなくなる可能性があります。オントロジーの応用とは、この事態への回避策と解釈できます。

　オントロジーは、知識を記述するのに使用する**語彙の「意味」および語彙間の「関係性」を他人と共有できるように明確なルールに基づいて定義する**ことを重視します。概念間の関係は、前で紹介した意味ネットワークの is-a 関係、part-of 関係のような「関係性」で記述することができます。

■ オントロジーの種別

　オントロジーは、記述の厳密さの程度によって、2種類に分けられます。各々の特徴は以下の通りです。

●ヘビーウェイトオントロジー（重量オントロジー）

- **記述を哲学的に考察し厳密に設計**することを重視
- 時間や労力がかかる
- 厳格な定義と知識の追加を人間が担うのが一般的

●ライトウェイトオントロジー（軽量オントロジー）

- **効率化重視**
- 関係性の正当性について深く考えず、とにかく使えればよい
- 情報をコンピュータに取り入れて自動的に概念間の関係性を見つけさせる
- 自動化しやすいので、テキストマイニング、ビッグデータ解析などに利用

■ オントロジーの応用

　ライトウェイトオントロジーを応用した有名な事例は、2009年にIBMが発表した**ワトソン（Watson）**です。米国の有名なクイズ番組「Jeopardy!」に参戦し、2011年に史上最強のチャンピオンと対戦し勝利を果たしました。ワトソンは質問文章に対して、文脈を含めて質問の主旨を認識し、大量の情報の中から適切な内容を選んで回答することができました。

　オントロジーは、自然言語処理やセマンティックウェブの分野で情報の意味を定義するために使われます。**セマンティックウェブ**とは、オントロジーを活用して作成したウェブ上の意味ネットワークです。その主体は、**LOD（リンクト・オープン・データ；Linked Open Data）**という、**コンピュータが利用可能なデータをリンクさせ、公開・共有**するための技術です。具体的に、セマンティックウェブとは、ウェブページをタグ付けしネットワーク型に構造化することで、コンピュータによって情報の自動的な収集・処理を可能にします。ここで「タグ付け」とはウェブ上の文章の意味を表すメタデータ（情報を描写する別の情報）を一定のルールにしたがって付加することです。

COLUMN | 東大入試に合格できる AI？

IBM ワトソンに続き、日本でも質問に的確に答える能力を持つ AI を開発しようとする動きがありました。それは「ロボットが東大に合格できる」試みです。

2011 年に東大入試の合格を目指す**「東ロボくん」**のプロジェクトが発足していました。最終的に到達した成果としては、ある模試で偏差値 57.8 に達し、全国の私立大学の 8 割以上の大学では、合格可能性が 8 割以上をしめる「A 判定」を獲得できました。これはいわゆる「MARCH」レベルの難易度の大学に合格できる、と言われています。

これは現実の高校生の学力に対する危機感を巻き起こしました。2016 年以降一旦東ロボくんの研究への熱が減衰したようですが、現在も研究が続けられています。なお、東ロボくんは単語の羅列から、確率の高いものを選択して回答していただけで、質問の意図を理解していたわけではありません。この試みが知識詰め込み型の入試を見直す機会になればと、思い描いたりするのは筆者だけでしょうか。

ココが試験に出ます！

- **意味ネットワーク**：ラベル付けした概念の間の関係性を表す記号で繋いだネットワーク。下位概念が上位概念の属性を引き継ぐ矢印が使われる。

- **オントロジー**：知識・概念を共有・活用しやすいように体系的に記述することを目指す学術分野。厳密で哲学的な記述を重視する**ヘビーウェイトオントロジー（重量オントロジー）**および、実用性を重視し情報をコンピュータに取り入れて自動的に概念間の関係性を見つける**ライトウェイトオントロジー（軽量オントロジー）**の 2 種類がある。後者を利用した AI の代表例は米国のクイズ番組 Jeopardy! に出た**ワトソン**。

- **セマンティックウェブ**は、オントロジーを活用して作成したウェブ上の意味ネットワークで、その主体は、**LOD（リンクト・オープン・データ；Linked Open Data）**である。

46

人工知能分野の抱えている問題

AIと人間の知能はどう異なるのかに関する概念が多くあります。前に学んだAI技術の動向と関連づけながら、AIが実用化される中で遭遇した具体的な問題点を理解してください。

1.8.1 トイ・プロブレム（おもちゃの問題）

第1次AIブームの収束に繋がった大きな要因は、**トイ・プロブレム（おもちゃの問題；Toy Problem）**です。当時のAIは、単純なルールで成り立つ問題（ゲーム）は解けても、**曖昧かつ複雑な要件を持つ現実世界の問題は解けません。**これにより多くの人に「AIは本当に使えるのか？」という疑惑を持たせました。

> 1966年に米政府が「AIは社会で実用不可能」と発表したことが、当時のAI研究への厳しい批評の1つです。

現在では、広い範囲でAIの社会実装に成功しています。例えば、私たちはAI家電、顔認識、スマートスピーカーなど様々なアプリケーションから恩恵を受けています。近い将来には、自動運転の車が街中で普及する日も夢ではありません。

現在のAIは少なくとも**「おもちゃ」レベルではなくなった**といえます。

しかし、人間と全く同じような複雑な問題を扱える「知能」レベルであるとはいえません。人間にできて、AIにできないことはまだまだ膨大にあります。

1.8.2 チューリングテスト

AIが本当に有効かどうかを判定する方法論は、歴史的にも多く議論されてきました。その中でも有名なのは**チューリングテスト（Turing Test）**です。1950年に英国の数学者アラン・チューリング（Alan Turing）が提唱した**知能の存在**に関する実験です。コンピュータとは別の場所にいる人間がコンピュータと質疑応答をし、返ってきた反応に対して相手がコンピュータと見抜くことができなければ、「コンピュータには知能がある」と判定する仕組みです。実験の詳細な設定は以下の通りです。

前提

「答えを返しているのは人間かコンピュータか区別できない場合、コンピュータには知能がある」

①2台のディスプレイの前で人間が実験を行う

②1台の裏に人間が、もう1台の裏に人間の真似をするコンピュータが隠れている

③どちらも質問を受けたら、答えを画面上に表示（わざと間違う、計算に時間をかけるなど）

④実験者は、人間かコンピュータかを判断する

アラン・チューリングは、チューリングマシンと呼ばれる、コンピュータの理論的基盤を提案したことでも有名です。イギリス人であるチューリング氏は、第二次世界大戦でドイツ軍が機密通信に使用したエニグマの暗号の解読にも貢献しました。

■ チューリングテストへの反論もある

　哲学者のジョン・サール（John Searle）は、チューリングテストへの反論として有名な「**中国語の部屋**[01] ※1」説を提唱しました。

　ある部屋に英語しかわからない人がいます。同じ部屋に中国語の完璧なマニュアルがあり、それさえ参照すれば、誰でも中国語で質問に答えられます。部屋の外にいる人が、部屋の中の人に中国語で質問をし続けていくと、部屋の中の人が中国語を本当にできると思い込んでしまいます。しかし実際は英語しか理解できません。つまり、マニュアルを使って中国語で受け答えできたとしても、中国語ができることにはならないということです。

　これと同じように、チューリングテストへの反論は、「**あたかも知能があるかのように見立てるような受け答えができても（チューリングテストに合格しても）、本当に知能があるとは言い切れない**」という主張になります。

---

memo　※1 [00] 表記で注釈を入れている番号は P.474-476 に参考文献があり。なお、番号は章ごとに設定し仕直している。

COLUMN | ソフトウェア開発の基準としてのチューリングテスト

チューリングテストは、AI における知能の判定だけではなく、ソフトウェア、特に対話システム開発のベンチマークにも起用されていました。1966 年にジョセフ・ワイゼンバウム（Joseph Weizenbaum）によって開発されたイライザ（ELIZA）は、人間に対してセラピスト（精神カウンセラー）の役を演じていました。イライザは、人間とコンピュータが対話するはじめてのプログラムでしたが、本物のセラピストとやり取りしていると信じ込む利用者もいたほどです。1991 年以降、チューリングテストに合格する会話ソフトウェアを目指す「ローブナーコンテスト」が開催されています。

1.8.3 身体性

AI が人間の知能に近づくためには、**身体性**が必要とされています。チューリッヒ大学 AI 研究室の元所長ロルフ・ファイファー（Rolf Pfeifer）が提示した概念です。

【身体性の定義】
「身体性とは、知能は常に身体を必要とするという考え方であり、正確に言えば、環境と相互作用することによって生じる振る舞いが観察できるような物理的実体を持つシステムだけが知能的である」
出典：Rolf Pfeifer、Josh Bongard（2010）『知能の原理』（原題 "How the body shapes the way we think"）共立出版

人間の身体性は、**環境との相互作用を体のあらゆるパーツで感じさせてくれる**存在です。以下がいくつかの具体例です。

- 歩く時は、路面との接触や重心を把握しながら筋肉の動きを調節する
- スポーツや楽器演奏の時も、手足や胴体を通じて外部の感触や圧力を感じる
- 「コップを握る」は、人間の筋肉や腱が有する弾力性や柔軟性の役割が大きい

我々の**脳と体は相互作用しながら知性を発揮**しています。身体の「センサー」を通じて外界から連続的で複合的な情報を獲得し、それらに記号を与えて処理することによって脳は「認知」を行います。実際のところ人間活動の多くは、大脳による制御がほとんど関与せず、代わりに体中に分散している神経システムに依存しています。だからこそ、

脳神経網を模倣したニューラルネットワークを用いて、固い材質でできたロボットを制御しても、人間と同レベルの運動が難しいわけです。

■ 身体性から見たAI開発の限界

身体性を持っている AI のことを**身体性 AI** と呼びます。身体性 AI を実現するためには、以下の研究が必要と考えられています。

- 感覚と運動能力を持つ物理的な身体
- 身体と周囲環境との相互作用

これらの研究は現時点ではまだまだ実現が難しいです。例えば、人間は身体を使って、車に触り、乗りながらスピードやカーブを体感することができます。また、「車」という言葉を聞くと、「走る」「硬い」「乗れる」など色々な概念に結びつけることが可能です。

一方で、**身体性を持たないコンピュータは概念を記号としてしか捉えられません。**この「コンピュータは『理解』ができない」という課題は、後ほど紹介するシンボル・グラウンディング問題とも深く関連しています。

図 1.8.1：概念を記号としてしか捉えられないコンピュータ

現在、身体性を有する AI は実現されていません。もし実現されていれば、もうとっくに、人間は創作的な仕事だけに携わり、雑用は全部 AI に任せているはずです。一方で、近年の AI 研究は、身体的領域にまで進出しようとしている動きがあります。例えば、自動運転車ではカメラによって周りの乗り物や路面上の白線との位置関係を捉え、前方の物体の有無を判断するなど、瞬時にマルチタスクをこなすことを要請されています。

■ 人工知能には本当に身体性が必要？

　近年、チェスや将棋のような複雑なゲームにおいては、AI が人間プレイヤーに勝利できるようになりました。東ロボくん（P.46 参照）は、コンピュータプログラムだけで十分によい成績を出せました。ここで挙げた、将棋をさす、試験問題を解くことは、物理的な「身体」を必ずしも必要としておらず、あらかじめ定まった目的に特化した AI です。特定の商品について質問対応する AI、工場で異常を検知する AI も同じです。

　一方で、「人と共存する AI」を実現するためには、環境と何らかの相互作用ができる「身体らしきもの」が必要だという意見もあります。環境を通じて知覚する多角的な情報を処理できる**マルチモーダル AI** が注目されています（詳細は本書の Chapter4）。

あくまで「人工の知能」なのであって、人間の知能と限りなく近い状態を要求しなくてもよいのでは？

1.8.4　シンボル・グラウンディング問題

　先ほどの「身体性」とも関連して、「**記号をそれらが意味する実態と結び付けられるか**」も AI の難題の 1 つです。これは**シンボル・グラウンディング問題（記号接地問題）**と呼ばれ、認知科学者のスティーブン・ハーナッド（Stevan Harnad）によって提唱された問題です。ここで、記号とは一般的に知識を表現するための文字や言葉を指します。

　AI（コンピュータ）は**知識表現を記号として処理**することが前提でつくられており、知識を記号間の相対関係としか捉えられません。記号の「意味」がわからないので、当然それにまつわる発展的な解釈もできません。このように、**現実世界の複雑な概念を記号（シンボル）と接地（グラウンディング）できない**という現象が、この問題の名称の由来です。

　次のような具体例を用いて理解してみましょう。

　「チョコバナナ」を知らない人がいると仮定します。その人に「チョコバナナとは、皮を剥いたバナナにチョコレートがかかっている食べ物だ」と教えます。以降その人がチョコバナナを見かけた際に、「なるほど、これが先日教えてもらったチョコバナナなのね」と悟ることができます。

　この認識が可能になるのは、「バナナ」と「バナナの皮を剥いた様子」と「チョコレー

ト」と「チョコレートがかかっている状態」などの概念のイメージを持っているからです。それぞれの概念を組み合わせて「チョコレートのかかっている、皮を剥かれたバナナ」を「チョコバナナ」として認識できるわけです。

このように、人間なら「チョコバナナ」を簡単に認知できますが、記号しか扱えないコンピュータには概念を組み合わせた認識が困難です。「バナナ」と聞くと人間は「バナナの輪切り」や「バナナスイーツ」など様々な概念を連想できます。

しかしコンピュータは、記号A「バナナ」（和表記）= 記号B「banana」（英表記）のように、記号と記号を無機的に関連づけることしかできません。そのため、「チョコバナナとは、チョコレートのかかったバナナです」とコンピュータに教えても、それは記号の羅列に過ぎず、記号が実世界のどの概念を指しているのかを結びつける（グラウンディング）ことができません。これこそがシンボル・グラウンディング問題です。

人間

「バナナ」から、「バナナスライス」や「チョコバナナ」など様々な発展的な概念を持つことが可能

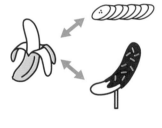

コンピュータ

文字記号の「バナナ」と「banana」を容易に結びつけられるが、実物のバナナや発展的な概念と結びつけることは困難

図 1.8.2：言葉からイメージを展開できる人間と、記号としてしか扱えないコンピュータ

高いレベルのAIを実現する上で、シンボル・グラウンディング問題は重大な障壁と考えられています。それを解決するためには、人間と同様に**物事の本質を理解**する必要があります。人間は視覚だけではなく、身体を通じて概念を把握します。先ほどの「チョコバナナ」の例をとっても、バナナの香りや味、手に持った時の感触、チョコレートのベトベト感などを連想し、これらを合わせて「チョコバナナ」という概念が作られているのです。そうすると、シンボル・グラウンディング問題を乗り越えるためには、**「身体性」を通じて得られる、実世界の中での感覚や経験が不可欠**になってしまいますね。

復習です。「**周りの環境と相互作用できる身体があってはじめて 概念を捉えることができる**」というのが、身体性という考え方です！

1.8.5 フレーム問題

1969 年に、「**有限な情報処理能力しかない AI は、現実に起こりうる問題全てに対処 することができない**」という**フレーム問題**（Frame Problem）が AI 研究者のジョン・ マッカーシー（John McCarthy）とパトリック・ヘイズ（Patrick Hayes）により提唱 されました。「**今しようとしていることに関係のある事柄だけを選び出すことが、実は 非常に難しい**」と言い換えることもできます。この問題はいまだに解決されていません。

AI が何らかの判断を下す際に、一般的には世の中の全ての情報から**現在の判断に必 要な情報だけ選び出そう**とします。これはあらゆる事象について判断対象との関係の有 無を計算することと等しいです。そうすると、**計算量が爆発的に増加し、AI はフリー ズして何もできなくなってしまいます**。「AI が本当に知能を持つなら、想定外の現象に 対しても臨機応変に対応できるはずではないか？」と矛盾に思うのも無理ないですね。 これは、AI の定義そのものへの疑問に繋がります。

フレーム問題を解説するために、哲学者のダニエル・デネット（Daniel Dennett） が考案した例「**爆弾とロボット**」の設定がよく用いられます。

【問題の設定】

洞窟の中にロボットを動かすバッテリーがあり、その上に 時限爆弾が仕掛けられています。このまま何もしないと爆 弾が爆発しバッテリーが破壊され、ロボットのバッテリー 交換ができないため動けなくなってしまいます。そこで、 **ロボットは「バッテリーを取ってくる」ように指示されま した**。研究者たちはこれを達成できるロボットを設計しよ うとします。

出典：D.Dennett, "Cognitive Wheels: The Frame Problem of AI" ,1984

1
人工知能

ロボット 1 号

1号は、洞窟に入りバッテリーを取り出せました。しかしバッテリーの上の爆弾も一緒に運んでしまったため、洞窟から出た直後に爆弾が爆発しバッテリーが壊れました。

（解釈）このロボットはバッテリーの上の爆弾に気付いていたが、バッテリーをそのまま運び出すと爆弾も一緒に運び出されることを理解できません。つまり、**与えられた単純な指示しか理解できず、その行動に伴う出来事を推測できなかった**わけです。

ロボット 2 号

研究者たちは、1号の反省を生かしてロボット2号を作りました。「自分の行う行動に伴い副次的に起こること」を考慮できるように改良しました。2号はバッテリーの前に来た所で、「バッテリーを動かすと爆弾は爆発しないか」や「天井が落ちてこないのか」などと、起こりうるあらゆることについて延々と考え始めました。そして、フリーズして動作しなくなり、最終的に時限爆弾が爆発し、ロボットごと壊れてしまいました。

（解釈）**実世界において起こりうる事項が無限に存在するため、それを計算し尽くすためには、無限に時間がかかってしまいます。**

ロボット 3 号

次に作ったロボット3号は、2号の反省を活かして「果たしたい目的に無関係なことを考慮しないように」改良されました。3号はバッテリーを前にして、目的と無関係な事項を全て洗い出す作業に長い時間没頭し、無限に考え続けていました。2号と同様に、時間切れで爆弾が爆発し、ロボットごと壊れてしまいました。

（解釈）**目的と無関係な事項も無限に存在するため、全てを考慮するには無限の計算時間を要します。**

■「爆弾とロボット」の思考実験からどのような結論が得られるか?

「爆弾とロボット」は、あるタスクを実行するために「**関係のある知識だけを取り出す**」ことが AI にとっていかに難しいのか、ということを説明しています。このように、**有限な処理能力**しか持たない AI は**世の中の複雑な問題に対応**できず、処理が停止してしまうことがフレーム問題です。例えば、自動運転車が全ての交通状況に瞬時に対処し切れないのはまさにフレーム問題の表れと考えられます。

■ 人間もAIもフレーム問題をうまく回避している

私たちは、「爆弾とロボット」のロボットのように、永遠に考え続けてフリーズしている人間にあまり遭遇しないですよね。実は、人間も原理的には、フレーム問題が解決されていないと思われます。それでも問題なく日常生活を送っています。その理由は、「**人間は有限な大きさの枠の中の情報のみ参照**することで、フレーム問題を回避(擬似解決)している」からです。有限範囲内の情報が間違っていることも当然あるため、人間は誰もが時々誤りを起こすわけです。

これと同様に、私たちが普段使っている AI は特定の目的を果たしており、全く使い物にならないわけではありません。**AI の世界でも、フレーム問題を回避するために、あらかじめ扱う状況を限定して、有限空間の中で推論を行う**ことがほとんどです。これは次に説明する「弱い AI」にあたります。

1.8.6　強いAIと弱いAI

AI は、次の 2 つのタイプに分けて考えることができます。

● **強い AI(汎用型 AI)**
　状況にしたがい総合的な判断を行い、汎用的なタスクにおいて自律的に行動できる AI

● **弱い AI(特化型 AI)**
　特定の領域の業務に特化して性能を発揮する AI

現在の業務効率化や自動化のために導入されている AI は全て弱い AI です。実社会では、想定外の事象が無限に起こりうるのに対し、現在の AI 技術では特定のタスクのみこなせます。フレーム問題やシンボル・グラウンディング問題が解消されない限り、

強い AI の実現が困難と思われています。

　一方で、次に取り上げる「シンギュラリティ」がやってくる可能性があると信じる研究者は、強い AI の実現可能性も信じており、その威力に対して強い懸念を示しています。

1.8.7 シンギュラリティ

　数学者・計算機科学者のヴァーナー・ヴィンジ（Vernor Vinge）は、1993 年に「**30年以内に技術的に人間を超える知能がつくられる**」と予言しました。また、AI 研究者のレイ・カーツワイル（Ray Kurzweil）は「**2029 年に AI が人間並みの知能を備え、2045 年に技術的特異点が来る**」と唱えています。

　上記の「**2045 年問題**」の根拠となっている理論が「**収穫加速の法則**」であり、「一度技術が進歩すると次の進歩までの期間を短縮させ、結果として、**技術の性能が直線的ではなく指数関数的に成長する**」という内容です。似た法則として、コンピュータに使われている**半導体チップの性能が 1.5 年間ごとに 2 倍になる**という「**ムーアの法則**」が有名です。

　上記の議論は、「近い将来、人間が自身よりも賢い AI を作り出し、その AI がさらに賢い AI を作り出す」という連鎖が起こることを予言しています。ヴァーナー・ヴィンジはこのような、「**AI 技術が自ら人間より賢い知能を生み出すことが可能になる技術の特異点**」を「**シンギュラリティ**」（技術的特異点）として提唱しました。仮に実現すれば、AI の能力は原理的には無限大に発散します。

　シンギュラリティは漠然とした概念ではあるものの、懸念されている概念でもあります。

　一部の著名な情報科学者も世の中に警鐘を鳴らしています。

ここでいう「特異点」とは、AI が自分よりも高い能力を持つ AI を自ら作り出せるようになる時点を指していますよ。

■ シンギュラリティは本当に到来する？

　シンギュラリティが本当にやってくるかどうかは、人によって意見が食い違っています。

● 「シンギュラリティは来る」派

宇宙物理学者 スティーブン・ホーキング博士

「完全な人工知能を開発できたら、人類の終焉を意味するかもしれない」

出典：2014年12月2日に放送された英国放送協会（BBC）のインタビュー内容より

ソフトバンクグループ創業者 孫正義

「シンギュラリティはもう1つのビッグバンです。人間の知能をAIが超えた時に超知性が生まれる。そしてこの超知性によって、すべての産業が再定義されます。まさに人間が生きてきた中で一番の『革命』であると言えるでしょう」

出典：カンファレンス「SoftBank World 2018」の講演より

● 「シンギュラリティは来ない」派

人工知能研究者 中島秀之教授

「人間は脳だけでなく身体を持ち、体があるからこそ判断できる事柄が多い」[02]

例えば、食事を視覚で捉え、味覚で繊細な味を判断するのは**身体性**を持つ人間だからこそ可能であり、AIが料理を作る動作ができても、創作料理を作るのは難しいのです。

■ シンギュラリティが到来した場合、我々人間はどうなる？

万が一、我々の想像を超えた「強いAI」が登場した場合、社会は劇的な変化を迎えるのでしょうか。かなり心配している方が多いようですね。

今のところ、「AIが人間の知能を超えることにより、人間社会に危険を及ぼしてしまう」といった悲観的な解釈や、「全世界がロボットに制覇される」といったSF的な解釈は、飛躍しすぎた考え方と捉えるのが一般的です。

AIの実用化は社会と産業に顕著な変化をもたらしていることは疑いの余地がないでしょう。ただし、「AIが人類を滅ぼす」のは次元が違う話だと思えます。

AIがどんどん「強く」なることについて理性的に解釈してみましょう。機械学習の普及に伴い、単純な判断プロセスが人間を介さずに行えるようになりました。おかげでより生産的で効率的な社会の仕組みが実現され、人間の生き方や個性を重視する余裕が生じてきます。AIは人間の知能と創造性を引き立てるポジティブな存在と考えてみてもよいでしょう。

一方で、注意すべきことが増えることも否めないのは事実です。非常に高い能力を持つ AI が現れることで、**AI を利用する人間の行動が及ぼすインパクト**が増えます。人間が AI に誤ったデータを入力する可能性、事故を引き起こすプログラムを組み込む可能性は十分にあります。これらはケアレスミスに由来することもある一方で、恣意的に、悪意を持って実行されることもあり得ます。結論をいうと、**AI が賢くなるにつれて、人間の行動の結果として、AI によるアウトプットが社会に危険を及ぼす可能性があります。**

とすると……、私たちが恐れるべきなのは、AI ではなくて AI を利用する自分たちなんですね ……。

先端的な AI 技術によって変わり続ける時代を生きるために、事故防止の体制作りなど、私たち自身が変わっていく必要がありますね。

COLUMN | シンギュラリティを数学的に理解する

　数字の 1 を永遠に掛け算し続けても 1 のままです。一方で、1 よりちょっとだけ大きい 1.1 を掛け算し続けると、値がどんどん大きくなっていき、そのうち発散します。例えば、1.1 を 500 回掛け続けると 4 の 20 乗よりも大きな数になります。同じように、**AI がほんのわずかでも自分より賢い AI を作り出す連鎖が続くことによって、AI の能力が発散してしまうことがシンギュラリティの考え方**です。

1

人工知能

弱い AI（特化型 AI）

特定のタスクに特化して性能を発揮する AI

強い AI（汎用型 AI）

幅広いタスクにおいて人間のような自意識と自律性を持ち、臨機応変に知的活動を行う AI

トイ・プロブレム（おもちゃの問題）

- 明確なルールが定まっている問題（パズル、迷路、チェスなど）は解けても、**要件が曖昧で複雑な実世界の問題**に対応できない。

チューリングテスト

AI に人間らしい知能があるかどうかを判断する実験手法。実験者が質問をし、画面に表示される回答に基づいて、裏に隠れているのは、人間なのかコンピュータなのかを判別できるかを試す。

身体性

- **物理的な身体があり、周囲環境との相互作用を行うことによってはじめて知能の構築が可能である**という考え方。

- AI が人間の知能に近づくためには、身体性が必要と思われる。

シンボル・グラウンディング問題（記号接地問題）

コンピュータは知識を**記号間の相対関係**として捉えているため、**記号と実世界を結び付ける**ことができないという問題。

フレーム問題

- AI は、**有限な情報処理能力**しか持たないため、**現実世界に起こりうる問題の全てに対処**することができないという問題。

- 世の中の全ての情報から現在の判断に必要な情報だけを選び出そうとすると、**組み合わせ数が爆発的に増えてしまう。**

- 「**爆弾とロボット**」を使った説明が有名。

シンギュラリティ（技術的特異点）

AI が**自ら知能を生み出せる**ようになり、その能力が**人類の知能の総和を超える**という技術的転換点。

1 Generalist Exam
[clear explanations and quality exercises]
Powerful textbook leading you to success!

章末問題
End-of-chapter problems

問 1 　第 2 次 AI ブームの特徴として、最も適切な選択肢を 1 つ選べ。

1. 推論と探索を可能とする AI が開発され、チェスなどのゲームに応用された。
2. 専門分野の知識を大量に蓄え、その知識に基づいて質問に答える AI が開発された。
3. AI によって、データから特徴表現を自動的に抽出できるようになった。
4. 人間がルールを明示的に設定しなくても、AI が大量のデータから汎用的な法則を学習できるようになった。

解答・解説 　正解 2

選択肢 **2** が正しい解答である。

第 2 次 AI ブームでは、特定の専門分野の知識をコンピュータ（AI）に大量に蓄積し、それをもとに、AI が専門家のように質問に応答する**エキスパートシステム**が実用化されました。この時、パターンマッチングを利用して適切な回答を探しており、選択肢 3、4 のような「機械学習」は行っていません。

● 選択肢 1：第 1 次 AI ブームの特徴です。この時期に、ゲームなど**明確にルールが決まっている問題**に限って、自動化や**推論・探索**の性能を発揮しました。

● 選択肢 3、4：第 3 次 AI ブームの特徴です。最初は、データから学習を行う一般的な機械学習が普及しました。後にディープラーニングが急激に進展し、**データから自動的に特徴を抽出**し、画像・音声・テキストといった複雑な非構造化データの解析においても高精度を出せるようになりました。

....

問 2 　AI に期待される性能に関する記述として、最も適切な選択肢を 1 つ選べ。

1. 人間よりも性能が高い「強い AI」は人間と変わらない知能を有する、と考える人間の心理状態を「AI 効果」と呼ぶ。
2. 「特化型 AI」を AI とみなさず、「汎用型 AI」のみ AI とみなす人間の心理状態を「AI 効果」と呼ぶ。
3. 初期の AI は「弱い AI」という種別だったが、長年の改良を経て、現在使用されている AI の大部分が「強い AI」である。
4. 「弱い AI」は、特定のタスクまたは分野に関してのみ、人間の能力を上回る性能を示すことがある。

解答・解説　　正解 4

選択肢 **4** が正しい解答である。

現在開発・利用されている AI は全て**弱い AI** です。弱い AI は、**特定のタスクにおいて性能を発揮**する「**特化型 AI**」とも呼ばれています。これに対し、**強い AI** は、人間のような**自意識を持ち、汎用的な分野において知的活動が可能**である「**汎用型 AI**」と定義されています。

● 選択肢 1、2：**AI 効果**とは、（AI が強いか弱いかに関係なく）**一旦 AI の仕組みを理解してしまえば、AI は知能があるわけではなく、ただの自動化システムであると思ってしまう**人間の心理状態を指しています。

問 3　　以下の文章を読み、（ア）（イ）の組み合わせとして、最も適切な選択肢を 1 つ選べ。

意味ネットワークにおいて、「犬は動物である」を表現する際に、「犬」や「動物」は「概念」と呼ばれる。その表記のルールにしたがって表現すると、「犬は動物である」は「犬」（ア）「動物」、「耳は犬の一部である」は「耳」（イ）「犬」と表記される。

1.（ア）include　　（イ）belongs-to　　2.（ア）include　　（イ）is-in
3.（ア）is-a　　（イ）included-in　　4.（ア）is-a　　（イ）part-of

解答・解説　　正解 4

選択肢 **4** が正しい組み合わせである。

意味ネットワークでは、「概念」と「概念」の間が「関係性」で結ばれており、**下位概念**が**上位概念**の属性を引き継ぐことが矢印を使って表されています。ここで、**is-a** 関係は「**... である**」を表す関係性であり、**part-of** 関係は「**... の一部**」を表す関係性です。

問 4　　知識の表現に関する研究開発として、最も不適切な選択肢を 1 つ選べ。

1. 意味ネットワークは、ラベル付けした概念を、記号や矢印を用いて関連づけることによって知識を効率的に表現・共有する手法である。
2. 米国クイズ番組「Jeopardy!」で使用されたワトソンには、ヘビーウェイトオントロジーが応用されていた。
3. 軽量オントロジーは、情報をコンピュータに入力し自動的に概念間の関係性を見つけるという実用的なアプローチをとる。
4. セマンティックウェブは、オントロジーを応用したウェブ上の意味ネットワークと考えることができる。

選択肢 **2** が誤った内容である。

オントロジーとは、**知識概念の体系的な記述**を目指す研究分野です。意味ネットワークおよび、ウェブ上の情報の意味の構造化を行うセマンティックウェブに応用されています。オントロジーは以下の 2 種類に分けることができます。

- **ヘビーウェイトオントロジー（重量オントロジー）**：厳密で哲学的な記述を重視するため、概念の厳格な定義と知識の追加にかかるコストが大きい。
- **ライトウェイトオントロジー（軽量オントロジー）**：実用性を重視して、情報をコンピュータに取り入れて自動的に概念間の関係性を見つける。

米国クイズ番組「Jeopardy!」で使用された**ワトソン**は、短時間でよい回答を出す必要があるため、**ライトウェイトオントロジーを使用**しています。

· ·

問 5　　探索木の特徴に関する次の文章の（ア）（イ）（ウ）の組み合わせとして、最も適切な選択肢を 1 つ選べ。

（ア）は、原理上必ず最短ルートでゴールにたどり着ける。（イ）はメモリ消費が大きくなる傾向にある。（ウ）はゴールまで到達するまでに時間がかかる傾向にある。

1. （ア）深さ優先探索　　（イ）幅優先探索　　　（ウ）深さ優先探索
2. （ア）幅優先探索　　　（イ）深さ優先探索　　（ウ）深さ優先探索
3. （ア）深さ優先探索　　（イ）幅優先探索　　　（ウ）幅優先探索
4. （ア）幅優先探索　　　（イ）幅優先探索　　　（ウ）深さ優先探索

解答・解説　　正解 4

選択肢 **4** が正しい組み合わせである。

探索木とは、コンピュータで扱いやすいように、情報を分岐させたツリー構造で表現し、「場合わけ」を通じて、ゴールまでの効率的な道筋を見つける手法です。探索の手段によって効率やメモリ消費量などが異なります。

深さ優先探索は、木の深さ方向に進み、それ以上進めなくなったら一歩戻って再び探索します。**ゴールが見つかるまで時間がかかる**ことがあります。

幅優先探索は、木の同じ階層をしらみつぶしに当たってから次の階層に進みます。**原理上必ず最短ルートでゴールにたどり着けます**。しかし一層ずつ進むため途中のノードの情報を全て記憶に保持するので、**メモリ消費が大きくなる**こともあります。

問 6 以下の文章を読み、(ア)(イ)に入る組み合わせとして、最も適切な選択肢を 1 つ選べ。

第 2 次 AI ブームの時に、専門性の高い知識を内包している(ア)が開発された。(ア)には、多数の知識項目を関連付けるルールの一貫性を担保することや、利用者が日常的に使う言葉の曖昧性を汲み取ることが難しい、という(イ)が発生することがある。

1. (ア)意味ネットワーク　　　　　(イ)シンボル・グラウンディング問題
2. (ア)エキスパートシステム　　　(イ)シンボル・グラウンディング問題
3. (ア)エキスパートシステム　　　(イ)知識獲得のボトルネック
4. (ア)意味ネットワーク　　　　　(イ)知識獲得のボトルネック

解答・解説 正解 3

選択肢 3 が正しい組み合わせである。

エキスパートシステムは、第 2 次 AI ブームを代表する AI 技術です。自ら知識を獲得できないため、専門家から知識をヒアリングし、それらを整理し管理します。知識は人間の経験や常識に基づく部分が多いため、**整合性や一貫性を保つための膨大なルール作りが困難**でした。この困難を「**知識獲得のボトルネック**」と呼ばれ、1980 年代に第 2 次 AI ブームが収束した原因の 1 つとなりました。

● 選択肢 1、2、4:意味ネットワーク、シンボル・グラウンディング問題は本問の文脈に直接関係のない概念です。

問 7 トイ・プロブレムに関連する記述として、最も適切な選択肢を 1 つ選べ。

1. ゲーム理論を採用したアルゴリズムである。
2. ルールが明確に定義されている問題しか解決できない。
3. AI を用いて実世界のシミュレーションを行う手法である。
4. AI による高度な推論よりも、物理的な動作の方が多くの計算資源を要するという主張である。

解答・解説 正解 2

選択肢 2 が正しい解答である。

第 1 次 AI ブームの時に開発された AI は、**明確なルールが定まっている問題(パズル、迷路、チェスなど)を解けても、要件が曖昧で複雑な実世界の問題には対応できませんでした**。この AI の問題は、**トイ・プロブレム(おもちゃの問題)**と呼ばれ、第 1 次 AI ブームが終わる原因となりました。他の選択肢はトイ・プロブレムの内容に当てはまりません。

以下の文章を読み、（ア）（イ）に入る組み合わせとして、最も適切な選択肢を 1 つ選べ。

コンピュータが知識を記号間の相対関係として捉えているため、（ア）といった問題が起こりうる。これの例として（イ）が挙げられる。

1. （ア）フレーム問題
   （イ）「イヌ」の英語名や身体的な特徴をテキストで答えられる AI でも、人間のように実物の犬を理解していないので、「イヌの匂い」のような発展的な概念を把握できない。
2. （ア）記号接地問題
   （イ）学習データのほとんどが英語で書かれているので、日本語でも使えるようにモデルを調整したところ、精度が著しく落ちた。
3. （ア）フレーム問題
   （イ）学習データのほとんどが英語で書かれているので、日本語でも使えるようにモデルを調整したところ、精度が著しく落ちた。
4. （ア）記号接地問題
   （イ）「イヌ」の英語名や身体的な特徴をテキストで答えられる AI でも、人間のように実物の犬を理解していないので、「イヌの匂い」のような発展的な概念を把握できない。

解答・解説 正解 4

選択肢 4 が正しい組み合わせである。

記号接地問題（シンボル・グラウンディング問題） とは、コンピュータは知識を記号間の相対関係としか捉えないため、**記号と実世界を結び付ける（接地する）ことができない**という AI 分野の問題です。本題の選択肢 4 の例のように、「イヌ」「犬」「dog」「吠える」といった記号の数々を機械的に関連づけることができても、「犬はこういう匂いをしている」のような概念まで発展させることができません。

フレーム問題 とは、解決したい問題に関係する事象だけを取り出そうとする際に、対象物の組み合わせが無数にあり、人間が回答の範囲を指定しないと現実的な時間内で対応できない、という AI 分野の問題です。

CHAPTER 2
—
機械学習

Machine Learning

本章では、機械学習の様々な手法、過学習、モデルの精度の評価と
改善、データ加工技術などについて学びます。機械学習の基本的な
考え方を把握できると、G検定の主テーマであるニューラルネット
ワークの理解も深まります。試験にはアルゴリズムやデータ処理に
関する技術用語が多く出題されます。赤シートを活用しながら、知
識が定着するまで繰り返し学習し、自分の言葉で説明してみてくだ
さい。

Generalist Exam
[clear explanations and quality exercises]
Powerful textbook leading you to success!

機械学習の基礎概念

Chapter1 では、人工知能（AI）の一分野である機械学習の基本概念をいくつか学びました。機械学習の様々な手法についてこの後学ぶ前に、まずは基礎の復習をしましょう。

最初の機械学習プログラムを開発したアーサー・サミュエルは、機械学習を「**明示的にプログラムしなくても学習する能力**をコンピュータに与える研究分野」と定義づけました。ルールベースの AI とは異なり、機械学習は**大量な学習データを基に法則やパターンを自動的に見出します**。人間があらかじめ明確に定まったルールをいちいちコンピュータに与えなくても済むのです。

そこで、次の問いについて考えてみてください。

> **機械学習モデルの理想的な姿とはどんなものでしょうか？**

学習のプロセスが完了した機械学習プログラムは**学習済みモデル**と呼びます。その理想的な姿は、**答えが未知の新しいデータを入力したときに、満足できる精度で予測を出力**できることです。

2.1.1 機械学習技術の進歩

今では、あらゆる分野において機械学習技術への期待が急上昇しています。機械学習が単なる学問対象にとどまらず、2000 年代以降に着実に社会実装されてきました。現在の私たちは機械学習を用いて作られたアプリケーションやサービスから日常的に恩恵を受けています。

身の回りの機械学習の活用事例を意識してみると、学習の過程が楽しくなると思います！

　ここでは、機械学習技術の活用のイメージを与えるために、回帰予測、分類、異常検知の3つの代表例を挙げます。

● 回帰予測

　回帰予測とは、**過去のデータに基づいて将来の値を予測**するタスクです。具体的な課題として以下が挙げられます。

- 今月までの購買履歴データを用いて顧客の来月の売上高を予測する
- 商品ごとの売上数を予測することで、在庫状況の最適化を図る
- 過去の株価の変動のパターンから将来の株価を予測する

● 分類

　分類では、**各データの特徴に基づいてどのカテゴリに所属する可能性が高いかを判断**します。具体的な課題として以下が挙げられます。

- 病気の有無や、陽性・陰性を判定する
- スパムメールをフィルタリングする
- ニュース記事を自動的にカテゴリに振り分ける
- 農作物の品質や大きさを自動仕分けする
- 商品の推薦・レコメンドをするシステム

● 異常検知

　異常検知のアルゴリズムは、常時モニタリングを必要とするデータセンターや工場の製造ラインなどで活躍しています。センサーなどの測定データの中から、モデルの学習に効果的な特徴量（例えば、電流値、温度、CPU使用率など）に基づいて、通常と異なる挙動を示すデータから機器の異常や故障を検知します。

　このように、機械学習技術はあらゆるところで私たちの身の回りに浸透してきています。**なぜ機械学習の実用性が急激に注目を集めるようになったのでしょうか？** その背景にあると考えられるのは、Chapter1でも紹介した、図2.1.1にある3つの要素です。

2

機械学習

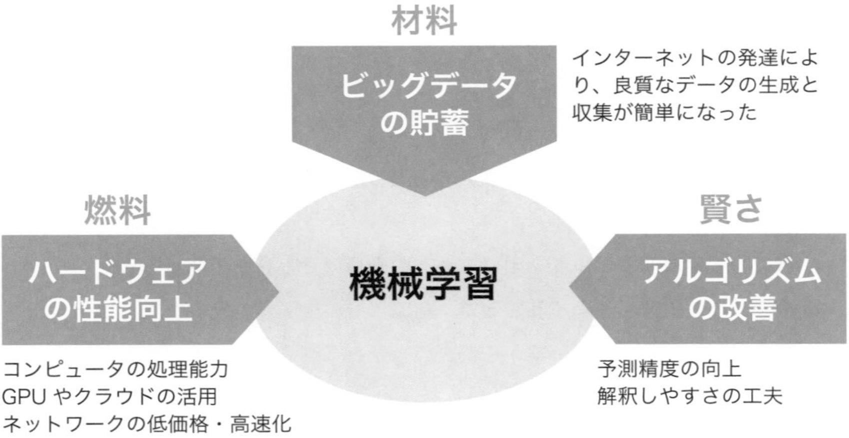

材料
ビッグデータ
の貯蓄

インターネットの発達により、良質なデータの生成と収集が簡単になった

燃料
ハードウェア
の性能向上

賢さ
アルゴリズム
の改善

機械学習

コンピュータの処理能力
GPU やクラウドの活用
ネットワークの低価格・高速化

予測精度の向上
解釈しやすさの工夫

図 2.1.1：機械学習は 3 つの要素に支えられて実用化が進んできた

　さらに、もう 1 つの要素を加えることができます。それは**オープンソース**（無償で使用可能な）のプログラミング言語の存在です。オープンソース言語の中で Python（5.4 節で詳細に解説）は特に人気です。機械学習は、Python 言語で実装されることが多く、その理由は主に以下となります。

① Python は**文法が非常にシンプル**で、学びやすく使いやすい言語
② データ分析・機械学習・画像処理・アプリ開発に便利な**ライブラリ**が幅広く揃う

　ここでいうライブラリとは、**専門性の高い特定の機能を集めたソフトウェアパッケージ**のようなものを指しています。このライブラリを活用すると、長時間かけて機械学習のアルゴリズムの開発や複雑なコーディングを行わなくても、手軽に、素早く機械学習を実装することができます。

CHAPTER

2.2 機械学習の各分野

機械学習には、教師あり学習、教師なし学習、半教師あり学習という分野があります。後続節では各分野に含まれる詳細な手法やアルゴリズムについて学びます。

2.2.1 機械学習の各分野

機械学習とは何かを復習しましょう。**「学習データをコンピュータに学習させることで法則やパターンを見つけ、それに基づいて新しいデータに対する予測を行う」**ということです。

これを実現するための手法は主に、**教師あり学習**、**教師なし学習**、**強化学習**といった分野に分けることができます。

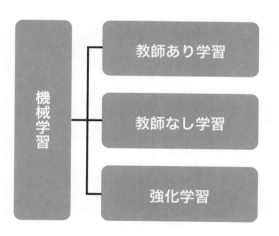

もう 1 つ、教師あり学習と教師なし学習の組み合わせである「半教師あり学習」もあります。後ほど出てきますよ。

図 2.2.1：機械学習の 3 つの使用分野

⊗ Study Tips　学習アドバイス ···········

本節は、機械学習の根本に関わる内容であるだけに、G 検定試験で多く出題される傾向にあります。**各種の機械学習の特徴を「自分の言葉で説明できる」**ことを目指すと、知識の定着に効果的です。

下記の説明文にある「正解ラベル」とは出力データの模範となるデータのことであり、「正解データ」や「教師データ」「教師ラベル」など、呼び方は様々です。

① 教師あり学習（Supervised Learning）
- 学習データは特徴量と正解ラベルのセットの形式
- 特徴量と正解を結ぶ関係性を見出し、予測値を正解に近づけるように学習
- 他種の機械学習に比べて、仕組みが理解しやすく汎用的に利用されている

② 教師なし学習（Unsupervised Learning）
- 学習データには正解ラベルがついておらず、特徴量のみ
- クラスタリングや次元削減を通じて、データが持つ特性や構造を見出すように学習

③ 強化学習（Reinforcement Learning）
与えられた条件下で、プレイヤーのような「エージェント」が最大限の報酬をもらえるために、行動を最適化する手法

①と②を組み合わせた、「半教師あり学習」という手法もあります。以下では、それを含めた4種類の機械学習をより詳細に見ていきましょう。

2.2.2 教師あり学習

教師あり学習では、図 2.2.2 のように、**正解データと特徴量が紐づけられた形のデータセットをモデルの学習データに用います。正解と特徴量の間の関係性（パターン）を**見出し、予測する値を正解に近づけることを目標に学習を行うアプローチです。

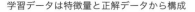

特徴量		正解

学習データは特徴量と正解データから構成　　　　　学習では、正解と特徴量の関係性を見出す

図 2.2.2：教師あり学習の学習データの模式図

正解となるデータがモデル生成を導いてくれるので、それを教師とみなして「教師あり学習」と一般的に呼ばれています。

教師あり学習で扱うタスクは**分類問題**（Classification）と**回帰問題**（Regression）に分けられます。

分類問題は**各データが所属するカテゴリ**を推定するタスクです。数学的なイメージとしては、**データ群の間を綺麗に分ける境界線を見出す**ことです（図2.2.3左）。例えば「動物の画像を入力データとし、猫か犬かを識別する」「着信メールがスパムメールか正常メールかを判断する」などが挙げられます。分類問題では予測変数が「**所属カテゴリ**」（猫か犬か、スパムメールか正常メールか）となります。

回帰問題は、**連続値**を予測するタスクです。数学的なイメージとしては、値に対して最も誤差が少なく表現できる関数を見出すことです（図2.2.3右）。例として「過去の売上から、将来の売上を予測する」といった需要予測や株価の予測が挙げられます。これらの例では1回の実行で1つの数値を予測するので「シングル出力回帰」と呼びます。感情分析のように同時に複数の数値を出力するタイプは「マルチ出力回帰」と呼びます。

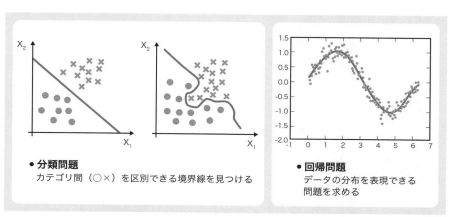

- **分類問題**
カテゴリ間（○×）を区別できる境界線を見つける

- **回帰問題**
データの分布を表現できる問題を求める

図2.2.3：（左）分類問題の数学的イメージ、（右）回帰問題の数学的イメージ

感情には「喜び」「悲しみ」「怒り」など複数の軸があります。幸せそうな表情、どこか侘しさが漂う表情を見たことがありますよね。どの感情軸も 100% と 0% 以外の中間の数値を持つことができます。感情分析では顔画像や文章を入力データとして、それぞれの感情軸に沿って 1 つの値を出力します。

2.2.3 教師なし学習

　教師あり学習は、学習データに正解ラベルが付けられているのに対し、教師なし学習では、**正解ラベルが提供されず、特徴量のみ**です。教師なし学習の狙いは特徴量を分析の軸としながら、**学習データそのものが持つ構造**を見つけ出すことです。特徴量が類似しているデータを同じグループに分けていくイメージです。教師なし学習が行うタスクには**クラスタリング**と**次元削減**があります。

●**クラスタリング**
- **データをいくつかのクラスタに分ける**ことで、データの特性を浮かび上がらせる
- **K-means 法**が代表的な手法の 1 つ

●**次元削減**
- **データを低い次元に圧縮する**ことで重要な情報を際立たせる
- **主成分分析**が代表的な手法の 1 つ

教師なし学習のクラスタリングは、教師あり学習のクラス分類とは違うので、混同しないでくださいね。

　具体的にクラスタリングとはどんなものか見ていきましょう。
　図 2.2.4 は、購買データを用いて「どんな顧客層がいるのか」を認識することを目指した分析「顧客セグメンテーション」の模式図です。この例では、「買い物時間帯」と「購入金額」を軸に[※1]、3 種類の顧客が存在することが推測されたため、顧客セグメントごとに効果的な販促施策を打ち出すことができます。

図 2.2.4：クラスタリングの応用例の1つである顧客セグメンテーション

2.2.4 半教師あり学習

半教師あり学習は、教師あり学習と教師なし学習を組み合わせた手法です。学習データとして、**正解ラベルがついているデータとついていないデータの両方**を使います。

初期的に一部のデータにのみ正解ラベルが付与されています。それらを用いて**残りのデータに対しラベルを事前に予測**し、最後に全てのデータを統合します。全データの大半には正解ラベルがついていない場合が多いです。より細かい半教師あり学習の流れは以下となります。

① 正解ラベルがついているデータを使って教師あり学習を行う
② ①で構築した分類モデルを用いて、正解ラベルがついていないデータのうち、まずは信頼度の高いデータのラベルを予測する
③ 新しくラベルづけられたデータセットを用いて再度モデルを訓練する
④ 同様に、残りの正解なしデータのラベルを予測する

■ どんな時に半教師あり学習を利用するのか？

半教師あり学習を使うと有利なのは、**正解ラベル付きのデータを十分に用意できない**場合と**正解ラベルを付けるコスト**を削減したい場合です。モデル学習のための大量なデータを取得し、1件ずつ正解ラベルをつけるのはコストがかかります。リソースを確保できない場合、半教師あり学習を活用して学習データの規模を拡張することができます。

 ※1 この例では簡単にするために2次元ですが、一般的には特徴量の数だけの軸で張られた空間でクラスタリングを行います。

■ 半教師あり学習の精度は？

　半教師あり学習は、教師あり学習に比べてどうしても**精度が低くなる**ことが多いです。まず、全データの大半には最初は正解ラベルがついていない場合が多いです。正解ラベルを予測し後から付与する際に偏りが生じる可能性もあり、これが精度低下の原因の1つになります。また、後から予測された正解ラベルの正確さを確認しづらいので、信頼性の面においても、教師あり学習には及びません。したがって、**正解ラベル付き学習データを用意する余裕がある場合は、教師あり学習の方がおすすめ**と言えます。

2.2.5 強化学習

　強化学習は Chapter3 と Chapter4 で詳しく学びますので、ここでは簡単に紹介しておきます。強化学習では、**ある条件下で、エージェントが最大の「報酬」を得られるように、最適な行動を学習**します。これまでは主にゲームの世界で活躍してきた手法です。最近では、ロボットの制御などにも応用されはじめています。エージェントとは、ゲームのプレイヤーや、ロボットを制御する人にあたります。

ココが試験に出ます！

- **教師あり学習**：学習データは**特徴量**と**正解ラベル**のセットから構成され、**特徴量と正解を結ぶ関係性**を見出し、予測値を正解に近づけるように学習する。分類または回帰を行います。

- **教師なし学習**：学習データには**正解ラベル**がついておらず、クラスタリングや次元削減を通じて、**データが持つ構造**を見出すように学習する。

- **強化学習**：与えられた環境の中で、エージェントが**最大の報酬**を得られるように、**最適な行動**を学習する。

- **半教師あり学習**：教師あり学習と教師なし学習を組み合わせた手法。学習の最初の時点では**一部のデータにのみ正解ラベル**が付与されており、それらを用いて**残りのデータに対し正解ラベルを予測**する。最後に全てのデータを統合して教師あり学習を行う。

CHAPTER

2.3

特徴量エンジニアリング

本節では、機械学習の活用において、その予測精度を高めるために重要な役割を持つ**特徴量エンジニアリング（特徴量設計）**について説明します。

2.3.1 特徴量と特徴量エンジニアリング

「特徴量」とは、一言で表すと、分析対象データの中の、**予測の手がかりとなる変数**のことです。

まず、特徴量の大雑把なイメージを持つために、普段よく扱われる Excel などの表計算ソフトで扱う表形式データを考えましょう。表形式データの**1つの「列」が1つの特徴量に対応**すると思ってください。例えば、図 2.3.1 にあるようなプロフィールデータから、ある人がサービスを契約するかどうかを予測するケースを想像してください。直感的に、データにある「年齢」「年収」「勤務年数」などが特徴量として使えそうな変数です。

列の項目が特徴量に相当

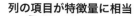

年齢	性別	年収	家族人数	勤務年数	
45	1	700	2	2	・・・
32	0	450	4	3	・・・
⋮	⋮	⋮	⋮	⋮	⋮

ここでは、とにかく「特徴量」という概念を深く理解してもらいたいと思います。

図 2.3.1：表データの場合、各列の変数が特徴量の候補となる

では、特徴量エンジニアリングとはどのような作業でしょうか？

特徴量エンジニアリングとは、機械学習モデルの**学習または予測の精度を高めるために、データを加工し特徴量を作成**することです。主に以下のような操作を行います。

- 予測変数として採用する列を選別する
- データに前処理を施し、学習・予測に効果的な形に加工する

図 2.3.2 は、機械学習モデルを構築する場合の最も一般的な流れを表しています。このうち、特徴量エンジニアリングの出来具合が、機械学習モデルの精度、つまり機械学習プロジェクトの成果を大きく左右します。

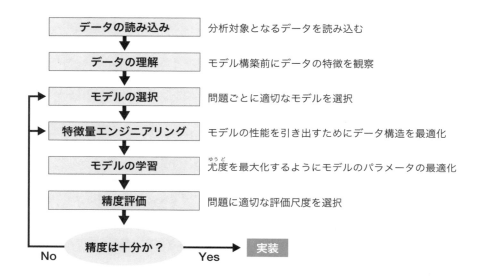

図 2.3.2：機械学習モデルを構築する一般的な工程

　次に、特徴量エンジニアリングのプロセスを具体例で見ていきましょう。

■ 例 1：物件条件から家賃の予測

　図 2.3.3 は、教師あり学習を用いて、不動産のデータから物件の家賃を予測する模式図です。この図のデータには、「面積」「最寄駅（最寄駅までの徒歩時間）」「築年数」「管理会社 Tel」の 4 つの変数、そして正解ラベル（予測対象である家賃）があります。

　皆さんが賃貸を検討する際に気にする条件を考えてみると、どの変数が「予測に効きそう」なのかは直感的に判断しやすいでしょう。

　「面積」「最寄駅」「築年数」は家賃を決める要因になりそうなので、特徴量として採用される可能性が高いです。「管理会社 Tel」はどうでしょうか？ 物件データに不動産会社の電話番号が含まれることはおかしいことではありません。しかし、予測したい家賃とは因果関係があるとは思えないので、予測モデル構築の特徴量としては採用しません。以上の例は**「予測変数として採用する列を選別する」**ことを示しています。

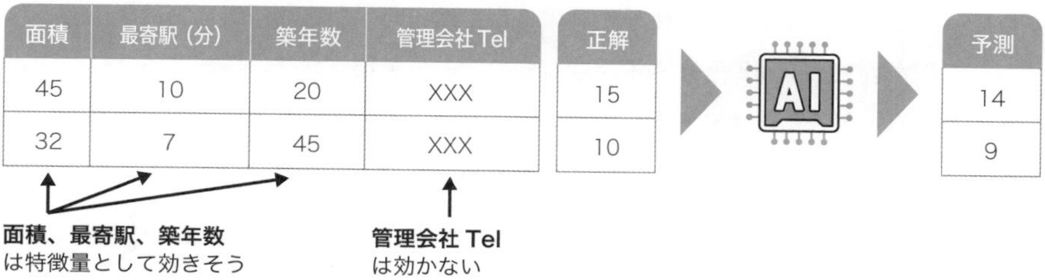

面積	最寄駅 (分)	築年数	管理会社 Tel	正解		予測
45	10	20	XXX	15		14
32	7	45	XXX	10		9

面積、最寄駅、築年数
は特徴量として効きそう

管理会社 Tel
は効かない

図 2.3.3：不動産のデータから家賃を予測する

■ **例2：個人データから保険契約するかを予測**

図 2.3.4 は、教師あり学習を用いて、プロフィールデータから保険を契約するかどうかを予測する模式図です。データには、「年収」「既婚（結婚しているかどうかを表すフラグ）」「身長」「生年月日」の4つの変数、そして正解ラベル（0 は契約しないクラス、1 は契約するクラス）があります。

一般的に、保険の契約に「年収」と「既婚」が関与しそうです。一方で、「身長」は関与しなさそうですね（身長が有利になる保険プランは私が知る限り存在しません）。では「生年月日」はどうでしょうか？ 「生年月日」をそのまま YYMMDD の形式で使うよりも、例えば、「生年月日」を現在日付との差をとって「年齢」という変数に変換すれば、より効果的な変数となり得ます。

まとめると、この例では「年収」「既婚」「年齢（変換後）」が特徴量として採用され、「身長」は省かれます。

この例は **「予測変数として採用する列を選別する」** に加えて、**「データに前処理を施し、予測に効果的な形に加工する」** ことを示しています。

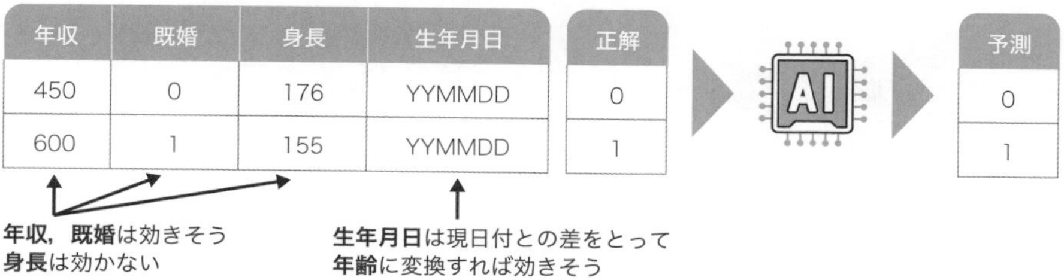

年収	既婚	身長	生年月日	正解		予測
450	0	176	YYMMDD	0		0
600	1	155	YYMMDD	1		1

年収, 既婚は効きそう
身長は効かない

生年月日は現日付との差をとって
年齢に変換すれば効きそう

図 2.3.4：個人データから保険を契約するかを予測する

以上の例からわかることは、**生データのままでは、必ずしも理想的な特徴量を得られ
ず、予測に影響を及ぼす因子を過不足なく含むデータを作り出す必要がある**ということ
です。**予測変数として採用する列を選別**することと、**データに前処理を施し、予測に効
果的な形に加工**すること、このプロセスが「**特徴量エンジニアリング**」です。

2.3.2　データの前処理の手法

　データ前処理の具体的な例として、以下を順に説明します。

- 文字列データを数値データに変換
- 欠損値の処理
- データの集計、分割、結合、その他の形状の変換
- データを正規化（0 と 1 の間に変換）や標準化（平均が 0、標準偏差が 1 になるよ
  うにデータを変換する）

■ データ前処理の例① 文字列データを数値データに変換

　コンピュータは数値データしか扱えません。一方で、現実世界のデータの多く（例え
ば、曜日や性別）は文字列データとして表現されています。文字列データを機械学習で
扱うには数値データに変換する必要があります。

　図 2.3.5 に一例を載せました。あるイベントの参加状況に関する生データがあるとし
ます。事前には機械学習で扱うことを想定していなかったため、表は記入する来場者に
わかりやすい文字列の形式になっています。これらを以下のように数値化したデータに
変換しています。

- 「初回／リピート」列（初回、3 回目、5 回以上）にあるデータを、0 または 1 で
  成り立つ「初回フラグ」（初回は 1、それ以外は 0）に変換します。
- 「評価」列（○ × △）を、数値の 3 段階評価（1 〜 3）に変換します。
- 「誰と？」列は、フリーテキスト形式で記述されているものを、0 と 1 で成り立つ「仲
  間フラグ」（1 人の場合は 0、1 人ではない場合は 1）に変換します。

生データ（イベント参加の履歴）				
年月日	初回／リピート	評価	誰と？	...
2019/10/01	初回	○	友人	...
2019/10/12	3回目	△	一人	...
2019/10/13	5回以上	×	母、従姉妹	...
...	...	...	...	...

「初回」なら1
それ以外は0に変換

○なら1、△なら2、
×なら3に変換

複数人参加なら1、
1人参加なら0に変換

変換後のデータ				
年月日	初回フラグ	評価	仲間フラグ	...
2019/10/01	1	1	1	...
2019/10/12	0	2	0	...
2019/10/13	0	3	1	...
...	...	...	...	...

図 2.3.5：生データの文字列データをダミー数値（フラグ）に変換することで数値化する

■ カテゴリカルデータとは

　統計学の用語として**カテゴリカルデータ**（カテゴリデータ、定性的データ、質的変数）があります。カテゴリを区別するために用いられる数値データのことです。「男と女」のように文字列で表すことも、「1 と 0」（1 が男、0 が女）のように数値で表すことも可能です。

　カテゴリカルデータを数値に変換したデータは、量的データとは性質が根本的に異なることに注意してください。量的データは数値の大きさに意味があります。例えば「今月の売上金額 5,000 万円は先月の売上金額 2,500 万円の 2 倍である」。これに対して、**見た目は同じ数値でも、カテゴリカルデータは量的な意味を持たない「ダミー数値（ダミー変数）」**であり、「等しいか、等しくないか」しか意味を持てません。

　例えば、病気の陽性・陰性（1：陽性、0：陰性）、性別（1：男、0：女）、職種別（1：営業、0：エンジニア）、地域別（1：エリア A、2：エリア B）など、数値形式で表すのがカテゴリカルデータです。この場合、「陽性は陰性より 1 大きい」や「私のエリア番号は彼のエリア番号の 2 倍だ」などの表現は全く意味がありません。

2

機械学習

数値が定性的なのか定量的なのか、パッと判断しづらい時もありますね。

判断に困った時は**「四則演算して意味があるのか」**を考えてみてください！

■ データを数値化するための手法

以下では、データを数値化するためによく使われる手法を 2 つ解説します。

● One-Hot エンコーディング

One-Hot エンコーディングでは、カテゴリごとに列を作り、各行について、**1 つの列項目だけを 1、それ以外を 0** にします。図 2.3.6 のように、「季節」列にある 4 つのカテゴリの各々につき FLG（フラグ）列を 1 つ立てます。この方法では、新しい列がどんどん横展開されていくので、まばら（**スパース**）な行列になりやすいです。また、**列が増えすぎると特徴量として扱いにくく、モデルが過学習**しやすくなります。

One-Hot エンコーディング手法

季節
春
秋
秋
夏
冬

春_FLG	夏_FLG	秋_FLG	冬_FLG
1	0	0	0
0	0	1	0
0	0	1	0
0	1	0	0
0	0	0	1

「季節」列の各カテゴリにつき、FLG（フラグ）列を 1 つ立て、
対応するインデックスのみ 1、他は 0 にする

図 2.3.6：One-Hot エンコーディングを用いて、文字列の種類だけ列を増やして数値化する

● ラベルエンコーディング

ラベルエンコーディングでは、**1つのカテゴリが1つの数値に対応**するように、数字に置き換える、いわゆる「**マッピング**」を行います。図 2.3.7 のように、「季節」列にある4種類のデータのそれぞれに対応する1つのダミー数値を決めて置き換えています。One-Hot エンコーディングと違って、**余分に列が増えません**。

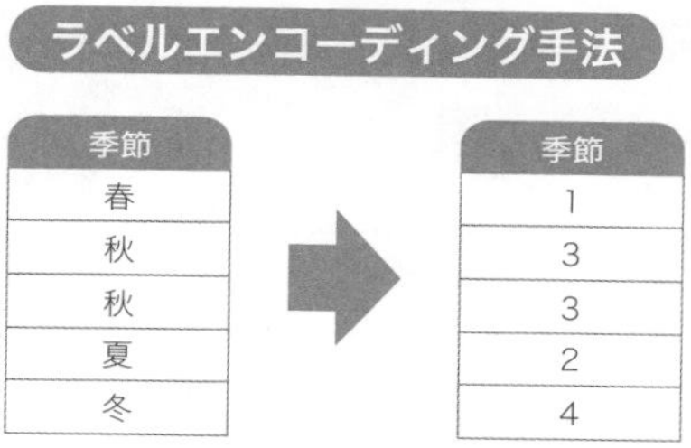

ラベルエンコーディング手法

季節
春
秋
秋
夏
冬

➡

季節
1
3
3
2
4

「季節」列の各カテゴリに1つの一意な値を割り当てる

図 2.3.7：ラベルエンコーディングでは、列を増やさずに1つの文字列に1数値を割り当てる

■ データ前処理の例② 欠損処理

欠損値とは、**データの一部が空白（歯抜け）**になっている状態を指します。欠損値の多いデータを機械学習モデルの学習に使ってもよい精度が期待できません。したがって**欠損値を放っておかずに適切な方法で処理すべき**です。どのように処理すべきかは、データ全体のうち欠損値が占める割合、欠損している列の重要性、データ全体の状態など、ケースバイケースで判断します。

基本的には**欠損値のあるデータを捨てるか、代替値で補填するか**のどちらかです。1つの列の欠損値があまりにも多い場合は、その列を特徴量として使わず、削除することを検討します。また、データ全体にわたって欠損値が多く、残る非欠損の列だけでは予測の材料として不十分な場合、そのデータセットは使えません。

欠損値の割合が許容範囲内である時は、以下に紹介するような方法で欠損値を補填することに注力します。

● リストワイズ法

- 欠損値があるデータをそのまま**削除**する方法
- 総データ量が多い場合に比較的使いやすい
- 欠損箇所に偏りがある時に欠損値を削除してしまうと、データ全体の傾向を変えてしまうリスクがある

● 統計量で補完

欠損がある列のうちの、欠損になっていないデータだけを使って、平均値、中央値、最頻値などの統計量を算出し、それを用いて欠損部分を埋める方法

● 回帰補完

- 欠損列と非欠損列の間に**相関が強い**場合に、**回帰**を利用して欠損値を埋める方法
- 非欠損データを利用して**補充値を推測**するモデルを作る

図 2.3.8 は、回帰補完の具体例です。会員属性データの歯抜けを前処理するために、回帰補完を使用するのが適切だと判断したと仮定します。ここでは「年齢」の列に歯抜けが生じており、他の列を学習データとして用いて、年齢の補填値を推測できる機械学習モデルを作ります。具体的に、**「年齢」列の歯抜けではない値が正解ラベルになり、他の列が特徴量**となります。「身長 x cm、体重 y kg の子供 z 人を持つ男性は w 歳と思われる」のような考え方です。

推定モデルの学習が完了したら、学習済みモデルを用いて、歯抜け部分に入るべき値を推定し補填します。最後に、補填後のデータと非欠損のデータを 1 つに統合し、本題の予測モデルの学習に使います[1]。

明らかに歯抜けになっているところは「明示的な欠損値」です。一方で、「変な値」が入っている場合は「暗示的欠損値」といい、判別が難しいです。どのようなケースが当てはまるかを想像してみてください。

---

memo ※1 厳密には、回帰補完モデルの精度を別途検証しなければならない。精度検証については 2.13 節を参照。

元の会員属性データ

ID	性別	年齢	身長	体重	独身フラグ	子供の数	…
1	男	35	170	65	0	2	…
2	男		165	60	1	0	…
3	女		159	50	1	0	…
4	男	12	155	40	1	0	…
5	女		145	35	0	1	…
6	女	32	157	42	0	0	…
…	…	…	…	…	…	…	…

元のデータの「年齢」列に歯抜けが多い

性別	年齢	身長	体重	独身フラグ	子供の数	…
男	35	170	65	0	2	…
男	12	155	40	1	0	…
女	32	157	42	0	0	…
…	…	…	…	…	…	…

機械学習モデル

予測結果

ID	性別	年齢	身長	体重	独身フラグ	子供の数	…
2	男	25	165	60	1	0	…
3	女	30	159	50	1	0	…
5	男	45	165	62	0	3	…
6	女	35	145	35	0	1	…

歯抜け以外の部分の属性を学習データにする
身長 x cm 体重 y kg の子供 z 人を持つ男性は
w 歳と思われる

歯抜け部分に予測モデルを適用後

図 2.3.8：回帰補完を用いて欠損値に対する補充値を推測する

ココが試験に出ます！

- **特徴量**：予測の手掛かりとなる変数。構造化データの場合、学習データの各列に該当。

- **ラベルエンコーディング**：1つのカテゴリが1つの数値に対応するようにマッピングを行うことで文字列をダミー数値に変更する手法。

- **One-Hot エンコーディング**：カテゴリごとに列を作り、各行について1つの列項目だけを 1、それ以外を 0 にするように文字列を数値化する手法。

- **回帰補完**：欠損している特徴量と他の特徴量の間に相関が強い場合、非欠損部分を学習データとして利用して欠損部分に入るべき値を回帰で予測する手法。

- **正規化 / スケーリング**：正規化の一種であり、（データの値 − 最小値）/（最大値 − 最小値）のような計算をすることでデータを 0 と 1 の間に揃える。正規化は、外れ値に敏感に反応する。

- **標準化**：平均が 0、標準偏差が 1 になるようにデータを変換する。各データから全データの平均値を引き、標準偏差で割り算をする操作。標準化は外れ値に強い。

2
機械学習

過学習とその対策

詳細なアルゴリズムに触れる前に、まず機械学習の正しい考え方を身につけましょう。本節では主に過学習になりやすい状況とその防止策を学びます。

ここからは機械学習の具体的手法とその活用事例について解説します。その際には、1995年に発見された有名な定理、「**ノーフリーランチ定理**」（**No Free Lunch Theorem**）を意識してください。この主張は一言でいうと以下となります。

> **あらゆる問題において高い精度を出せる汎用的なモデルは存在しない**

言い換えると、**全ての問題において優れた性能を発揮できる「万能」な機械学習モデルやアルゴリズムは存在しません**。例えば、画像データを分析対象とする画像認識には、ニューラルネットワークが最も強力なアルゴリズムと知られています。一方で、表形式の購買履歴データを分析する場合は、決定木などのシンプルな手法が適切です。どの手法を使用するかは、**分析の目的、データの種類、必要なデータ処理、分析のコストなど様々な要素を踏まえて、ケースバイケースで判断**することが重要です。

この章の次節以降では、まずは教師あり学習、次に教師なし学習の代表的な手法について解説していきます。

ただ、各手法の説明に入る前に、機械学習で避けたい問題である「過学習」について説明しておきます。

試験前に、各手法を自分の言葉で、具体的に説明できるかを自己チェックしてみましょう！

2.4.1 機械学習で避けたい「過学習」

機械学習では学習データの傾向やパターンを掴むことで、未知のデータの予測や判定を行います。学習済みモデルに関する望ましい状況は、**答えが未知な新しいデータに対しても予測性能を出せる**ことです。逆に、避けたい状況は、訓練データに対してのみ予測精度がよく、**未知データに対しては予測の誤差が大きい**ことです。

機械学習を活用する上で注意しなければいけないこととして、**過学習**（Over-Fitting）があります。過学習とは**「学習データを過剰に学習する」**こと、つまり**モデルを学習データに合わせすぎ**てしまい、その結果として、未知のデータに対する**汎用性**が失われてしまっている状況をいいます。過学習されたモデルは、本番環境で「全然使い物にならない」代物です。過学習は「オーバーフィッティング」や「過剰適合」とも呼ぶことがあります。

学習データでは精度がよいのに、未知の本番データでは悪い精度を出してしまうのが「過学習」です！

一般的に、**モデルが複雑**であればあるほど**過学習しやすい**傾向にあります。図2.4.1は過学習のイメージを表しています。左側の分類問題では、2つのクラスの学習データの間を完璧に分離する境界線を、右側の回帰問題では全てのデータ点を通る高次元な関数を無理に引こうとしています。学習データを完璧に識別しているものの、汎用性が低いため、新しいデータを持ってきたときに誤識別しやすくなります。

現実世界のデータには外れ値やノイズがつきものです。ノイズを含む学習データにモデルを合わせ込みすぎると、（同じくノイズを含む）新しいデータに対して無効になります。

試験勉強を思い出してください。問題集を解いて答え合わせして勉強した場合、本番試験で「同じパターンの問題」が出れば解けるはずです。しかし、問題集の答えを丸暗記するような勉強をした場合、本番では解けなくなります。これこそが過学習の現象です。

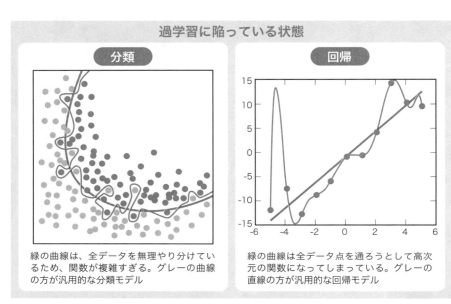

図 2.4.1：（左）分類問題の場合、（右）回帰問題の場合の過学習を示す

●過学習の代表的な原因

- データ数が少ないのに、**特徴量（説明変数）の数が多すぎる**
- **相関が強い特徴量が多く存在する**
- **モデルが複雑すぎる**（例えば、高次元の関数）
- モデルのパラメータ（例えば、線形回帰の係数）の値が大きすぎる

●過学習への対策

①学習データの数を増やす

学習データが少なすぎるとデータの傾向を十分に表現しきれないことがあります。データ量を増やすことで、より汎用的なパターンを捉えやすくなります。

②ハイパーパラメータを調整することでモデルの複雑さを抑える

ハイパーパラメータは、モデルの複雑さや学習の進行を設定するためのパラメータです。モデルを構築する人が手動で調整します。詳しくは本章の後半で学びます。

③正則化を実施する

罰則項（正則項）をモデルの関数に付加することで、モデルの動きに制限を課し、複雑になりすぎるのを防止するテクニックです。詳しくは 2.5 節で学びます。

　それでは、過学習はどう確認できるのでしょうか？ モデルのパラメータを変更した
際に、訓練データに対する精度がよくなっていくのに対して、**テストデータに対する精
度が横ばい、または低下**する現象が見られれば、過学習を疑ってもよいでしょう。

　最後に、過学習と関係する概念として、**バイアス**と**バリアンス**を紹介します。バイア
スは、**推定値と実測値の差**を表します。バリアンスは、**推定値のばらつき**を表します。
バイアスとバリアンスは**トレードオフ**の関係にあります。

　これはどういうことかというと、本来除去不能なばらつきが存在するデータに複雑な
モデルを当てはめると、バイアスは低くなりバリアンスが高くなってしまいます。一方
で、シンプルなモデルを当てはめてバリアンスを小さく抑えると、バイアスが高くなり
ます。

　過学習になりやすいのは、**バイアスが低くてバリアンスが高い状態**です。バイアスと
バリアンスのバランスをうまく取りながらモデルをチューニングすることが重要になり
ます。

ココが試験に出ます！

- **過学習（オーバーフィッティング）**：モデルを訓練データに合わせ込みすぎて、テス
トデータに対する学習済みモデルの精度（**汎化性能**）が低い。特徴量の数が多すぎ
る場合、学習データが不足している場合、モデルが複雑である場合、特徴量間の相
関が強い場合に過学習しやすい。
- **バイアス**（推定値と実測値）と**バリアンス**（推定値のばらつき）はトレードオフ関
係にある。

CHAPTER
2.5

線形回帰

「線形回帰」は最もベーシックなデータ分析手法の1つであり、機械学習が普及する以前に統計分析にもよく登場しています。本節では「線形回帰」を通じて、分析モデルの基本的な考え方を学びます。

　線形回帰とは、**1つ以上の説明と直線関数を使用して、連続値である目的変数を予測する**手法です[1]。「目的変数」とは、予測したい値のことです。「説明変数」とは、「目的変数」を説明する、予測の手がかりとなる変数で、機械学習では特徴量とほぼ同じことです。

　線形回帰には**単回帰分析**と**重回帰分析**があります。

2.5.1 単回帰分析

　単回帰とは**説明変数が1つだけある**線形回帰です。単回帰分析モデルを表す線形式は以下です。

$$Y = a \cdot X + b \quad \cdots 式2.5.1$$

　ここで、Xは説明変数、Yは目的変数、aとbは**回帰係数**です。中学の数学で学ぶ一次関数と同様に、aを傾き、bを切片やオフセットとも呼びます。傾きaは目的変数Y（回帰で予測したい量）に対する**説明変数Xの「影響度」**を表します。その絶対値が大きければ大きいほど、Xが増減した際にYが「引きずられて変化」する程度が大きくなります。

　図2.5.1は単回帰分析の模式図です。ここではデータ点（X,Y）が二次元に散布しており、この分布に式2.5.1で表される**直線を当てはめ、分布をよい具合に表現できる傾きaと切片bを定めることで、単回帰モデルを導出**します。決定した後の直線（学習済みモデル）に未知のデータXの値を代入すれば、予測値Yが得られます。

　例えば、X軸に「1日の平均湿度」をとり、それを用いて、Y軸の値にあたる「洗濯物が乾くまでの時間」を予測するタスクは、単回帰分析になります。

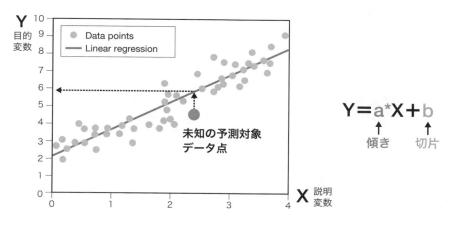

図 2.5.1：未知のデータ X を投入すると予測されるデータ Y が求まる

2.5.2 重回帰分析

重回帰分析とは**複数の説明変数から目的変数を予測**する線形回帰問題です。重回帰分析モデルを表す式は以下です。

$$Y = a_1 \cdot X_1 + a_2 \cdot X_2 + \cdots + a_n \cdot X_n + b \quad \cdots 式 2.5.2$$

ここで、a_i（ i = 1, 2, $\cdots$, n）は重回帰分析の**偏回帰係数**と呼ばれ、各説明変数の予測したい量への影響度を表します。つまり、**偏回帰係数の大小を比較することで、どの変数が予測に重要なのかという目安を得る**ことができます[2]。

重回帰分析を行う際に、**多重共線性（Multicollinearity）**に注意する必要があります。これは、**相関が高い説明変数同士**を特徴量として組み合わせた時に、互いに干渉し合うため、精度を悪くしてしまう現象を指します。変数同士の相関係数を計算した結果、**相関係数が 1 または −1 に近い場合、相関が高い**といいます。機械学習の特徴量を選ぶ時に、特徴量間の相関の高さに注意しなければいけません。

---

memo
※1 厳密にいうと、説明変数 X の線形結合（係数 a と X を掛けたものの足し合わせ）で表されるモデルを「線形回帰」という。
※2 厳密には、標準化または正規化されている必要がある。

2.5.3 　正則化

　機械学習では、過学習を防ぐために、モデルに**正則化（Regularization）**を施すことがあります。ここでは回帰分析の文脈で説明します。正則化を施すには、学習の進行を司る指標となる**「損失関数」「誤差関数」**に、**ペナルティ項（罰則項）**と呼ばれる**オフセット値を追加**します。損失関数（Chapter3 で詳細に学ぶ）とは**モデルの予測出力と正解の誤差**を表す関数です。機械学習では、損失関数を**最小化**するように学習します。モデルを表すグラフの形が大きく振れている場合、損失関数も高次元になりがちなので、過学習しやすくなります。これは回帰係数の値が大きい状態と解釈できるので、**回帰係数の大きさを抑えたい**わけです。そこで、**損失関数にペナルティ項を加えた上で、全体を最小化する**方法を取れば、モデルが訓練データに過剰に合わせ込むのを防ぐ効果があります。これが正則化です。

　ペナルティ項は通常、係数（ω）の大きさに相当する「ノルム」（$|\omega|$）を用いて定義します。数学的なイメージは以下の通りです。

　本来の損失関数を $E(\omega)$ とします。ここでωは回帰係数のベクトルを表します。正則化を行わない時は $E(\omega)$ のみを最小化するようにパラメータを学習します。正則化を行う場合、式 2.5.3 のように、**損失関数とペナルティ項の和を最小化**します。

$$E(\omega) + \lambda \frac{1}{p} \sum_i |\omega_i|^p \quad \cdots 式 2.5.3$$

　$E(\omega)$ の後ろに付加されたペナルティ項は係数の絶対値の p 乗和の形となっています。**λ はペナルティの重さを制御**する役割を持っています。λ を大きくすると過学習に陥りにくくなりますが、λ を大きくしすぎると学習不足になってしまいます。

> G 検定試験のために最低限これだけは覚えてください。
> 正則化の目的は、損失関数とペナルティ項の和を最小にするようにパラメータを学習することで、過学習を防ぐことです。

それでは代表的な正則化を紹介します。

● **L1 正則化**

- 式 2.5.3 で p=1、つまりパラメータの絶対値の和をペナルティ項にする
- 不要なパラメータをそぎ落とすことで、特徴選択と次元圧縮に効果的

● **L2 正則化**

- 式 2.5.3 で p=2、つまりパラメータの二乗和をペナルティ項にする
- パラメータの大きさをゼロに近づける（影響を抑える）ことで、汎化性の高い滑らかなモデルを得られ、過学習防止に効果的

　L1 正則化を取り入れた線形回帰は**ラッソ回帰（Lasso Regression）**、L2 正則化を取り入れた線形回帰を**リッジ回帰（Ridge Regression）**と呼びます。ラッソ回帰とリッジ回帰を組み合わせた手法を **Elastic Net** と呼びます。

本章で説明する教師あり学習の代表的な手法
- 線形回帰
- 決定木、ランダムフォレスト、勾配ブースティング
- サポートベクトルマシン（SVM）
- ニューラルネットワーク
- ロジスティック回帰
- K 近傍法
- ナイーブベイズ法

⊛ **Study Tips**　学習アドバイス

手法の設計コンセプトや特徴が問われやすい！
機械学習の各手法について、以下に注目してください。

- 本質的な特徴、長所と短所
- 活用事例を通じて、どのような場面で使われるのか
- モデル内部で使われている関数や計算法

ロジスティック回帰

この節では、回帰の考え方を用いて、「商品を購入する確率」や「病気が発症する確率」などの事象が起きる確率を予測するモデルについて考えていきます。

ロジスティック回帰分析（**Logistic Regression**）とは、線形回帰の考え方を用いて、ある**事象が起こる確率**を求める手法です。

確率値は 0 ～ 1 の範囲に収まることが要求されます。例えば、「確率は -2.5 だ」はおかしい発言ですよね。ロジスティック回帰分析に用いられる関数の仕様上、モデルの出力値は必ず**0 ～ 1** の範囲に収まるため、確率値として表現することに適しています。

以下、ロジスティック回帰分析についてより詳細にみていきましょう。

2.6.1 非線形回帰の手法の1つであるロジスティック回帰

まずロジスティック回帰を学ぶ準備として、線形回帰と非線形回帰はどう違うのかについて説明します。

2.5 節で学んだ単回帰分析と重回帰分析には**線形回帰**が用いられています。なぜなら、**説明変数と目的変数の間に線形な関係**を仮定した分析モデルであるからです。式 2.5.1 や式 2.5.2 では、目的変数 Y は説明変数 $X_1, X_2, \cdots, X_n$ の**線形結合**として表され、グラフにすると**直線**になります。言い換えると、説明変数の変化に合わせて**目的変数が変化する割合が常に一定**です。

対照的に、**非線形回帰では、非線形関数を使って説明変数と目的変数の間の関係性を表します。**一次関数が線形関数（直線関数）であるのに対し、対数関数や平方根などは非直線（非線形）関数です。ロジスティック回帰は、非線形回帰の手法の１つです。

2.6.2 ロジスティック回帰分析とは

ロジスティック回帰分析は、**ある事象が発生する確率**を求める非線形回帰の手法です。**線形回帰と同様な考え方をクラス分類問題に応用**するような手法と解釈することができます。

> ロジスティック回帰分析は、回帰問題を扱うのではなく、**分類問題**を扱います。混乱しやすいので気をつけてください！

ロジスティック回帰は、**二値分類（カテゴリが２つ）** と**マルチクラス分類（カテゴリが３つ以上）** の両方に適用できます。

二値分類の例として、腫瘍細胞の形状などの特徴から腫瘍が良性か悪性かを予測するタスクが挙げられます。マルチクラス分類の例として、通行人の画像からその人が男性か女性か子供かを判別するタスク、あるいは、身長と体重から服のサイズ（S、M、Lの３つのクラス）を予測するタスクが挙げられます。二値分類問題の分類に使う関数はシグモイド関数です。一般的なシグモイド関数は式 2.6.1 のように表され、その形は図 2.6.1（左）のようになります。

$$f(x) = \frac{1}{1+e^{-x}} \quad \cdots \text{（式 2.6.1）}$$

シグモイド関数の**値域**（関数の縦軸の値がとりうる範囲）は０と１の間です。つまり、どんな値が入力されても、出力する値が０と１の間に収まるように正規化されます。したがって、シグモイド関数の出力は**「ある事象が起きる確率」** として解釈可能です。シグモイド関数が直線ではなく非線形の関数であることと、ロジスティック回帰が非線形回帰の手法であることは直結します。

図 2.6.1（右）はシグモイド関数（図中の緑の曲線）を使ったロジスティック回帰の模式図です。この例では、シグモイド関数を用いた出力値が 0.5 以上である場合を「正」（＝購買者である）、0.5 未満である場合を「負」（＝非購買者）のように分類する領域を定義づけるとします。

そうすると、新しいデータ（横軸上の「新しい顧客」）をもってきた時に、その点に対応するシグモイド関数の値（この例では 0.76（＝ 76%））が 0.5 以上であれば、「購買者」と判定され、0.5 未満であれば「非購買者」と判定されます。分析の要件によっては分類の閾値を 0.5 ではなく、0.4 や 0.7 のように調整することもできます。

　では、なぜロジスティック回帰分析は確率の予測に使えるのかを、数学的に理解してみましょう。複数の説明変数がある場合も考慮すると、ロジスティック回帰分析に使用する関数は式 2.6.2 で表します。

$$Y = \frac{1}{1+e^{-(a_1 X_1 + a_2 X_2 + \cdots + a_n X_n)}} \quad \cdots 式 2.6.2$$

　ここで、目的変数 Y は、ある事象が起きる確率を表しています。X_i（ i =1, 2, ⋯, n）は 1 つ以上の説明変数であり、分類に使われる特徴量です。

　式 2.6.2 をよく観察してみると、X_i がどんなに大きな値や小さな値をとっても、この指数関数の値は 0 より大きいので、分母は必ず 1 より大きい値となります。したがって Y の値は 0 〜 1 の範囲に収まるとわかります。詳細は割愛しますが、ロジスティック回帰分析の偏回帰係数 a_i（ i =1, 2, ⋯, n）は、最小二乗法を用いて求めることができます。

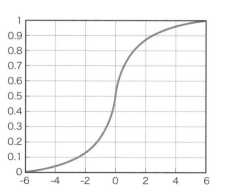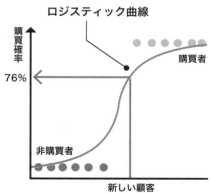

図 2.6.1：（左）シグモイド関数の形状
　　　　　（右）ロジスティック回帰を用いた二値分類問題の例

　マルチクラス分類問題の場合は、ロジスティック回帰の中で**ソフトマックス関数**を使用します。ソフトマックス関数の場合、各クラスの出力値が 0 と 1 の間にあり、全クラスの出力の合計が 1 になるように正規化されます。

　なお、シグモイド関数とソフトマックス関数は、ニューラルネットワークでも頻繁に使われており、Chapter3 で再び詳細に解説をします。見方によっては、ロジスティック回帰は、単純なニューラルネットワークの一種とも解釈可能です。

> 分類問題にはロジスティック回帰の他に、決定木、サポートベクトルマシンなどの機械学習手法も使えます。その中でも、ロジスティック回帰は、係数の大小が予測対象への影響度を表すので、比較的解釈しやすいという利点があります。

ココが試験に出ます！

- **線形回帰**：説明変数と定数項の線形結合として表される線形回帰式 $Y = a_1X_1 + a_2X_2 + ... + a_nX_n$ を用いて、説明変数で目的変数を説明するモデルを作る。ここで、a_i（$i = 1, 2, \cdots, n$）は**偏回帰係数**と呼ばれる。線形回帰には**単回帰**（説明変数が 1 つ）と**重回帰**（説明変数が複数）がある。

- **多重共線性（Multicollinearity）**：相関が高い説明変数同士を特徴量として組み合わせた時に、互いに干渉し合うため、精度を悪くしてしまう現象。

- **ロジスティック回帰分析**：説明変数をもとに事象が発生する**確率**を求める非線形回帰の手法。マルチクラス分類に使うときは**ソフトマックス関数**を、二値分類に使うときは**シグモイド関数**を使用する。

- **正則化**：損失関数に**罰則項（ペナルティ項）**を加えた上で最小化することで、過学習を抑制する手法。

- **L1 正則化**：パラメータの絶対値の和をペナルティ項にする手法であり、これを取り入れた線形回帰は**ラッソ回帰**。

- **L2 正則化**：パラメータの二乗和をペナルティ項にする手法であり、これを取り入れた線形回帰は**リッジ回帰**。

- **Elastic Net**：ラッソ回帰とリッジ回帰を組み合わせた手法。

CHAPTER
2.7

サポートベクトルマシン

サポートベクトルマシン（SVM）は優れたパターン認識性能を持つ手法として、第3次AIブームが到来する前から画像分類に活用されていました。

2.7.1 SVMの手法を理解しましょう

サポートベクトルマシン（Support Vector Machine; SVM）は、二次元、三次元の関数、あるいは多次元の「超平面」を境界線（境界面）として、一見したところ線形分離不可能なデータを巧みな工夫によって分離できるようにします。

SVMの主なコンセプトは**マージン最大化**です。入力データを分類するための境界線と各データ点との間の**最短距離**を「**マージン**」と定義づけます。SVMモデルを作るとは、この**マージンを最大にするように境界線を決定**することです。

図2.7.1はSVMを用いた二値分類問題の模式図です。複数の特徴量（ここでは簡単に変数1と変数2）で説明された2つのクラスがあります。特徴量の平面上に分布している訓練データを2つの領域に綺麗に分ける境界線を求めることが目的です。

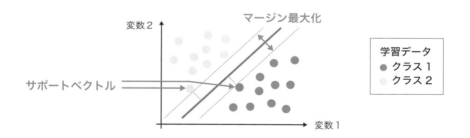

図2.7.1：SVMはマージンを最大化することで分類モデルを最適化する

■ どのような線の引き方が望ましいのか？

それぞれのクラスの領域において、決定境界から最も近い訓練データの点を**サポートベクトル**と呼びます。「マージン」とは、この**サポートベクトルと決定境界の距離**を指しています。

学習済みの機械学習モデルに求められることは、未知のデータが入力された時に、そのデータがどのクラスに分類されるのかを正しく予測できることです。これは**汎化性能**

と呼びます。SVM では図 2.7.1 のように、2 グループ間の最も距離の離れた箇所（**最大マージン**）を見つけ出して、識別するための境界線を引きます。この「余裕を持たせる」やり方が、新しいデータがやや「外れた場所」にやって来ても正しく予測できる可能性を高くします。

　サポートベクトルと境界線との間の最短距離（マージン）は、式 2.7.1 のヘッセの公式を使って計算することができます。この「マージン最大化」問題を解くことで、各領域から最も遠い所に決定境界を引くことができ、汎化性能の向上をはかることができます。

$$d = \frac{|w_1 x_1 + w_2 x_2 + \cdots + w_n x_n - h|}{\sqrt{w_1^2 + w_2^2 + \cdots + w_n^2}} \quad \cdots 式 2.7.1$$

　SVM は 2 クラス分類だけではなく、多クラス分類や回帰問題にも使うことができます。

SVM と言えば、**マージン最大化**と覚えてください！
G 検定に非常によく出る用語です。

2.7.2　ハードマージンSVMとソフトマージンSVM

　境界線を求めるやり方の厳密さによって、ハードマージン SVM とソフトマージンSVM の 2 種に分けることができます。

　ハードマージン SVM は、誤分類を許容せずに、**全てのデータ点を綺麗に分ける**境界線を求めるやり方です。しかし、現実世界のデータは常にきっちりと分離ができるわけではありません。なぜならば**データには外れ値や異常値などの「ノイズ」が含まれ、これらが分離を難しくする**からです。ノイズをデータ前処理の段階で除去することが望ましくても、現実的には全て処理しきれない場合もあります。何の工夫もなくハードマージンを選んだ場合、ノイズの影響を受けてしまい、未知データへの汎化性能は著しく低下してしまいます。

　この課題を解決するためには、ハードマージンの規制を緩和した、より汎用的なやり方が必要です。そこで、**誤分類を許容するようにマージンを決定**する**ソフトマージンSVM** が採用されます。**スラック変数**というパラメータを用いて、「どの程度データ点

がマージン内へ侵入してよいか」の余裕分を制御します。

2.7.3 線形SVMと非線形SVM

　決定境界が線形である場合は線形 SVM、決定境界が非線形である場合は非線形 SVM と呼びます。データが完全に線形分離できる場合は、比較的簡単なタスクです。しかしながら、**現実世界には線形分離不可能な分類問題の方が多い**のも事実です。また、先述のように、現実世界のデータにはノイズが多く含まれるため、綺麗に線形分離できるケースは少ないです。データの次元（特徴量の数）が多い場合も、直線で境界線を引けない可能性が高くなります。

　非線形 SVM は**カーネル法**を用います。図 2.7.2 のように、線形分離不可能なデータを非線形な基底関数で表現し、**高次元空間に写像**します。ポイントは、写像先の空間では、**線形な決定境界（超平面）を綺麗に求める**ことが可能になることです。つまり、写像を利用して線形分離可能な問題に変換したことになります。その後に分類結果を再び低次元に復元します。上記の高次元への写像に用いられる巧みな関数は**カーネル関数**と呼びます。

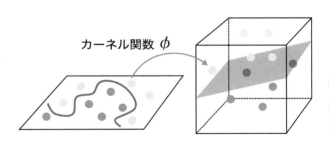

カーネル関数 ϕ

線形分離不可能なデータをカーネル関数（ϕ）により高次元の空間へ写像し、そこでは超平面を用いて線形分離が可能になります。

図 2.7.2：カーネル関数を利用してデータを線形分離可能にする方法

　ところで、この写像を利用することによって計算量が増えてしまいます。マージンの最大化を行うためには式 2.7.1 のような特徴量ベクトルの計算を行う必要があり、写像によって新しい特徴量を増やすと、計算量も一気に膨らんでしまいます。そこで、**カーネルトリック**という技術を用いて、計算量を著しく削減し、高速なデータ処理を可能にします。

　非線形カーネル関数には複数種類があります。代表例として、多項式カーネルやガウスカーネルなどが挙げられます。数学に興味をお持ちの方はぜひ調べてみてください。

決定木

仕組みがわかりやすく、解釈もしやすいため、決定木とそのアンサンブル学習器は広く使われる機械学習手法です。

決定木（Decision Tree）は、**条件分岐を用いて、ツリー構造に沿ってデータをグループに分割**しながらパターンを認識する手法です。回帰問題に使う決定木は「回帰木」、分類問題に使う決定木は「分類木」と呼ぶことがあります。まずは数式を使わずに、決定木でどんなことを行っているかをざっくりと説明したいと思います。

本書では、「決定木系モデル」という言葉をよく使います。これは①基本の決定木と、②決定木を多数組み合わせた「アンサンブル学習器」を含みます。

2.8.1 決定木の概要

図 2.8.1 は決定木をクラス分類に適用した模式図です。仕組みをさらに簡単に説明するために、図 2.8.2 はクラスが 2 つだけある場合を示しています。図にあるように、学習データにある**特徴量**を軸に、**データをソートし、複数のグループに分割**していきます。**分割後に最下段の各ノードがなるべく同じクラス（カテゴリ）のデータのみで構成されるような分割軸と閾値（しきいち）を探します**。このような操作をある「純度」の基準に達するまで再帰的に行います。

図 2.8.1 では、「年齢」「職歴」「既婚」の 3 つの特徴量を用いて、その人がどの融資額になりそうかを決定木で予測しようとしています。融資額は 0 円、30 万円、50 万円の 3 つのクラスです。初期的に学習データを全て決定木の頂点の親ノードに集合させます。木の頂点から、ここの例では最初に「年齢」を軸にしてデータを分割します。「20歳以上かどうか」に対して、no になったデータは「融資しない」に分類され、yes になったデータは次に「職歴」を軸にして「職歴が 3 年以上か」にしたがい分割されます。その下の段では、再びそれぞれのノードで分割を行います。これを繰り返していき、最終的に全てのデータを分割し終わるまで続けます。

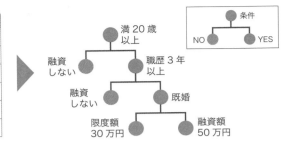

年齢	職歴	既婚	融資額
18	0	0	0
19	1	0	0
20	2	1	0
23	4	0	<=30
28	7	1	<=50
...	...	...	...

※マルチクラス分類の例

図 2.8.1：特徴量を軸にデータを分割していく決定木の模式図

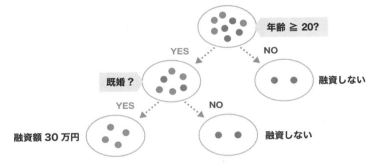

図 2.8.2：クラスが 2 つだけある場合の決定木

■「一番うまく分割する」はどうやって実現できる？

「一番うまく分割する」とは、**ノード内のデータが全て同じクラスに属している**状態にすることです。言い換えると、ノード内の「不純度」を最大限減らすことです。この状態を叶えてくれる**分割軸（特徴量）と分割の閾値の組み合わせは、決定木の内部のアルゴリズムによって自動的に最適化されます。**この最適化の過程こそが決定木における学習になります。

うまく分割できているかを評価するためには、「純度の指標」が必要です。分類木の場合、ノード内の「不純度」の評価指標として、ジニ不純度またはエントロピーがよく使われます。

機械学習の人気な用途である**需要予測や購買履歴分析**には、決定木系のモデルを採用することが多いですよ。

2.8.2 決定木系モデルのメリット

決定木系モデルは比較的使い勝手のよい機械学習の手法です。以下にて、その利点を紹介していきます。

■ データ処理の仕組みが理解しやすい

決定木は構造化（表形式の）データを扱うため、**特徴量が扱いやすく、モデルによるデータ処理の仕組みが直感的にわかりやすい**です。また、分析ライブラリ（詳細は 5.4 節）を用いるだけで、**決定木をツリー構造で可視化**することもできます。予測結果を見ながら、**どのような基準で分割が行われたのかを説明**できれば、データ準備やモデルの改善もしやすくなります。

■ 学習結果が説明しやすい

決定木のアンサンブル学習器であるランダムフォレストは、**特徴量の重要度を可視化**することができます（右図）。

ここで特徴量の重要度とは「**各変数がどれだけ予測に影響したのか**」を表す量です。これが解明できると、分析結果を説明しやすく、ビジネス施策などに利用しやすくなります。

例えば、会員の「年齢」が「サービス契約の有無」に大きく影響する特徴量（変数）であることが判明すれば、特定の年齢層の会員に集中的にアプローチするなど、営業戦略を立案できます。

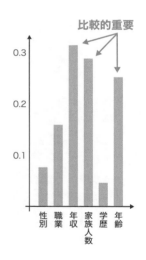

2.8.3 決定木系モデルのデメリット

以前に説明した**「過学習」**の概念を思い出してください。決定木はバリアンス（分散）が高くなることを気にせずに、とにかくデータを綺麗に分類することを優先する傾向にあるため、**過学習しやすい**モデルとして知られています。モデルの構造とデータ処理がシンプルだからこそ、データに含まれる**外れ値やノイズに影響されやすく、データ分割に偏りが生じやすい**です。この現象は、**データの量が少なめであるのに特徴量の数が多い時に特に起きやすい**です。なぜなら、特徴量が多いと複雑な木構造になってしまい、偏りが引き起こされた際に、それを補正するためのデータ量が不十分だからです。

この後に学ぶアンサンブル学習器は、決定木の可読性を残しながらも、過学習を軽減する役割を持っています。

2.8.4 決定木のアンサンブル学習器

アンサンブル学習器とは、単独では精度が高くない**単純なモデル（弱学習器）**を多数組み合わせて使うことで精度（汎化性能）を改善する手法です。その仕組みは、「三人寄れば文殊の知恵」ということわざに例えることができます。

単一の決定木は弱学習器であり、**過学習**になりやすいのに対して、決定木のアンサンブル学習器は**過学習を抑制**する効果を発揮できます。

アンサンブル学習には**バギング**と**ブースティング**という2つの代表的なアプローチがあります[1]。

● **バギング：**

- 少しずつ異なる弱学習器を多数作り、それらを**並列に学習**させた後に全ての結果を統合する
- 個々の弱学習器の**偏りを相殺**し、バリアンスを抑える効果がある
- 代表的なバギング手法は**ランダムフォレスト**

● **ブースティング：**

- 多数の弱学習器を**1つずつ逐次的に構築**し、新しい弱学習器を構築する際に、**その前に構築された弱学習器の結果**を利用する
- 代表的なブースティング手法は**勾配ブースティング回帰木**

■ ランダムフォレストを詳しく知りましょう！

ランダムフォレスト (Random Forest) モデルは、シンプルな1本の木が多数集まって、フォレスト（森）になっているのに似ています。

---

memo ※1 複数の種類のモデルを組み合わせたスタッキングというもう1つのアンサンブル学習法がある。非常に高度な手法でありここでは詳細を割愛している。

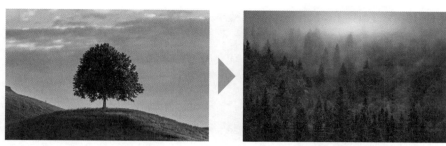

図 2.8.3：ランダムフォレストのイメージ

図 2.8.4 にランダムフォレストの模式図があります。訓練データから一部分を抽出して、**少しずつ異なる決定木**を多く構築し、**それぞれの結果の多数決**を採用します。

各々の決定木を生成する際には、**データと特徴量の両方をランダムサンプリング**します。データ（行方向）のサンプリングには、重複を許す抽出を行う**ブートストラップ法**を使います。特徴量（列方向）に関しては、全特徴量が M 個あるとすると、通常は一度に約$\sqrt{M}$ 個の特徴量を抽出します。最終的に、**多数の決定木の結果を集約**したものを出力とします。回帰問題の場合は予測値の平均値、分類問題の場合は多数決を採用します。

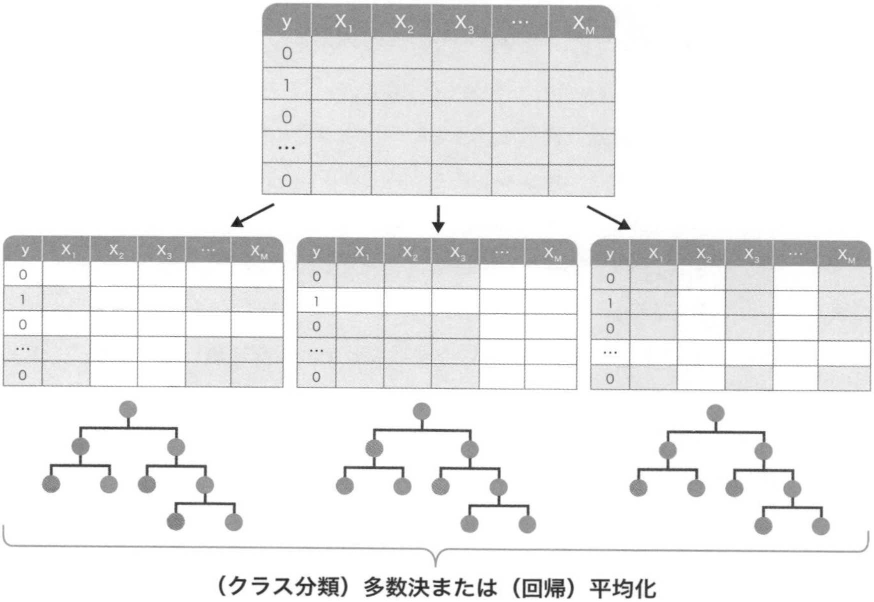
y
X_1
X_2
X_3
…
X_M
0
1
0
…
0
（クラス分類）多数決または（回帰）平均化

図 2.8.4：ランダムフォレストは並行してデータを処理する

■ なぜランダムフォレストは過学習を軽減できるのでしょうか？

　ランダムフォレストでは、木ごとに異なるデータを使って多様多種の決定木を構築しています。そのうちの一部の木が偏った判断をしてしまっても、全ての木の結果の多数決や平均をとることで**過学習が打ち消される**からです。

　ランダムフォレストのメリットとしては、汎化性能が高いこと以外に、**並列処理**ができるため、**計算が高速**であることも挙げられます。さらに、特徴量の重要度を可視化できる（2.8.2）など、**出力結果を説明しやすい**です。ランダムフォレストは、決定木系モデルならではのメリットを強化しており、幅広く人気のある分析手法です。

> ランダムフォレストは「最強の」アンサンブルモデルと言われます。実装しやすく、同時に高い精度を見込めるからです。

■ 勾配ブースティングを詳しく知りましょう！

　ランダムフォレストは**バギング**形式のアンサンブル学習であり、弱学習器を**並列**に処理します。他方で、ブースティング形式のアンサンブル学習は**直列**に弱学習器を構築します。ここでは代表的な勾配ブースティング（Gradient Boosting）を説明します。

　勾配ブースティング（Gradient Boosting）とは、弱学習器を**1つずつ順番に構築**していき、新しい弱学習器の構築には**その前の弱学習器の学習結果**を利用する手法です。最終的に全ての結果の重み付き多数決を採用します。図 2.8.5 は勾配ブースティングの模式図です。以下がモデル構築の大まかな流れです。

① まず1つの弱学習器モデルを作成し学習する
② 次に作るモデルでは、最初の弱学習器で誤識別したデータに重みを増やして、次の弱学習器でその部分を重点的に学習する。つまり「反省」を活かす
③ 繰り返しながらモデルを1つずつ構築していく

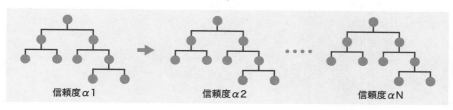

図 2.8.5：勾配ブースティングの模式図

　ブースティングモデルは特徴量設計とモデルの調整が適切に行われた場合に、高い精度を期待できます。しかし、これらは機械学習の上級者以外の人にとって難しく感じられます。また、弱学習器を独立に学習できるバギング法に比べて、ブースティング法は学習に時間がかかります。勾配ブースティングの有名なモデルに、XGBoost、AdaBoost、LightGBM などが挙げられます。これらは Kaggle や Signate などの機械学習コンペティションでよく登場します。コンペの上位者は特徴量エンジニアリングのテクニックを駆使して精度を競うので、多種多様な特徴量を扱う柔軟性がある決定木系モデルが好まれます。勾配ブースティングは、初心者には扱いにくいものの、コンペで最後の１％の精度を搾り出そうとする競争者たちに圧倒的に人気です。

ブースティング法で少しでも精度を高めようとすると、モデルチューニングの専門的なスキルが必要です。
また、高度なモデルを使用したとしても、機械学習の大きな決め手は変わらず特徴量作りです。**複雑なアンサンブル学習器にこだわるよりも、特徴量作りに注力した方がよい精度を得られることもあります。**

決定木における t 番目のノードのジニ不純度は次の式で表すことができます。

$$I_G(t) = 1 - \sum_{i=1}^{c} p(i|t)^2$$

ここで、c は全クラスの数、p(i|t) はノード t 内に属するクラス i のデータの割合です。例えば、融資しないのが 40 件、限度額 30 万円が 10 件だった場合、残る不純度は以下のように計算されます。

$$I_G(t) = 1 - \left(\left(\frac{40}{50}\right)^2 + \left(\frac{10}{50}\right)^2\right) = 1 - 0.68 = 0.32$$

一方で、融資しないのが 50 件、限度額 30 万円が 0 件の場合は、簡単な計算でわかる通り不純度 0 となります。

エントロピーの式は次となります。

$$I_H(t) = - \sum_{i=1}^{c} p(i|t) \log_2 p(i|t)$$

上記のようなノード内の不純度を表す指標を用いて、データをうまく分割できる方法を導き出しますが、最終的な目的は、**情報の利得**（下式）を大きくするように計算をすることです。具体的にはこれが最大になるような特徴量と閾値の組み合わせを探します。

$$\Delta I_G(t) = I_G(t_B) - w_L I_G(t_L) - w_R I_G(t_R)$$

ここで、t_B は分岐前のノード、t_L、t_R は分岐後の左右ノード、w_L、w_R は分岐後のノードの重み（分岐前に対するデータの量の割合）です。上記式は分岐前と分岐後の左右ノードのジニ不純度の差を表します。つまり、**分岐した際に不純度がうまく低くなってくれれば、利得の値が大きくなります。**

厳密にいうと、決定木は手法でありアルゴリズムではありません。決定木手法の中には最適な分割基準を探すためのアルゴリズムが使われており、ジニ不純度を用いた場合は CART、エントロピーの場合は C4.5 というアルゴリズムを使うことが多いです。

K近傍法

本節では、分類問題に使いやすい K 近傍法について、その特徴や使用例を確認していきましょう。

　K 近傍法（**K-Nearest Neighbor ; KNN**）は学習データを特徴量で張られたベクトル空間上にあらかじめプロットしておき、未知のデータが入力された時に、その点から **距離が近い順に任意の K 個の学習データ点を考慮し、その多数決で未知のデータが属するクラスを推定する**という、「距離ベース」のアルゴリズムです[1]。

2.9.1 K近傍法の手法

　図 2.9.1 では、薄い緑三角と薄い緑四角は 2 種のクラスの学習データ、緑丸は未知のデータを表しています。ここでは理解を簡単にするために、データの特徴量を 2 個にしています。実際には、特徴量の数がもっと多いのが普通です。データ点は多次元の「**特徴量空間**」に配置されています。図 2.9.1 では 2 次元の「特徴量平面」です。

● K 近傍法の詳細手順

① 全ての学習データ点を特徴量空間上に配置する

② 予測対象データから**それぞれの学習データ点との距離**を計算する

③ 予測対象データから**最も近い距離**にある K 個の点を見つけて、それらの**所属クラス多数決**を予測結果として採用する

　「K」は**ユーザー**が設定するパラメータです。例えば図 2.9.1 で K ＝ 3 とした場合、最も近いデータ点は三角が 2 つ、四角が 1 つです。多数決をとった結果、未知データである丸は、三角と同じクラスに属すると予測されます。「類似度」の基準となる距離の定義には、最も一般的なユークリッド距離以外に、マンハッタン距離、チェビシェフ距離など複数の種類があります。

---

memo　※1 K 近傍法は回帰問題にも使用することができますが、分類問題の方がやや多い。

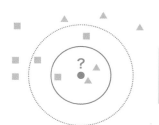

△ 学習データ（クラス1）
■ 学習データ（クラス2）
● 未知データ

K＝3にした場合と
K＝5にした場合と
で、予測結果が異なっ
てしまうことがわか
りますか？

図2.9.1：K近傍法の概念図

2.9.2 K近傍法の特徴

　K近傍法はいたって単純な機械学習の手法です。ひたすらデータ点間の距離を計算し、未知データに最接近している類似点の多数決を採用するだけです。その単純さのおかげで使いやすく、幅広いタスクに適用できます。一方で、以下のような影響があります。

- 予測性能は学習データの**クラス間の偏り**から影響を受けやすい
- 「**K**」を**いくつに設定するか**、にも影響されやすい
- 特徴量の数が多い場合、**次元の呪い**が起きやすいため、**高次元データ**には不向き
- 予測対象データと全ての学習データ点の間の距離を計算する必要があるため、データ量が多い場合に出力が遅くなりがち

　この特徴により、K近傍法は、精度が常に高くなくてもよいケースに手軽に使用される手法です。

「次元の呪い」とは、**学習データの次元が増えると計算量や必要なサンプル数が爆発的に増えてしまう**問題です。

2.9.3 K近傍法の使用例

K近傍法は、レコメンドエンジンや異常検知などに利用されます[1]。ここではレコメンドエンジンのケースを詳しく説明します。

事例 まだ観ていない映画に対するAさんの評価を推定し、作品をおすすめしたい

① Aさんと似た評価をする（類似度の高い）ユーザーを探し、特徴量空間上に配置します。Aさんと各ユーザーの間の距離（類似度）を計算します。

	Aさんとの類似度
Bさん	0.688
Cさん	0.982
Dさん	0.515

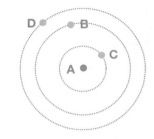

② 類似度上位K人（ここではK＝3）の評価を参考に、Aさんが未評価の映画の評価値を推定します。類似度（距離）を重みとした加重平均評価を最終的に採用します。

③ 推定評価上位10の映画をAさんにレコメンドします。

ユーザー	映画1	映画2	映画3	映画X
A	5	2	4	?
B	4	1	4	3
C	5	2	5	4
D	3	2	4	4

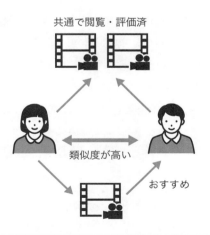

共通で閲覧・評価済

類似度が高い

おすすめ

memo ※1 これらは現在、ディープラーニングを含んだ手法が用いられることが多いです。

ナイーブベイズ

ナイーブベイズは、確率論の「ベイズの定理」を基にした分類モデルです。ウェブ記事のカテゴリ振り分けやスパムメールフィルタなどの文章データの分類問題に活用されることが多いです。

2.10.1 ナイーブベイズの仕組みと特徴

　ナイーブベイズ（Naive Bayes）の名称にある「ナイーブ」は「知識が少ない」を意味する英単語に由来します。元となる「ベイズの定理」に関する数学は Chapter7 で学びます。ナイーブベイズでは特徴量同士が無相関という単純化仮定を置いています。つまり、**各特徴量（説明変数）が独立して予測対象に影響を与えている**ものと仮定します。その上で、与えられたデータから考えられる全ての確率を計算し、**事後確率**が最も高いクラスに観測データを分類します。

　例えば、送られてきたメール文章に対して、「よい知らせか悪い知らせか」や「メールがスパムかどうか」を、文章中に含まれる単語を手がかりに判断します。**単語の出現頻度**にのみ注目し、**単語同士の関連性**について考えないことがナイーブベイズの特徴です。通常、メールには「契約内容の確認」「○○様と先日のお話…」のような具体的な日時や人物を含む文言が多いです。一方、スパムメールは「今すぐ」「登録」などの文字列や「装飾の罫線」などが特徴的です。これらの**特徴的な語句の出現頻度を分析の特徴量**とします。そして「ナイーブ」なのでこれらの特徴量が**互いに無相関**と仮定します。

　ところで、1つの文章の中の単語は、お互いにある程度相関を持っているのが通常です。なぜナイーブベイズでは無相関を仮定するのでしょうか？

　1つの文章にはあまりにも多くの種類の単語があるので、それらの全ての関係性を考慮しながら確率を計算すると、とんでもなく膨大な計算量になってしまいます。実運用に耐えられるテキスト処理速度を実現するために、近似的に単語同士は無相関として取り扱っています。実際には単語間に相関はあるものの、無相関の近似をしても、精度の観点から実用上問題がない用途も多いです。

●ナイーブベイズ手法の特徴

- 並列分散処理が可能のため**高速なリアルタイム処理に強い**
- シンプルな手法なので精度はさほど高くない。主な用途は文章分類などの低リスクな用途

ニューラルネットワーク

ディープラーニングの基本となるアルゴリズムはニューラルネットワークです。ここでは、機械学習の手法の１つとしてニューラルネットワークの概要を学びましょう。

2.11.1 ニューラルネットワークの仕組み

ニューラルネットワークは、画像認識や音声認識などで有力なディープラーニングの基本となるアルゴリズムです。ニューラルネットワークは、人間の脳神経系システムを模倣し数理モデル化したものです。つまり「**人工ニューロン**」の集合体と解釈できます。

図 2.11.1 のように、ニューラルネットワークは**入力層**、**隠れ層**（中間層）、**出力層**の３種類のレイヤーから構成されています。通常のニューラルネットワークは数多くの隠れ層がありますが、この図では単純化のために３層にしています。

入力層はデータ（多くの場合、画像や音声などの**非構造化データ**）を受け取ります。出力層は予測結果を出力します。入力層と出力層の間にある多数の隠れ層では、**データから識別に必要な特徴量**を学習します。分類問題に用いる場合、出力層には**予測クラス**の数だけノードの数があって、出力値は**各クラスに属する確率**を表します。

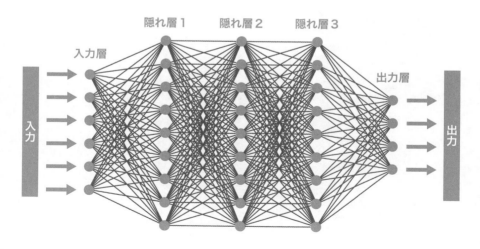

図 2.11.1：ニューラルネットワークは入力層、出力層とその間にある（通常は多数の）隠れ層から成り立っている

図 2.11.1 でわかるように、各層の全てのノードは、前後の層の全てのノードと結合されています。**結合の強さ（重みと呼ぶ）は入力と出力の関係性を表します**。ニューラルネットワークにおける「学習」とは、**正しい予測を出力できるよう、ニューロン間の結合の強さを最適化**する作業です。正解が導き出せるように重みの値が最適化されます。

　図 2.11.2 はニューラルネットワークから「ニューロン」を 1 単位取り出したものです（図の右側）。入力された信号 x が、重み w をかけて足し合わされた上でノード内の関数 f(x)によって処理され、その処理結果が次の層のノードに伝える情報 y となります。

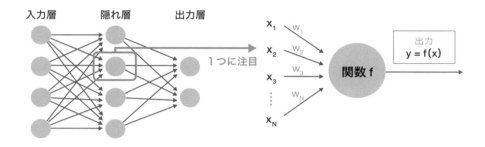

図 2.11.2：ニューラルネットワークから最小構成単位を取り出したもの

Chapter3 ではニューラルネットワークの学習の仕組みについて詳細に学びます。
また、Chapter7 ではニューロンモデルに関する数学を解けるようになります！

教師なし機械学習

教師なし学習の学習データには正解ラベルがついておらず、特徴量の
構造のみから学習をします。本節では教師なし学習と教師あり学習の
アプローチの違いに注目してください。

教師なし学習で行われるタスクは、クラスタリングまたは次元削減のどちらかです。
クラスタリングとは、「**正解のないデータから共通する特徴を持つグループに分類する**」ことです。**次元削減**とは、「**データを特徴付ける情報を抽出する**」ことです。

以下はクラスタリングと次元削減の代表的な手法です。

【教師なし学習の代表的な手法】
- クラスタリングの代表手法：K-means（K 平均法）
- 次元削減の代表手法：主成分分析

2.12.1 K-means

K-means（K 平均法） の目的は、データから**グループ構造**を見つけ出すために、**データを K 個のクラスターに分ける**ことです。最終的なクラスター数「K」は**ユーザー**が指定するハイパーパラメータ（2.14 節参照）です。教師あり学習には分類を行う手法がありましたが、教師なし学習のクラスタリングは教師あり学習の分類とは異なることに注意してください。教師ラベル（正解）がないので、データ間の特徴量の類似度に基づいてグループに分けるようにモデルを学習させます。

● K-means の詳細手順

① 初期的に、データをランダムに **K** 個のクラスタに分ける
② 各クラスタのデータ点の**重心**を求める
③ 各データ点と計算された K 個の重心の間の**距離**を計算する
④ **距離が一番近い重心**を含むクラスタに各データ点を割り当て直す
⑤ 重心の位置が変化しなくなるまで②～④を繰り返す

クラスタリングでは、**データ間の特徴量の類似度を距離として捉え、距離の近いデータをグルーピング**します。

K-means は、顧客のタイプをクラスター分析する時に利用できます。例えば、顧客をその属性でクラスタリングし、同じクラスタ内で顧客の多くが特定の商品を購入する傾向が判明したとします。この場合、グループ内の他の顧客たちにもその商品をレコメンドすると、購入してもらえる確率が上がる可能性があります。このように、クラスタリングによって「似た者同士」をグループ分けすると、ビジネスのターゲットや改善点を明確化することに役立ちします。

2.12.2 階層クラスター分析と非階層クラスター分析

クラスタリングは「**クラスター分析**」とも呼ばれます。クラスター分析の手法は、**階層クラスター分析**と**非階層クラスター分析**の2種類に分けることができます。

上記の K-means は非階層クラスター分析の代表的な手法です。

■ 非階層クラスター分析

非階層クラスター分析では、**あらかじめ決めておいた数のクラスターにデータを分類**します。データサイズが大きく複雑な階層構造に分類しづらい場合の分析に適しています。非階層クラスター分析の代表的な手法は 2.12.1 で学んだ **K-means** です。

初期的にクラスター数と重心を指定することによりバイアスが生じやすいので、初期設定を変えながら分析を何度も繰り返すとよいです。

■ 階層クラスター分析

階層クラスター分析は、データの「階層化」を前提としたアプローチです。データの集まりから**最も近いデータを順番にまとめていく**ことで、徐々にデータ群を整理し、その過程で階層構造を作り出します。要素間の類似性に基づいてデータをまとめ上げるこの分析手法は、**デンドログラム**（**樹形図**）を生成することで、クラスター形成の過程を視覚的に表すことができます。

図 2.12.1 では、デンドログラムの例を見ることができます。データ間の類似度を「距

離」として視覚化した樹形図は、後から「適切な高さ」で水平線を引くことで、データをクラスター（グループ）に分ける役割を果たします。そして、この**水平線とデンドログラムが交わる点の数によって、クラスターの数が確定**します。図2.12.1の例では、データが［A,B］［C］［D,E］の3つのクラスターに分けられています。

各クラスターには、「ある程度の数のデータが含まれている」ことが理想的です。例えば、図2.12.2の左側のように線を引いた結果、全てのクラスターにデータが1つずつしか含まれない場合は、分け方として適切ではないと言えます。

階層クラスター分析において重要なポイントの一つは、**「距離」の計算方法**です。この距離をどう定義するかにより、分析結果や解釈が大きく変わります。データ間の類似度を算出するための「距離測定法」は多岐にわたり、ユークリッド距離、マンハッタン距離、マハラノビス距離などが一般的です。また、クラスター間の距離を定義するための手法としては、ウォード法、群平均法、最短距離法、重心法、メディアン法などがあります。距離の定義は、基本的に分析対象のデータの特性を考慮して選ぶべきです。

データ数が多すぎると、デンドログラムが複雑になり、クラスターを決めにくくなります。その場合は非階層クラスター分析を採用することがあります。

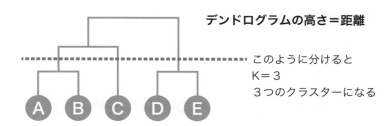

図2.12.1：デンドログラムを用いて、3つのクラスターにデータをまとめる階層クラスター分析の例。この場合、[A,B][C][D,E]の3つのクラスターに分類されます。

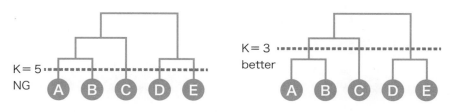

図2.12.2：（左）各クラスターのデータ数が少なすぎて、理想的な分類ではない例
（右）デンドログラムの上への線の引き方を工夫することで改善されている例

■ 階層と非階層クラスター分析の使い分け

階層クラスター分析と非階層クラスター分析のそれぞれの利点と注意点、そして用途例を表 2.12.1 のようにまとめました。

	特徴	メリット・用途	注意点
階層クラスター分析	樹形図の形に沿って、最も近距離のデータ同士を順にグルーピングし、徐々にクラスターの数を減らしていく	階層化されており、説明しやすい ブランドや商品など視点を定めて顧客情報をクラスター化することで、販促を効率化する	距離の定義に結果が影響される 分類対象が多い場合、階層化に時間がかかる
非階層クラスター分析	事前に決めたクラスター数にデータを分類。各データ点を距離が一番近い重心に対応するクラスターに配置を繰り返していく	高速である ランダムで大量なデータの分析に適している 例：SNS の投稿を分類し消費者の嗜好をカテゴライズ	初期設定（クラスターの数、重心）によって結果が影響される

表 2.12.1：階層クラスター分析と非階層クラスター分析の比較

2.12.3 主成分分析

次元削減とは、情報を凝縮させることで、**高次元のデータを低次元のデータに変換す**ることです。**主成分分析（Principal Component Analysis ; PCA）**は、次元削減の代表的な手法で、多変量解析の一種でもあります。

主成分分析では、特徴量間の関係性を分析し、**全体のばらつきを最もよく表す主成分**と呼ばれる変数を合成します。予測への寄与率や重要性の高い「主成分」に注目すれば、**データの本質的な構造や特徴**を掴みやすくなります。一般的に主成分分析は、強く相関し合う特徴量が数多くある状態から、少数の重要な情報を持つ特徴量に情報圧縮を施すのに活用されます。

主成分分析の身近な活用例を挙げてみましょう。国語、数学、理科、社会、英語という 5 教科のそれぞれの得点（5 次元のデータ）からは学力を評価しづらいです。5 つの項目を新たに「理系力」と「文系力」という 2 つの軸（＝主成分）に統合すれば学力を評価しやすくなります。

機械学習では、次元数（特徴量の数）が数千以上に及び、データ件数も数十万以上に及ぶような学習データを扱うことがあります。この膨大なデータをそのまま可視化したところで、有用な知見を取り出すことは非常に困難です。**次元削減を用いて情報を凝縮**

すると、可視化しやすくなります。そうすると、データ分析のアプローチを検討しやすくなります。また、特徴量を減らすことで、学習時間を節約し、**次元の呪い**（P.108参照）への対策にもなります。

■ 次元削減と教師あり学習の併用

　機械学習モデルの汎化性能を向上させるには、過学習を抑えることが重要です。2.4節で述べた通り**特徴量間の強い相関は過学習**の要因になり得ます。そこで、**教師あり学習の学習データに対して、事前に次元削減を施す**ことで、教師あり学習の精度を向上させることができます。

　予測対象に強く関連する特徴量を採用し、関連が薄いものや他の特徴量と相関の高いものを排除することが理想的です。次元削減を使用するとノイズを取り除き、重要な特徴量のみで構成されるデータセットに仕上げることができます。

本章における「ココが試験に出ます！」は、機械学習の全体的な考え方をカバーしています。多数の個別の手法について、重要概念は本文中で強調されています。ぜひ赤シートで反復復習してください！

COLUMN | ベイズの定理

　数式を使わずにベイズの定理の概要を具体例で説明すると、「スパムメールに●●という語句が含まれる割合」（"A ならば B" という意味）をデータとして蓄えておくことで、「●●という語句が含まれるメールがスパムメールである確率」（"B ならば A" という意味）を数学的に算出できる定理です。様々な語句「●●」「○○」「＊＊」について、スパムメールとの対応関係の統計データを集めておくことで、メール中の語句から、スパムメールである確率を、より精度よく求めることができます。この文脈での「相関」とは、異なる語句「●●」と「○○」が「同時に現れやすい」あるいは「同時には現れにくい」といった性質のことです。無相関の仮定とは、このような性質がなく、異なる語句はランダムに現れると仮定することを意味します。

CHAPTER
2.13

モデルの精度評価

本節では、機械学習の目的をより深く理解するとともに、学習によって生成された「学習済みモデル」の精度を評価する仕組みについて学びます。G 検定試験において、思考力を問われる分野です。

⊛ Study Tips　学習アドバイス

各種の評価指標の特徴や目的に応じた使い方が出題されやすい！
- 「汎化性能」を意識しながら、モデルの精度評価の手法を学びましょう
- モデルの精度について開発者と会話できる程度の習熟度を目指してください
- モデルの精度を算出する問題も出題される可能性があります（Chapter7 で練習）

2.13.1 精度評価を可能にするデータの扱い方

　精度を評価するための手段や指標は多数存在し、目的と状況に合わせて選ぶことが重要です。改めて、機械学習の目的を押さえましょう。

> 学習データから汎用的なパターンを見出すように学習を行い、未知データに対しても精度よく予測できるようになること

　まず学習データを機械学習に取り込んで学習させることで、データに潜んでいるパターンや法則を認識できるようになり、**学習済みモデル**が成立します。次にこの学習済みモデルを用いて未知のデータに対して予測を行います。**未知データに対する予測する能力**は**汎化性能**と呼びます。

　学習済みの機械学習モデルを本番環境（例：ビジネスとして提供する AI アプリケーション）に使用する前に、その汎化性能を証明することが重要です。精度を検証するためには、図 2.13.1 のように、学習をはじめる前に**学習データを「訓練データ」**と**「テストデータ」の 2 つに分割**する必要があります。

- **訓練データ**（学習データと呼ぶこともある）：**モデルを学習**するために使う
- **テストデータ**：学習後に**モデルの汎化性能を定量的に評価**するために使う

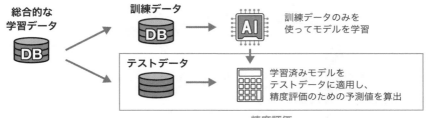

図2.13.1：当初の学習データを訓練データとテストデータの2つの部分に分割する

　教師あり学習の場合の、訓練データとテストデータを用いた精度検証のイメージを図2.13.2 に示しています。

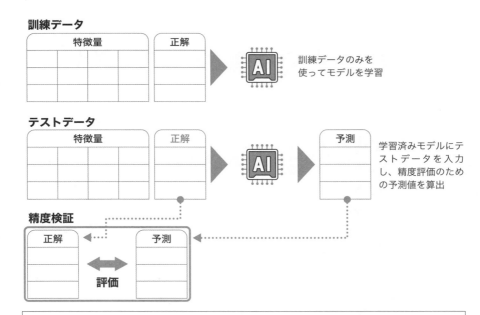

① 特徴量と正解ラベルのセットから成り立つ訓練データを使って機械学習モデルの学習を行う
② テストデータをあたかも未知データのように扱い、その正解を伏せておき、**特徴量だけを学習済みモデルに入力し予測値を出力する**
③ **テストデータに対する予測結果とテストデータの正解を使って「答え合わせ」**を行うことで精度スコアを算出

図2.13.2：訓練データとテストデータの使用手順（教師あり学習の場合）

データ分割の方法

次に、精度検証のためのデータ分割を具体的に見ていきましょう。データを分割する方法と精度を評価する方法は密接に関係しています。シンプルな**ホールドアウト法**と高度な**交差検証法**の２つの実務でよく使う手法を知っておきましょう。

■ ホールドアウト法

データを分割する方法の中で、一番の基本となるのがホールドアウト法です。分割の割合を固定して、**一度に訓練データとテストデータの２つに分ける**だけです。実務上、この割合は「訓練：テスト」を「7：3」または「8：2」とする場合が多いです。

図 2.13.3 では、機械学習モデル構築に使えるデータが合計で 100 件あるとします。ホールドアウト法を用いて、訓練データ 70 件とテストデータ 30 件に分割します。この後、訓練データ 70 件をモデルの学習に使い、テストデータ 30 件を学習済みモデルの精度評価に使います。流れは至ってシンプルです。

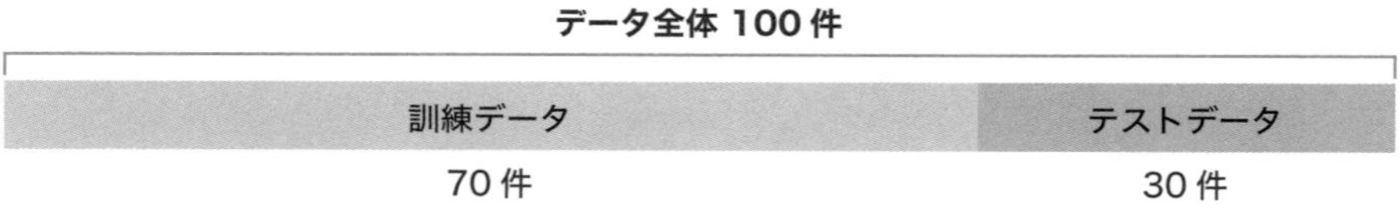

データ全体 100 件

訓練データ	テストデータ
70 件	30 件

図 2.13.3：ホールドアウト法を用いたデータ分割

上記のように、ホールドアウト法を用いたデータ分割と精度評価は複雑なことを行っていないので、**データ量が大きい時でも比較的短時間で精度スコアを算出**できることが長所です。

一方で、分割後のデータに**ばらつきや偏り**が生じると、精度検証結果の信頼性が落ちてしまいます。特に**データ量が少ない**時は要注意です。極端な例として、スパムメールの検出モデルを作成する際に、スパムメールのサンプルがほぼ全てテストデータに振り分けられていたらモデルの学習とテストをする意味がなくなります。

■ 交差検証法

続いて、もう１つのデータ分割法である**交差検証法**（**K- 分割交差検証法**、**クロスバリデーション法**）について学びましょう。交差検証は、この後に学ぶ「ハイパーパラメータ」の調整と併用されることが多い精度検証の方法です。

交差検証では、**データをいくつかの部分に分割し、毎回違う部分をテストデータにし、**

精度評価を複数回行います。 詳しい手順は以下となります。

① データ全体を K 個のグループにランダムに分割する
② そのうちの 1 個のグループをテストデータとし、残る K − 1 個を訓練用データとして、学習と精度の評価を図 2.13.2 のように行う
③ その後、別のグループをテストデータとし、つまり訓練用データとテストデータを入れ替えて、再び学習と検証を行う

　このプロセスを、全グループが一度テストデータを担当するまで繰り返し、得られた結果を平均してモデルの精度とします。
　K- 分割交差検証法のメリットは、ホールドアウト法と比べて、**データが少なめでも信頼できる結果が得られる**ことです。一方で、K の数だけ学習と精度評価を繰り返さないといけないので、**計算にかかる時間はその分大きくなってしまう**ことが欠点です。

> K 個のグループに分割したデータを使って交差検証法を行う場合、学習と精度評価を K 回だけ行います。これは K- 分割交差検証と呼びます。

　図 2.13.4 は 5 分割交差検証（5-fold cross validation）の例です。ここでは K が 5 なので、合計 200 個のデータを 5 分割し、毎回、異なる訓練データ 160 個とテストデータ 40 個を使って、精度を 5 回評価することになります。

1回目	訓練 160 個 ／ テスト 40 個
2回目	テスト 40 個
3回目	テスト 40 個
4回目	テスト 40 個
5回目	テスト 40 個

図 2.13.4：5 分割交差検証の例

精度評価のための指標

クラス分類の精度評価は混同行列（**Confusion Matrix**）を基準に考えます（図2.13.5）。縦軸と横軸はそれぞれ正解クラスと予測されたクラスのラベル、セル内部には該当する予測後の**データ件数**が記入されます。対角線上の真陰性（True Negative; TN）と真陽性（True Positive; TP）が正しく分類された結果の数です。

ここでは単純化のため、クラスが2つのみある二値分類を考えています。クラスが3つ以上でも同様で、**対角線上は正しく予測された**データ数、対角線以外の場所は**誤識別された**データ数となります。

	予測結果が 0	予測結果が 1
正解クラスが 0	**真陰性 TN**（True Negative）のデータ数	**偽陽性 FP**（False Positive）のデータ数
正解クラスが 1	**偽陰性 FN**（False Negative）のデータ数	**真陽性 TP**（True Positive）のデータ数

図 2.13.5：二値分類問題の場合の混同行列

シンプルな計算を1つ試してみましょう。

例：腫瘍が悪性か良性かを機械学習で診断

全部で 500 件の診断データがあります。このうち、300 件が実際良性で、200 件が実際悪性です。ここでラベルとの対応関係は（0：良性、1：悪性）です。良性は「陰性」に、悪性は「陽性」に対応するとします。診断すると次のようになりました。

- 30 件が実際良性なのに悪性と誤判定され、残りの良性データは正しく判定
- 4 件が実際悪性なのに良性と誤判定され、残りの悪性データは正しく判定

図 2.13.5 の混同行列の各要素は以下になります。

> 真陰性（TN）= 270   偽陽性（FP）= 30
> 偽陰性（FN）= 4   真陽性（TP）= 196

■ 精度指標（スコア）

混同行列を基準に、以下のような精度指標が定義されています。

● **Accuracy（正解率）**

$$\frac{TN + TP}{TP + TN + FP + FN}$$

正しく分類できたデータの割合

● **Precision（適合率）**

$$\frac{TP}{FP + TP}$$

陽性判定されたデータのうち、実際に陽性だったデータ割合
偽陽性を避けたい時に注目

● **Recall（再現率）**

$$\frac{TP}{FN + TP}$$

実際の陽性データのうち、陽性として検出されたデータの割合
陽性を見落としてしまうとリスクが高い時に注目

● **F-measure（F値）**

$$\frac{2 \times \text{Precision} \times \text{Recall}}{\text{Precision} + \text{Recall}}$$

適合率と再現率の調和平均として使う

機械学習のライブラリを使って精度を求めるプログラミングで
は、英表記を使うので、Precision、Recall のような英表記も覚
えておくと便利です！

2

機械学習

2.13.4 PrecisionとRecallのトレードオフ関係

改めて、各種の精度スコアの意味を考察しましょう。

● **Accuracy（正確度）**[1]

- 最も一般的な評価指標で、単純に推定値と真の値が一致した割合を指す
- この場合、FP と FN の重要度を差別化する必要がない

Accuracy だけを見てもモデルのよし悪しを判断できないケースがあることに注意してください。FP と FN の重要度が異なる場合、あるいはカテゴリごとの出現割合が極端に異なる場合です。例えば、医療の分野では健康な人は病人よりずっと数が多くいます。

● **Precision（適合率）**

- 陽性と判断したデータのうち、どれだけ本物の陽性が含まれていたか、つまり**陽性判断の正確性**を示す指標
- Precision を重視すると曖昧なサンプルは陰性と判断されがちなので、**FN（偽陰性）**が発生しやすくなり、**Recall** 指標が下がる（＊）
- 病気診断などの場合、**FN** は避けたいので、当然 Precision を重視すべきではない

● **Recall（再現率）**

- 実際に陽性だったデータのうち、モデルが陽性と検出できた割合、つまり**陽性判断の網羅性**を示す指標
- 怪しいものはとりあえず陽性と判断されがちなので、**FP** が増えて **Precision** 指標が下がる（＊＊）
- 病気診断などの場合、FP は再検査や精密検査で対応すればよいので、FN ほど深刻ではない

以上、特に（＊）（＊＊）の部分より、**Recall と Precision とはトレードオフの関係**にあることが理解できるかと思います。

※1 Accuracy（正確度）…正確度は正解率を意味しており、そのように呼ばれることもある。

「トレードオフ」とは一般的に「一方をよくすればするほど別の
ものが犠牲になる」意味ですね。これでやっと、Precision と
Recall の「トレードオフ」の関係を理解できました！

偽陽性を減らそうとすると偽陰性が増えてしまうこともあるの
で、どの指標を重視するのかをケースバイケースで考えましょう。
陰性と陽性のデータ量に偏りがある場合は特に要注意ですね。

ココが試験に出ます！

- **汎化性能**を検証するために、学習データを「**訓練データ**」と「**テストデータ**」に分割する。

- **ホールドアウト法**では、データを固定の割合で分割し、テストデータを用いて一度で精度を評価する。比較的短時間で精度を算出できる一方で、分割後のデータの偏りに注意。

- **交差検証法**（**K- 分割交差検証法**、**クロスバリデーション法**）では、データをいくつかの部分に分割し、毎回違う部分をテストデータにして（K の数だけ）精度評価を複数回行う。データが少なめでも信頼できる精度評価が可能である一方、計算量が大きい。

- クラス分類の精度評価は**混同行列**（**Confusion Matrix**）を基準に考える。

- **正解率**（**Accuracy**）：正しく分類できたデータの割合。**(TP+TN)/TP+TN+FP+FN**

- **適合率**（**Precision**）：陽性判定の正しさを表す。**TP/(TP+FP)**

- **再現率**（**Recall**）：異常データの検出力を表す。**TP/(TP+FN)**

- **F 値**（**F-measure**）：適合率と再現率の調和平均。**F 値 = 2 × Precision × Recall/(Precision + Recall)**。

CHAPTER
2.14

ハイパーパラメータのチューニング

機械学習を活用する上で、過学習を防ぐことが重要です。本節で学ぶハイパーパラメータとは、モデルの構成と学習の進行を制御するための設定値です。

　機械学習における「パラメータ」とは、一般的にモデルの挙動に関する設定値や制限値を指しています。パラメータには学習プロセスの中で自動的に最適化される種類とそうでない種類があります。例えば、ニューラルネットワークの重みや決定木の条件分岐の閾値が前者（自動的に最適化）に該当します。他方で、**ハイパーパラメータ**は学習前にユーザー（モデルを構築する人）が**手動で設定**する種類です。

　ランダムフォレストの弱学習器の数やニューラルネットワークの学習率や隠れ層の数などは、ハイパーパラメータの例です。

　ハイパーパラメータは、**モデルの複雑さや学習の進行を制御**する役割を担っています。モデルの複雑さを軽減すると過学習しにくくなります。そのため、過学習を軽減し、少しでもモデルの**汎化性能を高めようと、ハイパーパラメータの値を調整（チューニング）**することがあります。

　少し詳しく考えてみましょう。例えば、決定木は階層が深くなっていくにつれて、より細かな特徴を見つけていきます。細かい分類のルールが数多く作られ、そうすることで決定木の構造が複雑になっていきます。この深くて複雑な木は学習に使っている訓練データに対しては綺麗に分割できます。しかし、未知のデータ（テストデータ）を持ってきた時に精度を出せなくなる、いわば過学習が起きやすくなります。

　この時の対策法としては、決定木の深さなどに関するハイパーパラメータを微調整すると、モデルの複雑さをコントロールすることができます。

ユーザーの指定がない場合、ハイパーパラメータはモデルの仕様で決まっているデフォルト値に設定されます。

2.14.1 ハイパーパラメータの具体的な調整法

　ハイパーパラメータを調整しその効果を評価するために、データをどのように使い分けすればよいのかが図 2.14.1 に示されています。訓練データとテストデータへの分割を行った後に、**訓練データの方からさらに一定量のバリデーションデータ（検証データ）を取り出します**。ハイパーパラメータの値を変更するたびに、図の（A）の部分を用いてモデルを再学習し、図の（B）のバリデーションデータを用いて精度を再度評価します。全ての候補を探索した後に、ハイパーパラメータを最適解に設定した学習済みモデルの精度を、（C）のテストデータを用いて改めて評価します。

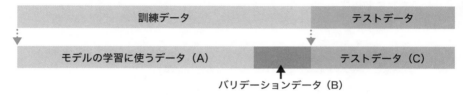

図 2.14.1：ハイパーパラメータを調整する時のデータの使い方

■ ハイパーパラメータを効率的に調整する手法

　実務上、効率的なやり方でハイパーパラメータの設定値の最適化が求められます。精度をもたらしてくれるハイパーパラメータの値を探すための手法として、よく用いられるのは**グリッドサーチ**です。これは、学習モデルに渡されるハイパーパラメータの組み合わせを**総当たりで試し、ベスト精度を実現する組み合わせを探索**する方法です。ここでいう組み合わせは、次ページの図 2.14.2 のようなハイパーパラメータとその候補値から成り立っており、これをユーザーが決めます。図 2.14.2 の例では、同時に 3 種類のハイパーパラメータを最適化しようとしています。全ての候補値の組み合わせを一回ずつ試行します。具体的には、それぞれの組み合わせにモデルのハイパーパラメータを一度設定し、モデルの学習を行い、精度を評価します。グリッドサーチ法は、**探索に時間がかかる**のが難点ですが、**指定範囲内では最適解を見逃すことがない**、という意味では安心な手段です。また、交差検証法と併用することが多いです。

　もう 1 つのハイパーパラメータ調整法は**ランダムサーチ**です。ハイパーパラメータの**値の設定範囲**および**試行回数**をあらかじめ指定し、**指定範囲内から指定された試行回数分だけランダムに値の組み合わせを試し、ベスト精度を出す組み合わせを見つける**手法です。グリッドサーチには精度が劣るが、探索にかかる時間を短縮することができます。

	ハイパーパラメータ1	ハイパーパラメータ2	ハイパーパラメータ3
組み合わせ1	10	1	100
組み合わせ2	5	1	100
組み合わせ3	10	5	200
…	…	…	…

図2.14.2：グリッドサーチにおけるハイパーパラメータの組み合わせ表

COLUMN | ハイパーパラメータを調整するPythonのコードの参考例

下図は、ランダムフォレストモデルの実装コードから抽出したグリッドサーチの適用例です。このコードでは、以下の3種のハイパーパラメータを最適化していきます。

- max_depth：単独の決定木の最大深さであり、これが**深すぎるとモデルが複雑になりすぎて、過学習のリスクが上がる。**デフォルト設定値は10である。

- min_samples_leaf：葉を構成するのに必要な最小限のサンプルの数であり、**1まで分割を許した場合、モデルが複雑になりすぎて、過学習のリスクが上がる。**デフォルト設定値は1である。

- n_estimators：決定木（サブデータセット）の本数。デフォルト設定値は100である。

```
# パラメータのリストを生成
max_depth = [2, 3, 4, 5, 7,10,15,20]
min_samples_leaf = [1,2,3, 5,10,15]
n_estimators = [5,10,30,50,70,100,150]
score_grid = {}
```

実際のランダムフォレストのグリッドサーチを行うPythonコード

ココが試験に出ます！

- ハイパーパラメータは、**モデルの複雑さや学習の進行を制御**する役割を果たす。

- 訓練データから一定量の**バリデーションデータ**を取り出して、それを用いてハイパーパラメータの調整を行う。

- ハイパーパラメータの最適化によく使う手法は**グリッドサーチとランダムサーチ**である。グリッドサーチは、ハイパーパラメータの**組み合わせを総当たりで試す。**ランダムサーチは、**指定された試行回数分だけランダムに値の組み合わせを試す。**グリッドサーチの方が精度は高いが、探索に時間かかる。

2 章末問題

Generalist Exam
[clear explanations and quality exercises]
Powerful textbook leading you to success!

End-of-chapter problems

問 1 　**教師なし学習に関連する記述として、最も適切な選択肢を 1 つ選べ。**

1. 過去 1 年分の売り上げデータに基づいて、来月の売り上げを予測するモデルを構築する。
2. ラベルづけされた猫と犬の画像を学習データとして使用し、新しい画像に対して、猫なのか犬なのかを分類するモデルを訓練する。
3. ネットワークアクセスのデータをモデルへの入力とし、その特徴量に基づいて、データを正常アクセスと不正攻撃の 2 つのクラスターに分類する。
4. 過去の医療診断事例を学習データとして使用し、年齢、性別、病歴、症状を特徴量として、患者の生存確率を予測するモデルを作る。

解答・解説 　正解 3

選択肢 **3** が正しい解答である。

教師なし学習では、学習データに**正解ラベル**が付与されていません。**データそのものの特徴量が持つ構造に着目**しながら、クラスターに分けたり、寄与の高い変数に組み直したりします。

● 選択肢 3：教師なし学習の代表的な用途の 1 つである「**異常検知**」と解釈できます。不正アクセスの過去事例が少ないので、教師データを用意することが難しく、教師なし学習を用いて、正常事象と異常事象を分離することが多いです。

● 選択肢 1、2、4：これらは教師あり学習の用途例です。

··

問 2 　**以下の文章を読み、（ア）（イ）（ウ）の組み合わせとして、最も適切な選択肢を 1 つ選べ。**

機械学習のモデルが、（ア）に対して予測精度が高く、（イ）に対して予測精度が低下している時に、（ウ）といえる。

1.（ア）テストデータ 　　（イ）訓練データ 　　（ウ）適合率が高い
2.（ア）テストデータ 　　（イ）訓練データ 　　（ウ）過学習していない
3.（ア）訓練データ 　　　（イ）テストデータ 　（ウ）汎化性能が低い
4.（ア）訓練データ 　　　（イ）テストデータ 　（ウ）再現率が低い

正解 3

選択肢 **3** が正しい組み合わせである。

過学習（オーバーフィッティング）とは、**モデルを訓練データに過剰に合わせ込みすぎ**てしまい、結果として、**未知のデータに対する汎用性が失われる**状況を指します。過学習されたモデルは、訓練に使用したデータに対して精度が高いのは想定の通りです。しかし、新しいデータ（本番環境にモデルを移行する前のテスト用データなど）に対しては、予測精度が（訓練データの時に比べて）低下してしまいます。

過学習されている状態を別の言葉でいうと、「**汎化性能が低い**」ということです。過学習されている（＝汎化性能が低い）モデルは、本番環境での使用に適していません。

・・・

問 3 過学習を引き起こす要因として、最も不適切な選択肢を1つ選べ。

1. 特徴量の数が多い。
2. 学習データの量が少ない。
3. モデルの関数が単純である。
4. 説明変数の間に強い相関がある。

正解 3

選択肢 **3** が誤った内容である。

過学習しやすいのは、モデルを表す関数が複雑な場合です。

- 選択肢1、2：学習データの量に対して、特徴量の数が多すぎる（学習データが不足している）場合、過学習が起きやすくなります。これは**次元の呪い**とも呼ばれています。
- 選択肢4：相関が高い説明変数同士を特徴量として組み合わせた際に、過学習しやすい傾向にあります。この現象を**多重共線性（Multicollinearity）**と呼びます。

・・・

問 4 分類問題の精度指標に関する説明として、最も適切な選択肢を1つ選べ。

1. F値は、再現率（Recall）と正確度（Accuracy）から計算される精度指標である。
2. 偽陽性率を低くしようとすると偽陰性率が高くなることがある。
3. 再現率（Recall）を高くしようとすると、必然的に正確度（Accuracy）が低くなる。
4. 医療において、AIを用いて良性または悪性を診断する際、重視すべき指標は適合率（Precision）である。

解答・解説　正解 2

選択肢 **2** が正しい解答である。

可能な限り偽陽性を出さないように推定を行う場合、陽性か陰性か判断しづらいときには陰性と判断する傾向があります。そうすると、偽陰性（本当は陽性だが、判断しづらかったため陰性に振り分けた）の数が増えやすくなります。

すなわち、**適合率（Precision）** を重視する場合は、偽陽性を出さないようにするため、曖昧なデータは陰性と判断されがちです。一方で、**再現率（Recall）** を重視する場合、偽陽性が出てもいいので、少しでも陽性と疑うデータは陽性に振り分けられやすくなります。**病気の良性・悪性を判断する際は、陽性を見逃さないことが最も大事なので、再現率を重視します。**

言い換えると、適合率（Precision）と再現率（Recall）はトレードオフの関係にあり、2 つの指標を中和させる役割を持つのが **F 値（F-measure）** です。F 値は、以下のように計算されます。

F 値 = 2 × (Precision × Recall) / (Precision + Recall)

以上のことにより、選択肢 1、4 は誤りで、選択肢 2 が正しいです。

- 選択肢 3：正確度（Accuracy）は最も一般的な評価指標で、単純に推定値と真の値が一致した割合を指します。これは再現率（または適合率）と必然的にトレードオフ関係にあるわけではありません。したがって、選択肢 3 は誤りです。

....

問 5　　**k- 分割交差検証法は機械学習においてどのような場合に効果的なのか、次のうち最も適切な選択肢を 1 つ選べ。**

1. 学習しなければいけないパラメータの数が多い場合
2. 学習に使用できるデータのボリュームが大きくない場合
3. 学習を高速で行いたい場合
4. 特徴量の数が多い場合

解答・解説　正解 2

選択肢 **2** が正しい解答である。

k- 分割交差検証法よりもシンプルな**ホールドアウト法**では、全データを**「モデル訓練用」と「精度評価用」の 2 グループに一度に分割**します。比較的素早く精度の評価が可能である一方、データ分割の時に偏りが生じると、正しく精度を計算できないことがあります。**偏りは全データの総件数が少なければ少ないほど影響が大きくなる**のがポイントです。

これに対して、k- 分割交差検証法では、**訓練データと精度検証のデータを交差させることによって、偏りの影響を抑制**しています。例えば、売上分析に使う構造化データでは、目安として数百件や数千件単位のやや少なめのデータであれば、交差検証を用いた方が信頼性は高いといえます。したがって、**データ量が大きくない時に k- 分割交差検証法は有利**です。

　　以下の文章を読み、（ア）に最もよく当てはまる選択肢を1つ選べ。

機械学習モデルの汎化性能を向上させるために、モデルのハイパーパラメータの値をチューニングすることがある。（ア）はハイパーパラメータの候補値を指定し、その組み合わせを総当たりで試すことで自動的に最適化させる手法である。

1. ランダムサーチ　　　　　　　　　　　2. 交差検証
3. ファインチューニング　　　　　　　　4. グリッドサーチ

解答・解説　　正解 4

選択肢 4 が正しい解答である。
ハイパーパラメータを最適化する手法である**グリッドサーチ**は、候補となるようなハイパーパラメータの値を何パターンか用意し、その中から一番高い精度となる値の組み合わせを総当たりで探す方法です。これとは少し異なり、**ランダムサーチ**は、適切と思われるパラメータの範囲を決め、その範囲内でランダムにパラメータを組み合わせて学習させ、一番高い精度となる値の組み合わせを探す方法です。

● 選択肢 2：交差検証は、モデルの汎化性能を評価するための手法です（問 5 参照）。

● 選択肢 3：ファインチューニングは既存モデルの一部のパラメータ設定値をそのまま利用し、現在のタスクのために主にモデルの下流のパラメータのみ再学習する手法です。

- -

問 7　　**以下のうち、分類問題に用いられる手法として、最も不適切な選択肢を
1つ選べ。**

1. ナイーブベイズ　　　　　　　　　　　2. 重回帰分析
3. K 近傍法　　　　　　　　　　　　　　4. ロジスティック回帰分析

解答・解説　　正解 2

選択肢 2 が誤った内容である。
選択肢 1～4 は全て教師あり学習の手法です。教師あり学習で行うタスクは分類または回帰です。教師あり学習の手法には、分類と回帰のどちらか一方または両方に使えるものがあります。**重回帰分析**は、**2 つ以上の説明変数を用いて、目的変数を回帰で求める**手法です。したがって、分類問題に使う手法ではありません。

● 選択肢 1：**ナイーブベイズ**は、ベイズの定理をもとにしたアルゴリズムであり、**メールやウェブ記事といった文章の自動カテゴリ分類**などによく用いられます。

● 選択肢 3：**K 近傍法**（**K Nearest Neighbor；KNN**）は、分類問題に用いられる教師あり学習の手法です。与えられた学習データを特徴量で張られたベクトル空間上にプロットし

ておき、未知のデータが得られたら、そこから**距離が近い順に任意の K 個を取得し、その多数決でデータが属するクラスを推定**する「距離ベース」のアルゴリズムです。

- 選択肢 4：**ロジスティック回帰**は、（「回帰」と名前についているのでややこしいのですが）線形回帰を分類問題に応用させた手法です。複数の説明変数をもとに、ある事象が発生する確率を求めます。

....

問 8 以下の文章を読み、（ア）（イ）の組み合わせとして、最も適切な選択肢を 1 つ選べ。

決定木の中でデータの条件分岐をしていく際に、ツリー構造の一番下の階層にある（ア）にたどり着くと、その（ア）に対応する値が当該データの予測値として出力される。（ア）に入るデータ数を制限することは（イ）に効果的である。

1.（ア）根　　（イ）汎化性能の向上
2.（ア）葉　　（イ）過学習の防止
3.（ア）根　　（イ）学習停滞の防止
4.（ア）葉　　（イ）学習の並列化

解答・解説 正解 2

選択肢 **2** が正しい組み合わせである。

決定木では、ツリーの天辺にある**根ノード**からスタートし、**条件分岐**を繰り返しながら、下の階層にある**葉ノード**にデータを割り振っていきます。最終的に、一番下の層にある終端の葉ノードに割り振られたデータに基づいて、モデルの出力（予測値）が決まります。

決定木の終端の葉ノードに割り当てるデータの数（の下限）は手動で設定します。この数は決定木の**ハイパーパラメータ**の 1 つです。ユーザーの指定がなければデフォルトの値（通常は 1）に設定されます。**最終ノードに入るデータの数が少なすぎる場合、過学習しやすくなる**ため、この数を制御することが、過学習の防止に繋がります。

....

問 9 **アンサンブル学習を行う目的として、最も適切な選択肢を 1 つ選べ。**

1. 異常値を検出しやすくする。
2. モデルの汎化性能を向上させる。
3. 訓練データに対する予測精度を向上させる。
4. 並列演算を可能にすることで、計算コストを下げる。

正解 2

選択肢 2 が正しい解答である。

アンサンブル学習は、複数の弱学習器を組み合わせることで、過学習の要因となるバイアスを打ち消し、訓練データだけではなく、**未知データに対しても高い予測精度（汎化性能）を実現**できるようにすることが目的です。

- 選択肢 4：「並列演算」に関して、アンサンブル学習の一手法である「**バギング**」では弱学習器を並列に学習させます。ただし、これがアンサンブル学習の主な目的として一番適切とはいえません。

問 10 ブースティングを用いたアンサンブル学習に関する記述として、最も適切な選択肢を 1 つ選べ。

1. 複数の弱学習器を並列に学習させる際に、誤予測したサンプルを棄却し、正しく予測したサンプルの予測結果の多数決を採用する。
2. 複数の弱学習器を逐次的に学習させる際に、誤予測したサンプルを棄却し、正しく予測したサンプルのみ次回の学習に使い続ける。
3. 複数の弱学習器を並列に学習させる際に、誤予測した学習器にペナルティを課して、後から入力されたサンプルに対する予測精度を高めようとする。
4. 複数の弱学習器を逐次的に学習させる際に、誤予測したサンプルに対する重みを増やすことで、後続の学習器において精度を高めようとする。

正解 4

選択肢 4 が正しい解答である。

ブースティングでは、各弱学習器の予測誤差を、後続で新しく作る弱学習器がどんどん引き継いでいきながら、誤差を小さくしていきます。直前の弱学習器で**予測を間違えたサンプルの重みを増やす**ことで、**次の弱学習器ではそのサンプルを重点的に学習**できるようになります。

問 11 以下の文章を読み、（ア）に入る概念として、最も適切な選択肢を 1 つ選べ。

サポートベクトルマシン（SVM）はパターン認識能力が優れているモデルであり、（ア）というコンセプトに基づいてデータを分割している。

1. 絶対平均誤差の最小化 　　　　　2. ジニ係数の最小化
3. 情報利得の最大化 　　　　　　　4. マージンの最大化

解答・解説　正解 4

選択肢 4 が正しい解答である。

SVM の仕組みにおける主なコンセプトは**マージン最大化**です。入力データを分類するための**境界線と各データ点との間の最短距離**を「**マージン**」と定義づけており、これを最大にするように境界線を決定します。

- 選択肢 1：絶対平均誤差とは、回帰モデルの学習に使用される精度指標の 1 つです。
- 選択肢 2、3：ジニ係数の最小化、情報利得の最大化は決定木モデルにおける最適化のコンセプトです。

....

問 12　以下の文章を読み、（ア）（イ）の組み合わせとして、最も適切な選択肢を 1 つ選べ。

> K-Means では、初期的にデータを（ア）してから、各クラスターの（イ）を計算し、各データを（イ）と一番距離の近いクラスターに割り当て直す。この操作をデータの分配状況が変動しなくなるまで繰り返す。
>
> 1.（ア）ユーザーが決めた数のクラスターに分割　　　　（イ）中心
> 2.（ア）総データ数を K とすると√K 個のクラスターに分割　（イ）重心
> 3.（ア）ユーザーが決めた数のクラスターに分割　　　　（イ）重心
> 4.（ア）総データ数を K とすると√K 個のクラスターに分割　（イ）中心

解答・解説　正解 3

選択肢 3 が正しい組み合わせである。

クラスタリングを行う教師なし学習の手法 K-Means（K 平均法）では、初期的に、データを K 個のグループにランダムに分けます。この **K の値は、ユーザー（モデルを構築する人）が決める**ことができるハイパーパラメータです。

初期値の状態から、**各クラスターの重心を計算し、データに重心が一番近いクラスターを割り当て直す**ことを、データの分配状況が変動しなくなるまで繰り返します。

....

問 13　クラスタリング（クラスター分析）に関する記述として、最も適切な選択肢を 1 つ選べ。

> 1. 非階層クラスター分析は、初期値によるバイアスの影響を受けにくい。
> 2. 階層クラスター分析は、大きいデータの処理に向いている。
> 3. 階層クラスター分析は、樹形図を生成する。
> 4. K-Means は階層クラスター分析の手法である。

解答・解説　　正解 3

選択肢 **3** が正しい解答である。

階層的クラスター分析では、データの「階層化」を行いながら、**最も距離の近いデータ同士を順番にまとめていく**ことでクラスターを形成します。**デンドログラム（樹形図）**を生成することで、クラスター形成の過程を視覚的に表すことができます。

これに対して、**非階層クラスター分析**では、**初期的に決めておいた数のクラスター**にデータを分類します。K-Means が代表例であり、この場合、**ユーザーが決めた「K」という個数**のクラスターに分けます。データサイズが大きく階層的クラスター分析が複雑になりすぎる場合、非階層の手法の方が適しています。ただし、**初期的にクラスター数と重心を指定することによりバイアスが生じやすくなります**。

問 14　　機械学習で行われる正則化に関する説明として、最も適切な選択肢を 1 つ選べ。

1. 損失関数に罰則項を追加し、その総和を最小にするようにパラメータを学習する。
2. モデルが学習しやすいように、データを決められた範囲内に収まる形に変換し直す。
3. 外れ値を検出し、データセットから取り除く。
4. モデルのハイパーパラメータの値を調整する。

解答・解説　　正解 1

選択肢 **1** が正しい解答である。

機械学習では、**損失関数**を最小化するようにモデルのパラメータを学習します。モデルを表す関数の形が複雑である場合、損失関数も高次元になりがちで、過学習しやすい傾向にあります。そこで、損失関数に**罰則項（ペナルティ項）**を加えた上で損失関数を最小化する方法が**正則化**です。

● 選択肢 2 は名前が似ている「正規化」の説明であり、混同しやすいので要注意です。

CHAPTER 3

ディープラーニングの
基礎概念と応用技術

Basic Concepts and Application of Deep Learning

ディープラーニングの基となるアルゴリズムであるニューラルネットワークは、画像、音声といった複雑な非構造化データから特徴量を自動的に見出すことができます。本章では、ニューラルネットワークの学習の仕組みと画像や強化学習への応用について学びます。この部分を完全に理解することは次の Chapter4 で「ディープラーニングの応用技術」を学ぶ上で必須です。

Generalist Exam
[clear explanations and quality exercises]
Powerful textbook leading you to success!

ディープラーニングの復習

前章までは、人工知能や機械学習の基本概念と代表的な手法、および学習済みモデルの精度の評価と改善策について学びました。本章に入る前に、少し復習しましょう。

機械学習の数多くある手法・アルゴリズムの中に、ディープラーニングの基本となるニューラルネットワークが含まれています。

本章の前半では、ニューラルネットワークの学習の仕組みと精度向上のための工夫を取り上げます。本章の後半から Chapter4 にかけては、画像認識、音声解析、文章解析、深層強化学習、深層生成モデルなど様々な分野への応用についても学習していきます。

> ここで、機械学習におけるディープラーニングの特徴をまとめているので、試験直前のチェックにも使ってください！

🧠 Study Tips　学習アドバイス

- 本章で学ぶニューラルネットワークの基礎と応用は、知識の量が大きく、G 検定の出題に占める割合が高い
  →試験対策や問題演習の時間配分は Chapter3 に多めに割くとよい

- 具体的なモデルの名称や仕組みについて問われることもあり、比較的難易度が高い
  →理論を 1 つずつ深く掘り下げる必要性はなく、各種技術の本質的かつ体系的な理解に注力してください

- Chapter3 の後半に出てくる **RNN、深層強化学習、深層生成モデルに関しては、具体的なモデルの名称や仕組みについて問われる**こともあり、比較的難易度が高い

- ディープラーニングは魅力的な発展を遂げている分野
  → 「G 検定の勉強」を「**積極的に興味のあることについて調べたくなるきっかけ**」にしていけば、理解を深めやすくなる

- ニューラルネットワークの学習法に関する簡単な微分が出題される可能性がある
  → Chapter7 でしっかり対策

Point1　機械学習の基本

- ルールベースの AI とは異なり、機械学習では**「学習データを用いてモデルを訓練し、法則やパターンを自動的に見つけて、それに基づいて新しいデータに対する予測」**を行う。

- **学習済みモデル**が目指すのは、**新しいデータに適用した際に高い予測精度を出せる**ことであり、これを**汎化性能**と呼ぶ。

- 機械学習には、**教師あり学習**、**教師なし学習**、**半教師あり学習**、**強化学習**などの種類がある。このうち教師あり学習で行うタスクは**分類問題**と**回帰問題**の 2 種である。

Point2　特徴量エンジニアリングはどんなことをするのか？

- **特徴量**とは、**データの中の予測の手がかりとなる変数**のことである。例えば、ある人がサービスに契約するかどうかを予測するモデルの学習には、データに含まれる、その人の「年齢」「年収」「家族人数」などが特徴量として使える。

- **特徴量設計**（**特徴量エンジニアリング**）では、予測変数として採用する列を選別し、欠損値の処理や文字列の数値化などの**データ前処理**を行う。

- 特徴量設計は機械学習による予測精度を高めるために重要な役割を果たす。

Point3　特徴量を自動的に抽出できるディープラーニング

- 一般的な機械学習手法では、特徴量設計には非常に多くの時間と労力が費やされる。機械学習の一手法であるニューラルネットワークは、**高精度な予測に必要な特徴量をデータから自ら抽出**することができる。

3

ディープラーニングの基礎概念と応用技術

CHAPTER
3.2

ニューラルネットワークの学習の仕組み

本節では、ニューラルネットワークの基本的な構成要素と学習の仕組みについて学びましょう。まず Chapter2 で学んだ概要を復習しましょう。

3.2.1 ニューラルネットワークの基本構造

ニューラルネットワークは、人間の脳神経系システムを模倣したアルゴリズムです。人間の脳内では、ニューロンの樹状突起が興奮の伝達を受けて電気信号に変え、軸索が次のニューロンに信号を送ります。このニューロン間の結合構造と情報の処理と伝達の仕組みをコンピュータで再現したのが、「人工ニューロン」の集合体であるニューラルネットワークです。

ニューラルネットワークの構成要素の最小単位は**単純パーセプトロン**と呼びます。単純パーセプトロンを複数つなぎ合わせたものが、**多層パーセプトロン**であり、ニューラルネットワークの基本形となります。図 3.2.1 の左側が多層パーセプトロンであり、右側はそこから最小構成単位を取り出した単純パーセプトロンです。図にある「丸」（●）が 1 つのニューロンに相当し、「**ノード**」とも呼びます。

Chapter2 で学んだように、多層パーセプトロン（ニューラルネットワーク）は**入力層**、**隠れ層（中間層）**、**出力層**の 3 種類のニューロン層から構成されています。

単純化のため図 3.2.1（左）での隠れ層は 1 層だけにしています。一般的には非常に数多くの隠れ層があります。入力層からデータを受け取り、隠れ層でデータから**識別に必要な特徴量**を学習し、出力層から予測結果を出力します。例えば、分類問題に用いる場合、出力層には**分類クラス**の数だけニューロン（ノード）があって、出力値は**各クラスの確率**を表します。

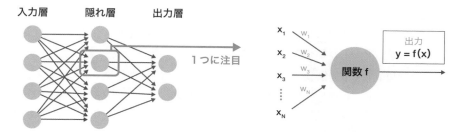

図 3.2.1：（左）多層パーセプトロンの簡易的模式図、（右）最小構成単位を取り出した単純パーセプトロン

　図 3.2.1 からわかるように、各層のニューロンはそれぞれ前後の層の全てのノードと仮想の導線（エッジ）で結合されています。このような構造を**全結合層**と呼びます。

　隠れ層の各ニューロンには、**入力データと出力データを対応付ける関数**（後で学ぶ「**活性化関数**」）が内包されています。各ニューロンは前の層のニューロンのそれぞれから信号を受け取り、それらを関数により処理した後、処理結果を次の層に受け渡します。

　ニューロン間の結合の強さを**重み**と呼び、**入力と出力の関係性を決める**重要なパラメータになります。ニューラルネットワークにおける「学習」とは、正しい予測を出力するために、**ニューロン間の結合の強さ（重み）を最適化**する作業です。

> 人間の脳神経網と同じように、ニューロン間の繋がりの強さによって、情報の伝わり方が変わってきます。

3.2.2 ニューラルネットワークのヒエラルキー

　次に、単純パーセプトロンと多層パーセプトロンについてより詳しく説明します。「パーセプトロン」という用語は、ニューロンをネットワーク状に組み合わせたもの全般として定義されます。現在実用化されているニューラルネットワークは、多層パーセプトロンを拡張したものと解釈してください。

- **単純パーセプトロン（Simple Perceptron）**
  - 入力層（複数ノード）と出力層（単一ノード）の**2層のみ**のシンプルな構造（入力層はデータの入力なので、実質的に出力層だけが稼働）
  - ニューロンの中で情報を処理する「活性化関数」にはステップ関数を用いる
  - 出力層のノードは0か1の二値のみ出力できるため、**線形分離可能**な問題と**二値クラス分類**にしか使えず、逆にいうと、**線形分離不可能**な問題と**多クラス分類**には使えないという限界がある

- **多層パーセプトロン（Multilayer Perceptron）**
  - 単純パーセプトロンとの違いとして入力層と出力層の他に**隠れ層（中間層）**も持つ。つまり**3層以上**のパーセプトロン
  - 隠れ層を持つこと、および活性化関数に**非線形関数**を用いることによって**多クラス分類**と**線形分離不可能**な問題にも対応可能

多層パーセプトロンの特徴を見ると、**「隠れ層の数を増やせば増やすほど、ますます複雑な情報処理ができるのでは？」**という発想が湧いてきますよね。この考え方が**ディープニューラルネットワーク（Deep Neural Network；DNN**、一般的にディープラーニングと呼ぶ）技術にたどり着きました。ディープラーニングを大雑把にいうと、**多くの隠れ層を持つニューラルネットワーク**と定義づけることができます。

しかしながら、ネットワークをディープにするだけではうまくいかず、後節で学ぶように、実用化するまでには勾配消失問題などいくつかの難題を解消する必要がありました。

単一のニューロンは非常に単純な仕組みです。それを多数組み合わせることで複雑なデータ処理が可能になることが、ニューラルネットワークの大きな特徴です。

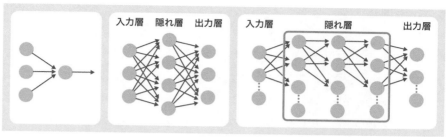

図 3.2.2：（左）単純パーセプトロンの模式図、（中央）多層パーセプトロンの模式図、
（右）ディープラーニングの模式図

3.2.3 ニューラルネットワークの学習に関わる要素

■ 重みとバイアス

ニューラルネットワークの学習では、ニューロン間の**結合の強さ**を表すパラメータである**重み**と**バイアス**を最適化します。

隠れ層は、入力データと出力データの関係性を学習する役割を果たします。図 3.2.3 にあるように、隠れ層においては次のような信号を受け取ります。

前の層の各ニューロンからの出力信号（$x_1, x_2, \cdots, x_N$）のそれぞれに、該当する重み（$w_1, w_2, \cdots, w_N$）を乗算したものを、全ての i（i=1,2,…,N）について足し合わせ、更に定数項としてバイアス（b）を足し算したもの

式 3.2.1 のように表すことができます。

$$w_1 x_1 + w_2 x_2 + \cdots + w_N x_N + b \quad \text{…式 3.2.1}$$

大事なことなので再度いうと、ニューラルネットワークにおける「学習」とは、正しく予測できるよう**ニューロン間の結合の強さ、つまり重みとバイアスを層ごとに最適化**する作業です。

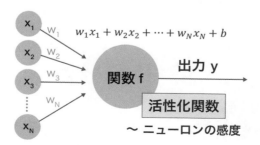

図 3.2.3：隠れ層が受け取る入力信号とその処理

3 ディープラーニングの基礎概念と応用技術

■ 活性化関数

　あるニューロンへの入力（前の層からの出力に重みを掛けて、バイアスを足した値）を、そのニューロンの中の活性化関数（Activation Function）に通すことで、次の層に渡す出力が決定されます。活性化関数は、**何らかの判定基準（閾値）にしたがい入力されたデータを処理**します。活性化関数の役割の本質は、**ネットワークのさらに下流で、データ特徴の学習をしやすくするために、データを整える**ことと解釈できます。

　多層パーセプトロンでは活性化関数に非線形関数を採用します。歴史的に、隠れ層の活性化関数にはシグモイド関数がよく使われていました。最近は、アルゴリズムの改善を目的に ReLU 関数が主流となっています。これらの活性化関数の特徴については 3.4 節で学びます。

ココが試験に出ます！

- **単純パーセプトロン**：隠れ層がなく、入力層、出力層だけからなる 2 層のニューラルネットワーク。線形分離可能な問題にのみ対応可能。

- **多層パーセプトロン**：**入力層、隠れ層（中間層）、出力層**からなる 3 層以上のニューラルネットワーク。隠れ層が存在することで**非線形**な問題にも対応可能。

- ニューラルネットワークにおける「学習」とは、正しい予測を出力できるよう、隠れ層におけるニューロン間の結合の強さ、つまり**重み**と**バイアス**を層ごとに最適化する作業である。

- ニューロンへの入力は、特徴の学習をしやすくするために、活性化関数を通じて処理されて、下流の層に渡す出力が決定される。

CHAPTER

3.3

ニューラルネットワークの学習プロセス

この節では、ニューラルネットワークの学習（パラメータの最適化）にとって非常に重要な概念である「勾配降下法」と「誤差逆伝播」を学びます。

ニューラルネットワークの学習では、出力データ（予測結果）と正解ラベルの間の誤差を極力小さくすることを目指します。各隠れ層の重みを繰り返し調整することによって、この「予測の誤差」を可能な限り小さくするようなモデルのパラメータ（重みなど）の値を探し設定します。以下はニューラルネットワークの学習に関する重要な手法であり、G検定に必ずと言っていいほど出題されます。

- **勾配降下法**：重みの値を最適化する手法
- **誤差逆伝播法**：重みを更新するために必要な誤差情報をネットワークの中で伝達する方法

この後、詳しく見ていきましょう。

3.3.1 最適解を見つける勾配降下法

「出力データと正解ラベルの間の誤差」を定量的に表すために、**損失関数（Loss Function）** を用います。「**誤差関数**」や「**ロス関数**」と呼ぶこともあります。損失関数の値は、**予測値と正解が近い**ほど小さくなります。最も小さい誤差を実現させてくれるパラメータの組み合わせを**最適解**と呼びます。したがって、**損失関数を最小化する**ように、**ネットワークのパラメータを更新**します。

誤差を縮ませるためには、重みを現在の設定値から大きくした方がよいのか、小さくした方がよいのか、これを判断するために、まず損失関数の「変化量」を調べる必要があります。一般的に関数の最小化問題には「微分[※1]」を使います。損失関数を微分し、現在のパラメータ設定値における接線の傾きを求めます。そして、**誤差が減る方向（損失関数の傾きが負の方向）に重みの値を更新**していきます。

このプロセスを、最適解に近づくために何度も繰り返す必要があります。

---

memo ※1　関数（ここでは損失関数）を多数あるパラメータの1つずつで微分することを「偏微分」と呼ぶ。なお、本書のChapter7では微分と偏微分を演習で学ぶ。

数学的に「損失関数が最小になる」とは、「損失関数を微分した値（傾き or 勾配）がゼロとなる」ことです。この状態を見つけるために勾配降下法を使います。勾配降下法はニューラルネットワークの学習法の基本となるものです！

　ところで、関数の最小値を求める方法として、高校の数学などで学ぶ「関数を微分した値が0になる点を求める」という「解析的な解法」を思いつく方もいるかもしれません。しかしながら、ニューラルネットワークの学習データは非常に高次元（特徴量が複雑）で、かつ膨大な数のパラメータを学習しなければいけないので、「解析的な解法」で最適解を求めることはできません。代わりに、**勾配降下法（Gradient Descent）**というアルゴリズムを利用して最適解を見つけます。

　図 3.3.1 は、損失関数の勾配（接線の傾き）に沿って、最小点（予測値と正解の誤差が最小となる点）に向かって、パラメータ値を探索している様子を表しています。図に使用されている記号の意味は次の通りです。

- w：パラメータ（重み）
- L：ニューラルネットワークの出力と正解の間の誤差を表す損失関数
- ∇L：損失関数 L をパラメータ w で偏微分した勾配値；式 3.3.1 のように表します

　損失関数 L はパラメータ w に依存する、つまり w を変数とする関数であるため、L(w) のように記すこともあります。ニューラルネットワークの各層において、**損失関数の傾き∇L(w) が0に近づくような重み（w）の組み合わせ**を求め、式 3.3.2 のように**重みの値を更新**します。ここにあるαはパラメータの更新の歩幅を表す**学習率**です。学習率を適切な値に設定することは、勾配降下法がうまくいくために重要です。学習率の設定値が適切ではない場合、真の最適解である**大域最適解**ではなく、特定の区間においてのみ極小点である**局所最適解**に陥ってしまうリスクがあります（図 3.3.1）。

$$\nabla L = \frac{\partial L}{\partial w} \quad \cdots 式 3.3.1$$

$$w \leftarrow w - \alpha \cdot \nabla L \quad \cdots 式 3.3.2$$

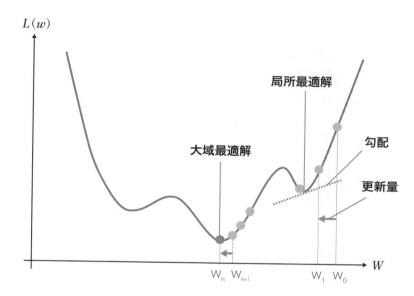

図 3.3.1：損失関数 L(w) の傾きに沿って、誤差が小さくなる方向にパラメータ w の値が更新される

　ニューラルネットワークは概ね以下の手順で学習します。

① パラメータ（重みとバイアス）を初期化する

② 学習データを入力層から入力し、ネットワークの中を入力層 → 出力層の方向に、各層で重みを乗じながら伝播させる

③ 出力層から予測結果を一度出力してみる

④ 出力と正解の間の誤差を表す**損失関数**を算出する

⑤ 誤差が小さくなるように、**勾配降下法**を用いてパラメータを更新する

⑥ **最適解**に到達するまで②〜⑤を繰り返す

　パラメータの数が多いので、最適解に到達するためには、**「出力値と正解の誤差を計算 → 誤差が小さくなるように更新する」というプロセスを何度も繰り返す**必要があります。各回のパラメータ更新を 1 回の**イテレーション**（**Iteration**）と呼びます。

3.3.2 誤差逆伝播

　入力層にデータを入れて、各層で重みを乗じながら、出力層の方向に向けてデータを伝播していくことを**順伝播**（フォワード・プロパゲーション；Forward Propagation）と呼びます。一方、誤差に関しては、「逆方向」に伝播させます。つまり、**誤差は出力層に近い側から入力側に向かって伝播し、重みの更新も出力側に近い層から行います。**このような、誤差を逆伝播させる仕組みを**誤差逆伝播**（バック・プロパゲーション；Back Propagation）と呼びます。

　ニューラルネットワークの学習がうまくいくためには、以下の問題に対策する必要があります。

● **（問題1）勾配消失問題**

　ネットワークが深くなるにつれて、重みの更新に必要な情報がうまく伝播できなくなる問題です。上記で述べた誤差逆伝播の仕組みに起因します。

● **（問題2）局所最適解問題**

　最適化が失敗し、局所最適解（偽物の最小点）に陥ってしまう問題です。

　これらの詳細については後の 3.4 節で学びます。

ココが試験に出ます！

- 「出力データと正解ラベルの間の誤差」を定量的に表すために**損失関数**を使う。
- **勾配降下法**を利用して、損失関数の勾配（接線の傾き）に沿って、**損失関数を最小化するパラメータの組み合わせである最適解**を探索する。
- パラメータ更新を何度も繰り返して、少しずつ最適解に近づく。1回の更新は**イテレーション**と呼ぶ。
- 入力層から出力層に向けてデータを伝播していくことを**順伝播**と呼ぶ。
- 誤差を各層に伝播する際には、出力層から入力側に向かって逆方向に誤差を伝播し、重みの更新も出力側に近い層から行うことを**誤差逆伝播**と呼ぶ。

COLUMN | 回帰と分類に使われる損失関数

損失関数（誤差関数）は問題によって使い分けます。

- 回帰問題は**平均二乗誤差関数**
- バイナリ分類問題は**交差エントロピー誤差関数**
- 多クラス分類問題は**多クラス交差エントロピー誤差関数**

（例）平均二乗誤差関数

$$L = \frac{1}{N}\sum_{i=1}^{N}(y_i - \hat{y}_i)^2$$

y	：理想の出力（正解）
$\hat{y}$	：出力

（例）多クラス交差エントロピー

$$E(w) = -\frac{1}{N}\sum_{n=1}^{N}\sum_{k=1}^{K}d_{nk}\log y_{nk}$$

N：学習データのサンプル数

K：出力ノードの数（分類クラスの数）

y：入力に対するネットワークの出力

d：入力に対する理想の出力（サンプル n について、クラス k が正解なら 1、不正解なら 0）

正解であるクラスに対して、モデルが高い確率を出力するほどエントロピー値が小さい

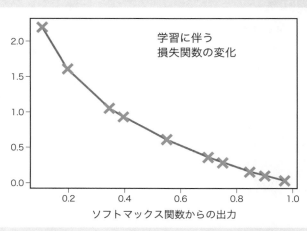

学習に伴う
損失関数の変化

ソフトマックス関数からの出力

ニューラルネットワークの
学習における困難とその対策

本節では、ニューラルネットワークの深層化に伴う技術的な困難と
その対策を紹介していきます。

　単純パーセプトロンでは線形分離可能な問題しか学習できません。現実世界の大多数
が非線形問題であるためパーセプトロンを多層化する必要がありました。しかし、多層
化するとモデルの最適化問題が複雑になってしまい、そのためいくつかの技術的な問題
が起きます。ニューラルネットワークを実用的に「ディープ」にするためには、以下に
述べるような問題を乗り越える必要がありました。

● **勾配消失問題**

　ネットワークが**深く**なるにつれて、重みの更新に必要な情報が**うまく伝播できなくな
る**問題です。この現象は、**誤差逆伝播**の仕組みに起因します。

● **局所最適解問題**

　勾配降下法を用いた最適化において、**局所最適解**（偽物の最小点）に陥ってしまう問
題です。

　2000 年代後半に入って、これらの問題はアルゴリズムの改善によって大幅に改善さ
れました。そこではじめてニューラルネットワークの深層化（ディープラーニング）が
成功し、Chapter1 で学んだ第 3 次 AI ブームに突入しました。従来の機械学習手法で
は難しかったタスクでも、ディープラーニングを使うと精度が飛躍的に向上しました。

3.4.1 勾配消失問題

前節で、ニューラルネットワークの学習においては、損失関数が小さくなる方向を目指して重みを更新する、ということを学びましたね。そのため、**損失関数の勾配の情報をネットワーク内で正しく伝播させることが非常に大切**です。

勾配消失問題とは、**ネットワークの途中から勾配の値が消失し伝播できなくなること**で学習が進まなくなるという技術的な問題を指します。図 3.4.1 のように、誤差逆伝播法の性質ゆえに、**ネットワークを深くすると、入力層に近い層では、誤差が正しく反映されなくなります**。そうすると当然、誤差の情報を使用する「最適化」がうまくいかなくなり、学習が進まなくなります。

「誤差逆伝播法」について復習しましょう。
誤差情報を出力層から入力層に向かって「逆向き」に伝播しながら勾配を計算し、隠れ層のパラメータ値を修正していく手法です。

勾配情報（徐々に小さくなる）

入力層　　　　　　　　　出力層　損失関数

図 3.4.1：何層もあると、勾配に使われる情報がどんどん小さくなる

なぜこのように勾配が消失してしまうのでしょうか？

隠れ層が多数ある深いネットワークの中で、何層も逆伝播していくうちに、**勾配（重みの値の更新に使われる誤差の情報）がどんどん小さくなっていく**からです。実は、勾配消失問題の主な原因は、当時使われていた**活性化関数**にありました。この問題をよく理解するために、各種の活性化関数の特徴を詳しくみていきましょう。

ニューラルネットワークの隠れ層で使用される代表的な活性化関数として、以下が挙げられます。

- シグモイド関数（Sigmoid 関数）
- Tanh 関数（ハイパボリックタンジェント関数；双曲線関数）
- ReLU 関数（Rectified Linear Unit 関数、正規化線形関数）

　ネットワークの下流で特徴量を抽出しやすくするために、活性化関数は以下のような役割を果たします。

① **データのスケールを、一定範囲内に収めるように揃える**（シグモイド関数、Tanh 関数）
② **重要な特徴を際立たせ、ノイズを落とす**（ReLU 関数）

　結論からいうと、活性化関数として長年にわたって採用されていた**シグモイド関数**などを、**ReLU 関数**に切り替えたことで、勾配消失問題が軽減されました。

■ シグモイド関数

　シグモイド関数は Chapter2 で学んだロジスティック回帰にも登場しましたね（式 2.6.1 と図 2.6.1）。出力値は 0 と 1 の間にあるため、「特定のカテゴリに分類される確率」を表現することができます。

　シグモイド関数は図 3.4.2（左）のような形をとります。ここからわかるように、シグモイド関数は、**入力値が小さいほど出力値が 0 に漸近し、入力値が大きいほど出力値が 1 に漸近する**、という性質を持っています。入力値が比較的大きい場合や小さい場合、**シグモイド関数は平らになり、したがって、関数の勾配が 0 に近づいていきます**。これこそが勾配消失の原因です[1]。

■ Tanh関数

　Tanh 関数は、シグモイド関数を線形変換した関数です。図 3.4.2（右）からわかるように、Tanh 関数とシグモイド関数は形状が似ています。両関数の共通点は、漸近する形状と、データ値を一定範囲の中に収まるように変換していることです。この変換は、後続の工程で特徴を算出しやすくする働きがあります。両関数の違いは、マッピングする範囲にあります。Tanh 関数は入力が大きい場合は 1 に漸近し、入力が小さい場合は -1 に漸近します。

---

memo　　[1]　他にも、重みの初期値設定や勾配降下法のアルゴリズムの選択なども勾配消失を引き起こす可能性がある。

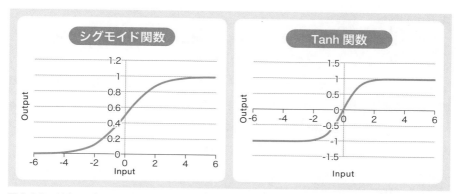

図 3.4.2：（左）シグモイド関数と（右）Tanh 関数は形が似ているが、漸近する値は異なる

■ なぜ勾配消失問題を引き起こすのか？

シグモイド関数と Tanh 関数はともに、**入力値が大きい場合や小さい場合は関数の微分値（勾配）が限りなくゼロ**に近くなります。シグモイド関数の微分値は最大でも 0.25 しかありません。Tanh 関数の微分値は最大で 1 なので、シグモイド関数ほど深刻ではないにしても、ほとんどの場合、微分値は 0 に近い値になってしまいます。

モデルを学習する中で、**誤差を逆伝播する際には、活性化関数の微分値をいくつも掛け合わせた値を扱います。ここに問題が発生します。** 0 に近い値をどんどん掛け合わせていくと限りなくゼロに近づいていきます。ゆえに、**ディープなネットワークの中で何層も遡っていくうちに伝播すべき誤差がどんどん消失していく**わけです。

以上の説明により、シグモイド関数や Tanh 関数を活性化関数に用いた場合、層数が増えると学習が難しくなることが理解できます。

関数が平らになっている領域では、関数を微分した値（＝勾配）がゼロになり、重みの更新に重要な勾配の情報が消失してしまいます！

■ ReLU関数

　勾配が消失する原因が明らかになった後に、活性化関数として **ReLU 関数**が起用されるようになると、勾配消失問題が改善されました。

　式 3.4.1 と図 3.4.3 に示されるように、ReLU 関数は、**入力値が負の場合は 0、入力値が正の場合は入力値そのもの**を返します。活性化関数としてのアプローチは「特徴を際立たせる」ことです。負の値を余分なもの（ノイズ）として切り捨て、後続層で特徴を見出しやすくするように入力値を変換します。

$$f(x) = \max(0, x) \quad \cdots 式\ 3.4.1$$

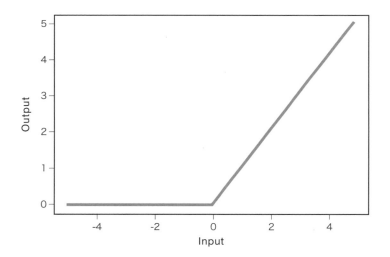

図 3.4.3：ReLU 関数は、入力値が 0 以上の場合、入力値をそのまま返す

　「ReLU 関数を使うとなぜ勾配の消失を防げるか」を理解することが大事です。

　ここまで何度か、**「隠れ層からの出力値の微分値（= 勾配）は、学習の進行に大きく影響する」**ということを強調してきました。シグモイド関数の場合、勾配は原点から遠ざかるほど小さくなるため、学習が停滞して最適解にたどり着けなくなります。対照的に **ReLU 関数は、入力値が正であれば微分は必ず 1 であるため、学習を妨げません。**

　ただし、非常に深くて複雑なネットワークでは、ReLU 関数が十分に効力を発揮できず、依然として勾配消失問題が起きるケースもあります。また、画像データの特徴量を

形成する画素値には負の値がないので ReLU 関数との相性がよい一方で、負の値が存在し、それらを切り落とすと情報損失が発生するような測定データは、シグモイド関数や Tanh 関数を採用した方がよいでしょう。

■ ReLU関数の派生版

ReLU 関数の派生版も考案されています。代表的なのは、以下の式で表される **Leaky ReLU 関数**です。入力値が負の領域でもわずかな「傾き」を持っているので、全領域で微分がゼロになることがありません。

$$f = \begin{cases} x & (x > 0) \\ 0.01x & (x \leq 0) \end{cases}$$

Leaky ReLU 関数では入力値 x が負の時の傾きが（通常）0.01 に固定されているのに対し、f(x) = ax とし、a をパラメータとして決定する場合もあります。これは「**Parametric ReLU 関数**」と呼ばれ、Leaky ReLU 関数を一般化したものと解釈できます。

ただし、現実には派生元の ReLU 関数の方がよい精度を出すことが多く、かつその理由は明らかになっていません。

3.4.2 局所最適解問題と学習データの渡し方

図 3.3.1 でも見たように、パラメータの最適値を探っている中で、全領域にわたる真の最小点（**大域最適解**）ではなく、特定の範囲の極小点（**局所最適解**）に騙されて学習がうまく収束できないことがあります。これが**局所最適解問題**です。さらにもう 1 つ、**勾配がゼロに近い平坦領域では、学習が停滞してしまうプラトー**という状況にも陥りやすいです。

これらが勾配降下法における難点です。これらを解消するために以下のような工夫を行います。

- 学習データの渡し方を工夫
- 学習率の設定を工夫

3

ディープラーニングの基礎概念と応用技術

■ 学習データの渡し方

　局所最適解に陥る確率や異常値の影響を抑えるために、勾配降下法の一種である**確率的勾配降下法（SGD；Stochastic Gradient Descent）**がよく使われます。確率的勾配降下法では、一気に全てのデータを学習に使わず、データを**ミニバッチ**と呼ばれるグループに分けて、**ミニバッチごとに損失関数を計算し、少しずつパラメータを更新**します（図3.4.4）。この学習法を**ミニバッチ学習**と呼びます。ここで、1つのミニバッチの中のデータ件数、つまりモデルに一度に入力するデータ量を**バッチサイズ**と呼び、学習の際に設定するハイパーパラメータの1つです。

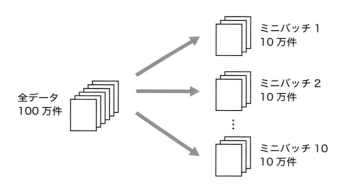

図3.4.4：ミニバッチ学習では、全学習データをミニバッチに分割する

　勾配降下法にはミニバッチ学習の他にもバリエーションがあります。G検定でよく問われるので、各々の利点・欠点を把握しましょう。

●オンライン学習
- **毎回データサンプルを1つずつ入力**し、それを使ってパラメータを更新する。つまり、バッチサイズは1
- 利点は、**局所解に陥りにくいこと**（ミニバッチ学習と同様）
- 欠点は、1つひとつのデータに対してパラメータの更新を行うため、**外れ値に敏感に反応し、学習が不安定になりやすいこと**

●バッチ学習（最急降下法）
- パラメータの更新に**全ての学習データを一度に用いる**

- 利点は、全データを一気に使って損失関数の変化を評価しているため、**学習の結果が安定しやすいこと**

- 欠点は、新たな学習データを追加するたびに、全データを用いて再度計算を行うため**計算コストが高い**こと。逆に、データの総数が少ない時に比較的使いやすい

上記の 2 つに対して、**ミニバッチ学習**では、**毎回一部のサンプルからなるミニバッチを取り出して、それを使ってパラメータを更新**します。一度に使うデータ数（バッチサイズ）が比較的少ないため、**パラメータの変化に対して損失関数が敏感に反応し、そのため傾きが 0 に近い地点でも学習が停滞しづらい**傾向にあります。

また、一定数の画像を同時に処理できるため、オンライン学習に比べて、ミニバッチ学習は、損失関数の計算に費やす時間においても比較的有利です。

以上により、ミニバッチ学習は「バランスの取れたやり方」として、勾配降下法の中で特によく用いられている学習手法です。

3.4.3 学習率の設定で局所最適解問題を防止

学習率を適切に設定することも局所最適解問題を防止するのに効果的です。**学習率（Learning Rate）**は、**重みを更新する歩幅**のことです。図 3.4.5 に示すように、損失関数の**勾配に沿って一度でどれだけ「降りるか」**を表します。学習率は、モデルの学習の進行を制御する重要なハイパーパラメータです。前節で紹介した式 3.3.1 と式 3.3.2 を再度以下に示しましたが、この中の「α」が学習率です。

$$\underset{\text{勾配}}{\boxed{\nabla L}} = \frac{\partial L}{\partial w}$$

$$w \leftarrow w - \boxed{\alpha} \cdot \nabla L$$
α：学習率

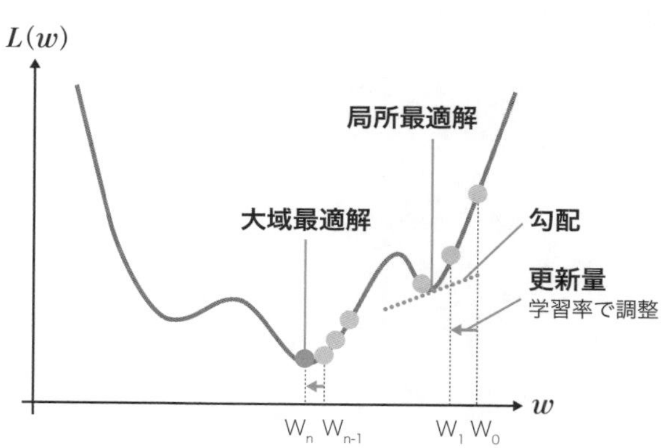

図 3.4.5：学習率で重みを更新する歩幅を決めながら、大域最適解にたどり着く

学習率を適切にコントロールしないと最適解にたどり着けないこともあります。

学習率の設定値が大きすぎた場合、学習は早く進みますが、**大域最適解を通り越してしまい、損失関数が最小値となる点に収束しにくく**なります。つまり最終的な精度が低いままになってしまいます。学習率の設定値が小さすぎる場合、**いつまでも収束しない**ことがあります。

局所最適解に陥らず、しかも大域最適解に収束させるためには、学習率を学習の進行状況に合わせて調整する必要があります。**最初は学習率を高く設定して重みの更新を大胆に行いながら局所最適解を通り抜け、後半で学習率を下げて重みを微調整する**、というような工夫をすると損失関数が最小となる大域最適解に収束しやすくなります。

このような学習率の調整法を取り込んだ最適化手法の発展版が開発されています（表3.4.1）。一番基本な勾配降下法である SGD は一定の学習率で勾配の方向に進みます。これに対し、表 3.4.1 にあるような学習率の調整を取り入れた最適化アルゴリズムをうまく活用することにより、学習の成功率を上げることが期待できます。

AdaGrad	学習が進行するにしたがい、パラメータごとに自動的に学習率を調整する
RMSprop	AdaGrad の改良版。「最近」のパラメータの更新の影響を大きくし、学習率を急激に下げないように勾配の二乗の指数移動平均を計算に用いる
Adam	RMSprop と Momentum のよいところの組み合わせ。過去の勾配の二乗の指数移動平均を用いて、勾配の平均と分散を推定する。学習の収束が早く、性能のよさからよく利用される
AdaDelta	AdaGrad の改良版。使用する過去の勾配の情報の範囲を制限する
Momentum	勾配降下法に慣性という物理学の概念を加えて、重みの更新量を決める

表 3.4.1：学習率の調整法を取り入れたニューラルネットワークの最適化アルゴリズム

3.4.4 エポック数と早期終了

パラメータの最適解にうまく落ち着くまで、**同じデータを何回も学習に使用**する必要があります。**1件のデータが繰り返して学習に使われる回数をエポック**と呼びます。例えば、合計100,000個の学習データがあり、バッチサイズ1,000でミニバッチ学習を実施するとします。この場合、確率的勾配降下法を100回繰り返すと全ての学習データを一度「使い切った」ことになり、これでやっと1つの**エポック**が終わったことになります。

過学習せずに、高い汎化性能を実現するパラメータ群を見つけるために、**エポックの数を、多すぎず、かつ少なすぎない数に指定することが重要になります。**

機械学習で目指すのは、予測精度（新しいデータに対する精度）が、訓練精度（訓練データに対する精度）とできるだけ同じくらいよいという状態です。図3.4.6の緑とグレーの実線のように、**予測精度が訓練精度に漸近して落ち着くようなエポックまで学習を進めることが理想**です。エポックが少なすぎると学習不足になりますが、エポック数が大きすぎると学習を「やりすぎる」ことになり、過学習が起きやすくなります（図3.4.6の点線）。

「ちょうどよいエポック」のところで学習を止めるために、**早期終了（Early Stopping）** という手法を使います。一言で説明すると、**これ以上精度の向上が見込めない場合、早期に学習を打ち切る**ことです。

2.13節では、データを訓練データとテストデータに分割するという話をしました。過学習を監視するためには、訓練データをさらに「訓練そのものに使うデータ」と「過学習していないかを確認するための**検証データ**」に分割します。両方を同時に監視しながらいつ学習を止めるべきかを判定します。学習の途中で、検証データの誤差が訓練データの誤差に比べて明らかに増加した場合、過学習の可能性を示しています。

初期的に設定したエポックの回数だけ繰り返し学習するのではなく、**検証データに対する誤差が最小となったエポックでのパラメータ設定値を保存してモデルに反映**します。「何エポック目まで学習を続けるのか？」という学習を打ち切るタイミングの判断をアルゴリズムに任せます。実際、早期終了の機能はディープラーニングを実装するためのライブラリに含まれています。

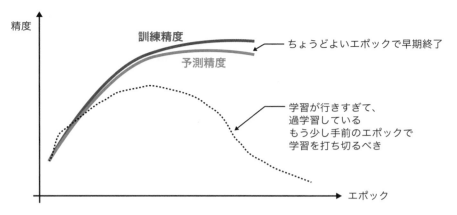

図 3.4.6：過学習する前に、ちょうどよいエポックで学習を打ち切る「早期終了（Early Stopping）」

COLUMN | ミニバッチを用いた学習のイメージ

① 重みの初期値（$w_1, w_2, ... w_N$）を設定

② 全データ数 N のうちから 100 個からなるミニバッチを使って損失関数を計算

③ 損失関数が小さくなるように重みを更新

④ 他のミニバッチも使って②③を繰り返す

全てのデータを一度使い切ったら②③④を繰り返す（損失関数が収束するまで）。

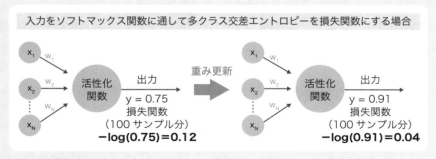

図：損失関数を小さくするように、ミニバッチ学習を行い、パラメータの値を更新する

ココが試験に出ます！

- **誤差逆伝播法**：出力側から入力側に向かって逆方向に誤差情報を伝播し、隠れ層の重みを更新する。

- **勾配消失問題**：ネットワークが深くなるにつれて、重みの更新に必要な勾配の情報が正しく伝播されなくなり学習が停滞してしまう現象。

- **シグモイド関数、Tanh 関数**：従来から使用されてきた隠れ層の活性化関数で**勾配消失問題**を引き起こしやすい。**ReLU 関数**を採用することで**勾配消失問題**が軽減。

- **勾配降下法**：パラメータの最適化に使われるアルゴリズム。**損失関数の勾配（接線の傾き）に沿って、損失関数の最小点に向かってパラメータの値を探索**する。特定の区間内の極小点である**局所最適解**に陥ることなく、真の最適解である**大域最適解**を目指す。

- **プラトー**：**勾配がゼロに近い平坦領域で、学習が停滞**しやすくなる場所。

- **鞍点**：ある次元から見ると極小であり、別の次元から見ると極大となっている点。

- **学習率**：学習の進行を調整するハイパーパラメータで、**一度に重みを更新する歩幅**を制御する。

- **イテレーション**：**同じパラメータを更新する回数**を表す量。

- **エポック**：**同じ訓練データを繰り返しモデルの学習に使う回数**を表す量。

- **確率的勾配降下法（SGD, Stochastic Gradient Descent）**：局所最適解に陥ることや異常値の影響を抑えるために、一気に全てのデータを学習に使わず、データを**ミニバッチ**ごとにモデルに入力して損失関数を計算し、少しずつパラメータを更新する（ミニバッチ学習）

- **オンライン学習**：**毎回サンプルを 1 つ取り出してパラメータを更新**する方法。利点は局所解に陥りにくいこと、欠点は外れ値に敏感に反応し学習が不安定になりやすいこと。

- **バッチ学習（最急降下法）**：パラメータの更新に**全ての学習データを一度に用いる**手法。安定しやすいが、計算コストが高い。データの総数が少ないときに使いやすい。

- **早期終了（Early Stopping）**：過学習を防ぐために、**精度がこれ以上改善する見込みがないときに学習を早期に打ち切る**こと。

CHAPTER
3.5

ソフトマックス関数

ニューラルネットワークの隠れ層では ReLU 関数などが特徴量の抽出に使われるのに対して、ソフトマックス関数は出力層で、確率値を出力するために利用されます。

3.5.1 ソフトマックス関数の性質

ソフトマックス関数（Softmax Function）（式 3.5.1 と図 3.5.1）は、隠れ層で特徴量を抽出するのに使われる ReLU 関数とは性質が異なり、分類問題においては出力層で使用されています。**あるクラスにデータが分類される確率**を出力します。関数の出力値が確率を表せるのは、ソフトマックス関数の手前の各ノードの出力が以下を満たすように調整されるからです。

- **各ノード (i) に対応するソフトマックス関数の出力（f_i）が 0 〜 1 の範囲に収まること**
- **全ノードの出力の総和が 1 になること**

$$f_i = \frac{e^{y_i}}{\sum_{k=1}^{n} e^{y_k}} \quad \text{…式 3.5.1}$$

ここで、i はソフトマックス関数の手前の i 番目のノード、yi はそのノードの出力値、n はノードの総数（＝分類クラスの数）を表します。

yi の指数関数（式 3.5.1 の分子）は必ず正の実数となり、これを全ノードの総和（式 3.5.1 の分母）で割ることで値が 0 〜 1 の範囲に収まることがわかります。

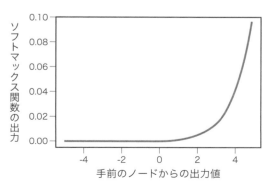

図 3.5.1：分類問題の活性化関数として使われるソフトマックス関数の形

　図 3.5.2 は、果物の画像を分類する際の、ニューラルネットワークの出力層における
ソフトマックス関数の出力を示しています。ここで、「バナナ」ノードの出力値（y2 に
相当）が 2.55 です。各ノードの出力値を用いて計算すると、バナナである確率（式 3.5.1
の計算結果）は 70% 程度となります（式 3.5.1 を使用して、exp(2.55)/{exp(1.2) +
exp(2.55) + exp(0.65)} 〜 71%）。これは「りんご」ノードや「もも」ノードよりも
確率値が高いので、ここでは「画像に写っているのはバナナ」と推定することができます。

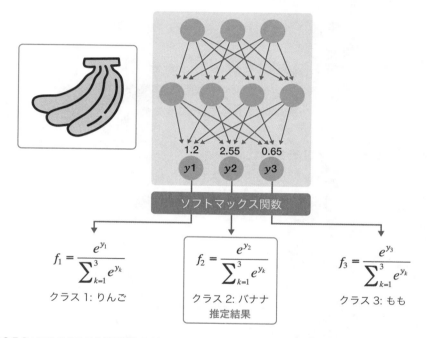

図 3.5.2：マルチクラス分類問題におけるソフトマックス関数の出力例

オートエンコーダ

ディープラーニングの実用化のためには、先述の「勾配消失問題」などを克服する必要がありました。その試みの1つとして、**オートエンコーダ**が開発されました。

オートエンコーダ（自己符号化器；Autoencoder） は、ニューラルネットワークの一種です。2006年にジェフリー・ヒントン（Geoffrey Hinton）教授によって提唱されました[1]。一言で説明すると、オートエンコーダでは、入力されたデータに**次元削減**を施すことで、データを表現するために重要な**特徴**を抽出します。オートエンコーダは、ニューラルネットワークの隠れ層に潜む勾配消失問題を解消するために設計され、ニューラルネットワークの技術の発展に寄与してきました。

3.6.1 オートエンコーダの仕組み

図3.6.1（左側）にオートエンコーダの基本構造を示しています。構造はいたってシンプルで、入力層と出力層、そして入力層と出力層の間に特徴量を抽出するための隠れ

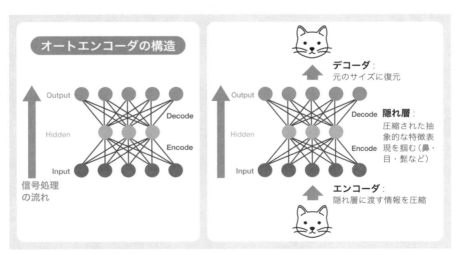

図3.6.1：（左）オートエンコーダでは、隠れ層のノードの数は入力層と出力層より少なく設計されている（右）隠れ層におけるデータ圧縮と特徴量抽出の仕組み

memo　※1　ヒントン教授は同時期に Deep Believe Networks（深層信念ネットワーク）も提唱しました。オートエンコーダに相当する層に制限付きボルツマンマシンを使用する。

層が位置しています。入力層と出力層を共に「可視層」と呼ぶことがあります。

　入力されたデータを一度次元削減によって圧縮し、隠れ層において重要な情報のみ抽出し、それ以外の情報を削ぎ落とします。続いて、出力層において、入力層と同じデータになるように復元を行います。一度データを圧縮しても出力層で復元できるためには、「データを最もよく代表する」重要度の高い特徴量（だけ）を隠れ層で抽出する必要があります。

　図 3.6.1 をもう少し細かく見ると、隠れ層の次元（ノードの数）は入力層と出力層よりも少ないことがわかりますね。これは次元削減のために重要であり、入力層と出力層が同じデータを持つように学習するように働きかけています。入力と出力を同じデータになるように要請するため、隠れ層の次元を小さくすることで、データを適切に情報圧縮する方法を学習します。

　図 3.6.1 の右側では、入力画像と同じ猫の画像が出力されるように、猫の画像の特徴量を隠れ層で学習する、というオートエンコーダの使用例を示しています。

「次元削減」とは、データの意味を維持したままより少ない次元に落とし込むことで、複雑なデータをわかりやすいものにすることです。

■ オートエンコーダの成果

　従来のニューラルネットワークでは、「勾配消失問題」が解決できなかった時期がありました。その解決策として ReLU 関数が主流となる以前に、オートエンコーダが導入されました。オートエンコーダでは、複雑な情報をそのまま処理するのではなく、データを抽象化し、データ量を減らすことで「有効な特徴量の抽出」や「大規模な学習」の可能性をもたらしました。そのおかげで、ディープラーニングの研究に希望が募りはじめたのです。

　特に、ニューラルネットワークの初期値として、オートエンコーダで事前に学習させたパラメータ値を用いることは、勾配消失を防止する効果がありました。これが、この後説明する「事前学習」です。さらに、オートエンコーダによる情報圧縮は、データを粗な状態にするため、過学習の防止にも効果的でした。

3

ディープラーニングの基礎概念と応用技術

3.6.2 オートエンコーダを用いた事前学習

ここでいう事前学習とは、オートエンコーダを用いて**ニューラルネットワークの重み**
の初期値をあらかじめ推定することです。初期値をランダムに設定した場合に比べて、
勾配消失問題が抑えられ、層を深くしても学習が比較的うまく進みます。

実用上、複数のオートエンコーダを積み重ね、順番に学習させる**積層オートエンコー**
ダ（Stacked Autoencoder）が使われます。前のオートエンコーダの隠れ層が、
次のオートエンコーダの可視層になります。

また、**ファインチューニング**とは、積層オートエンコーダの終端に、**特定のタスク**
に合った出力をするためにもう 1 つの層を追加し、その層の重みを学習することです。
例えば、分類問題に対しては、ロジスティック回帰層を、回帰問題に対しては、線形回
帰層を追加します。

3.6.3 その後のオートエンコーダの用途

オートエンコーダを用いた事前学習は、勾配消失問題には効果的でした。しかしなが
ら、**層ごとに事前学習を行う過程は計算コストが大きい**ものでした。

2010 年代に入り、アルゴリズムが継続的に改良されていくと、事前学習を行わなく
ても、つまり重みの初期値をランダムに設定しても、問題にならなくなりました。ネッ
トワークを一気に学習させても十分な精度を出せるようになったため、**オートエンコー**
ダはニューラルネットワークの学習には直接使用されなくなりました。

現在、オートエンコーダは主に**画像からノイズを除去**するために使われます。オート
エンコーダの入力値としてノイズを混ぜた画像を入れ、正解である元の画像を与えて学
習させます。そうすることで、ノイズをノイズとして認識できるようになり、データ圧
縮時にノイズを除去することができるようになります。オートエンコーダを用いてノイ
ズ除去したデータは、画像認識モデルなどの学習に用いられます。同じ発想で異常検知
にも使われ、入力値に異常がある場合、入力値と出力値の誤差が生じ、これを異常発生
と認知します。

さらに、4.13 節で学ぶ、「変分オートエンコーダ（VAE）」と呼ばれる深層生成モデル
にもオートエンコーダが使われます。

ディープラーニングのための計算リソース

ニューラルネットワークの膨大な数のパラメータを大量なデータを用いて学習します。そのため、コンピュータの計算能力、つまり半導体技術が肝心です。

Intel の創業者の 1 人であるゴードン・ムーア（Gordon Moore）が、1965 年に「**半導体の集積率は 18 か月で 2 倍になる**」という**ムーアの法則**を半導体製造における経験則として、論文で発表しました。

3.7.1 GPUとCPU

ここでは、ディープラーニングの実用化にとって重要な演算装置である GPU の特徴、および CPU との違いについて理解していきましょう。

■ GPUとは

GPU（Graphics Processing Unit）は、**リアルタイムの画像処理**向けに設計された演算処理装置で、**並列演算処理**を得意とします。例えば、大規模なテンソル（行列やベクトル）の計算に使われます。単純な処理に限定することで、大規模かつ高速な演算ができるわけです。その後、巨大なネットワークの学習のために、**GPU の演算能力を画像処理以外にも利用できるように汎用化された GPGPU（General Purpose computing on GPU）**も開発されました。

GPU の製造をリードしている企業の 1 つは、**NVIDIA 社**です。GPGPU で並列演算を行う開発環境**CUDA（Compute Unified Device Architecture）**を提供し、ほとんどの深層学習ライブラリで使われています。また、Google 社がテンソル計算に特化した **TPU（Tensor Processing Unit）**を開発しました。

「膨大な数の単純処理を高速に行うこと」はディープラーニングを活用するタスクにおいて重要です。各ニューロンが行う計算は単純であっても、膨大な数に及ぶと学習コストが高くつきます。

■ GPUとCPUの違い

CPU（Central Processing Unit; 中央処理演算装置）の名称に「中央」とあるように、コンピュータを使って「ほぼ誰もが行う」一般的な処理（アプリの起動、メール送信など）を担っているのがCPUです。

CPUとGPUの比較を表3.7.1にまとめています。GPUが**並列**に演算を行うのに対し、CPUは様々なタスクを**順番**に処理します。**CPUは数個のコア**で演算を行うのに対して、**GPUは数千個のコア**を使用します。そのため、**単純作業に限定した場合、GPUの方が並行処理で素早く計算でき、リアルタイム画像処理に強い**わけです。

	CPU	GPU
コアの数	数個のコア（通常2〜8個程度）	大量のコア（数千個）
特徴	幅広い命令を順番に読み込んで、1つずつ**順番に処理**する。 複雑な計算でも「分割して順番に計算する」という形に落とし込める。逆に、単純作業でも非常に数が多い場合は処理が遅い。	多数のコアを使って簡単な計算を分担して素早く**並列計算**でき、一度にできる処理が多い。膨大な数の単純作業の並列分散処理が得意。

表3.7.1：CPUとGPUの特徴を比較

3.7.2 ディープラーニングにおけるデータ量

ディープラーニングにおける学習とは、ニューラルネットワークのパラメータを最適化することと言えます。ネットワークが深く、複雑になるにつれて、最適化すべきパラメータの数と計算量も膨らんでいきます。例えば、画像認識に用いられるCNNモデル「AlexNet」はパラメータが6,000万個くらいあります。

ところで、学習に必要なデータ量はどうやって決まるのでしょうか？ モデルのパラメータ数が決まっても、必要なデータ量が必ずしも定まるとは限りません。扱う問題の複雑さ、データの量や性質、分析タスクの要件で要求される精度などを考慮しなければなりません。

必要なデータ量に関する経験則として、**バーニーおじさんのルール**（Uncle Bernie's Rule）があり、「**モデルのパラメータ数の10倍のデータ量が必要**」と主張しています。しかし、これが必須であるなら、必要な画像数は億レベルとなり、データの準備も計算量も非現実なものになります。近年、ディープラーニングの精度を維持しながらパラメータの数を減らすための研究が行われています。

畳み込みニューラルネットワーク(CNN)

この節では主に、画像認識の有力な手法である畳み込みニューラル
ネットワーク（CNN）について、その構造と特徴量抽出の仕組み
を学びます。

図3.8.1は、**畳み込みニューラルネットワーク（Convolutional Neural Network;
CNN）** を用いた画像データの処理のイメージを示しています。入力層には、画像その
ものを入力し、ネットワークの前段で学習した結果をより下流にある層に入力する処理
を繰り返し、**層が進むにしたがいより高度な特徴が学習可能**になります。入力層に近い
層（浅い層）では、小領域の明暗など、画像全般に汎用的に存在する単純かつ具体的な
特徴を抽出します。中段にある層に進むと、輪郭や形などのもう少し高次な特徴を抽出
します。出力層に近い深い層では、顔、眼、鼻などの複雑かつ抽象的な特徴を学習し、
正しい認識結果へと導きます。

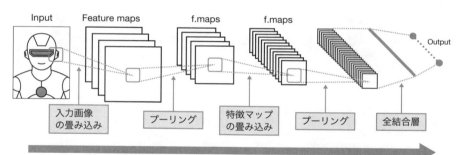

前段で学習した結果を下流に入力する処理を繰り返し、
層が進むにしたがいより高度な特徴を学習可能

図3.8.1：畳み込みニューラルネットワーク（CNN）の概念図

CNNではなく、一般的な全結合型ニューラルネットワークを用
いた画像認識では、画像データを一旦一次元の配列に減らす必要
があり、隣接する画素の相関の情報が使えなくなります。

CNNを用いた画像認識技術の進歩

ディープラーニングの研究が開始してから数十年後、はじめて大きく注目されたのが 2012 年頃です。そのきっかけとなったのが画像認識のコンペティションである **ILSVRC（ImageNet Large Scale Visual Recognition Challenge）**です。ILSVRC は、2010 年から 2017 年まで毎年開催され、2017 年以降は Kaggle という機械学習のコンペティションの中で開催されています。参加者たちは、画像に写っている物体の**クラス（ラベル）**を正しく予想しようと競争します。ILSVRC では、「**誤差率**」の低さを競い、Top-1 error rate や Top-5 error rate のような誤差率の指標が用いられます。

Top-1 error rate であれば、「分類ラベルとして上位候補 5 個をモデルに提示させ、その中の出力確率が一番高い候補が正解と一致するかどうか」で判断します。Top-5 error rate であれば、「分類ラベルとして上位候補 5 個をモデルに提示させ、その中に正解が含まれるかどうか」で判断します。

右の図 3.8.2 では、画像のすぐ下のラベルは正解ラベルです。その下の 5 つは、最も確率が高い候補、つまり Top-5 の出力（ラベルとその確率）です。この例では、Top-5 には正解（"mushroom"）があるが、Top-1 には正解がないケースです。

図 3.8.2：ILSVRC における画像のラベルおよび画像認識モデルの出力例 [01]

CNN が登場する前は、パターン認識を得意とする SVM（2.7 節参照）が画像認識界隈で人気の機械学習手法でした。しばらくは、SVM を用いても毎年 1 ～ 2% の改善しか出せませんでした。

2012 年に、**トロント大学のヒントン教授**が率いるチームが開発した **AlexNet** というディープラーニング（CNN）を用いたモデルが勝利しました。図 3.8.3 に示されるように、AlexNet は、**前年の誤差率を 10% 以上改善**し画像認識コンテストにおける CNN の最初の成功例となりました。その衝撃的な実績は、第 3 次 AI ブームの火付け役となりました。

それ以降、CNN が画像認識の手法の主流となっています。年々より優秀なアルゴリズムが開発されていき、2015 年には **ResNet がヒトの認識の限界と言われる誤差率 5% よりも低い値に達しました。**

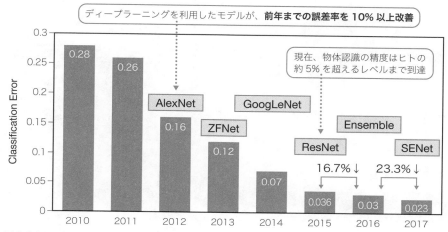

図3.8.3：ILSVRC における毎年の画像認識の誤差率の遷移

　ILSVRC では、画像認識モデルを訓練するために、大規模なオープンデータベース **ImageNet**[02] からの画像データを用いています。画像に写っている物体には**ラベル（クラス名）**が付与されています。ImageNet の画像データのボリュームは、**クラスの種類が 2 万以上、画像数は 1400 万枚以上**です。クラス名に関して、**WordNet** という概念辞書を参照することで**上位語**、**下位語**の概念を取り入れています。例えば、「あやめ」の上位語は「花」です。

　ImageNet よりデータ量が少ないが、画像認識の研究に貢献してきたデータセットとして次のようなものが挙げられます。**MNIST** は手書き数字（0-9）、**Fashion MNIST** は衣服、バッグ、靴などのグレースケール画像です。**CIFAR-10** は動物や乗り物などのカラー画像です。これらのデータセットはどれも、**クラス数が 10 個、データ数は数万枚**です。ImageNet はクラス種類も画像数も桁違いに大きいことがわかるでしょう。

3.8.2 CNNの仕組み

　CNN が古典的な画像認識の手法よりもはるかに高精度な結果を出せたのはなぜでしょうか。CNN の仕組みを通じて詳しく解説していきます。

　図 3.8.4 は CNN の模式図です。CNN は、**畳み込み層**、**プーリング層**、**全結合層**の 3 種類のレイヤーから構成されています。

3

ディープラーニングの基礎概念と応用技術

図3.8.4：畳み込みニューラルネットワーク（CNN）の簡易的な模式図（実物はレイヤの組み合わせや量が異なる）

■ 畳み込み層

　畳み込み層の役割は、**入力画像から特徴を抽出**することです。画像には**フィルタ（カーネル）**という小さな画像をかけます。「フィルタをかける」とは、フィルタと画像の間で**畳み込み演算**を行うことです。その計算結果の集合体として、**画像認識に必要な特徴表現を含む特徴マップ**が新しい画像データとして生成されます。この特徴マップはCNNの次の層への入力データとして渡され、より高度な特徴量を抽出するための材料として使われます。フィルタの画素値は、抽出したい特徴に合わせて設定されており、多くの場合は経験則に基づいた目的別のフィルタが使われます。

0	1	1	0
1	0	1	0
1	0	1	0
0	1	0	0

×

1	0
0	1

フィルタと部分画像の
間の畳み込み演算

→

0	2	1
1	1	1
2	0	1

図3.8.5：畳み込み層における畳み込み演算と特徴マップの形成

畳み込み層における具体的なプロセス

① フィルタを画像の一部に重ねて、重なる部分で画素同士の値で畳み込み演算を行う（掛け合わせてから、結果を足し合わせる）

② 演算結果を新しい領域の上にマッピング（写像）していく

③ ウィンドウを少しずつ、一定幅でスライドしていきながら、画像全体をカバーするまで写像変換を繰り返す

※畳み込み演算のプロセスに関する計算は Chapter7 で行います。

畳み込み層の入力データも、フィルタも、そして出力される特徴マップも「画像」の形式です！

通常、出力される特徴マップは元画像よりも小さくなります。画像の縮小を防ぎたい場合は、画像の周りを事前に 0 値で埋める**パディング**を行うことがあります（図 3.8.6）。パディングによって、画像の縮小を防げるだけでなく、**画像の端にある特徴を抽出しやすくなる**利点もあります。

```
0  0  0  0
0  2  1  0
0  1  1  0
0  0  0  0
```

特徴マップに変換する前に、
元画像の周りをあらかじめ 0 値で埋める

図 3.8.6：入力画像に対して行う「パディング」操作の一例

これから、畳み込み層における特徴量抽出をいくつかの図で追っていきましょう。その際に、以下の「ルール」を知っていてください。

- **画像には縦横のサイズとともに、RGB という「色」次元がある**
- **カラー画像の色次元は 3、グレースケール画像の色次元は 1**
- **フィルタの色次元の数は、入力画像の色次元と同じものにする必要がある**
  （例：入力画像がカラー画像の場合はフィルタも 3 次元にする）
- **特徴マップの深さ（奥行の次元）はその演算に使用されたフィルタの数と等しい**

① 入力画像とフィルタがある。
　フィルタの奥行きは入力画像
　の色次元数と同じ

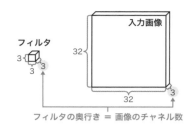

フィルタ
3 3
3

入力画像
32
32
3

フィルタの奥行き ＝ 画像のチャネル数

② 1箇所で**フィルタと画像の間
の重なり領域で畳み込み演算**
を行い、その結果が特徴マッ
プの上に1つの値として写像
される

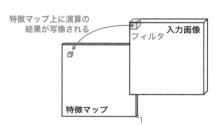

特徴マップ上に演算の
結果が写像される

フィルタ

入力画像

特徴マップ
1

③ 1箇所で演算を行ってから、
　フィルタ位置をスライドさせ
　て次の画素を計算する。**元画像
の全領域をカバーできるまで、
計算とフィルタ位置のスライ
ドを繰り返し行う。**この一連の
後に特徴マップの奥行きチャ
ネルの1つ目ができ上がる

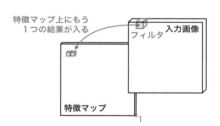

特徴マップ上にもう
1つの結果が入る

フィルタ

入力画像

特徴マップ
1

④ 別の新しいフィルタを用いて
　同様に畳み込み演算を繰り返
　し、**特徴マップの次のチャネル
を形成**していく。これで、特
徴マップの厚みがさらに1つ
増える

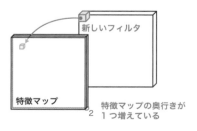

新しいフィルタ

特徴マップ
2

特徴マップの奥行きが
1つ増えている

⑤ 全てのフィルタを使い終わっ
　たら特徴マップができ上がり。
　**「チャネル数＝使用したフィル
タの総数」**となるような三次
元画像になる

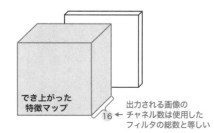

でき上がった
特徴マップ

16

出力される画像の
チャネル数は使用した
フィルタの総数と等しい

　CNN 以外の、畳み込み層を持たない一般的なニューラルネットワークでは、画像を元の二次元データから一次元データに変換してから入力層に入れます。この場合、ピクセル同士を独立なものとして扱わざるを得なくなります。

　一方で、CNN では、上記で見たように、領域ごとにフィルタを小刻みにずらして特徴量抽出を行うので、**隣接する特徴の相関と空間的な情報を維持**することができます。これこそが CNN の画像認識の能力が高くなる理由です。

■ プーリング層

　プーリング層の役割は、**重要な特徴を残しつつ画像の情報量を圧縮**することです。ほとんどの場合、プーリング層は畳み込み層の後に適用されます。こうして、特徴量を「凝縮」させるプーリング層と畳み込み層を交互に使うことで、特徴を検出できるようになります。

　プーリング層によるデータ圧縮の効果は以下です。

- （主要効果）**物体の些細な位置変化によって認識結果が変わらない**ようにする
- 過学習を抑制する
- 計算コストを下げる

　そして、プーリング層には複数の種類があります。

- **最大プーリング（Max Pooling）**：画像の小領域ごとに最大の画素値だけ残す（図 3.8.7）
- **平均プーリング（Average Pooling）**：同様に、小領域中の平均値だけ残す

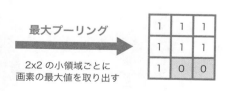

図 **3.8.7**：画像の 2×2 の小領域ごとに最大の画素値のみ残す「最大プーリング層」

■ 全結合層

出力層の手前に**全結合層**（**Fully Connected Layers**）が位置します。これは、3.2節で学んだような一般的な多層パーセプトロンと同じ構造であり、各層のニューロンが次の層の全てのニューロンと繋がっていることが名前の由来です。全結合層は、抽出された特徴に基づいて、分類の結果を出力する役割を持っています。畳み込み層やプーリング層から出力される「画像」形式のデータを全結合層に入力する前に一次元ベクトルに**フラット化**する必要があります。

ココが試験に出ます！

- **畳み込みニューラルネットワーク（CNN）**：画像認識に用いられるニューラルネットワーク。**畳み込み層**、**プーリング層**、**全結合層**の３種類のレイヤーから構成。
- **畳み込み層**：**入力画像から特徴を抽出**することが役割。**フィルタ**を画像の上で一定幅（**ストライド**）でずらしながら、重なる部分の画素値に対し**畳み込み演算**を行い、画像認識に必要な特徴を含む**特徴マップ**を生成。
- **プーリング層**：特徴マップにおける重要な特徴を残しつつ画像の情報量を圧縮することで、被写体の些細な位置変化によって認識結果が変わらないようにする。
- **パディング（padding）**：**入力画像データの周りを0など固定の値で埋める処理**。畳み込み層によって画像のサイズが小さくならないようにすること、画像の端に近い部分も学習しやすくすることが目的。

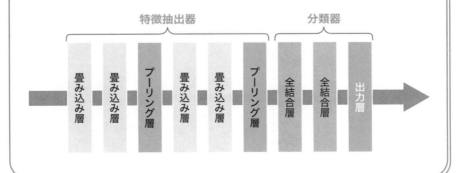

CNNの精度向上のためのテクニック

CHAPTER
3.9

CNN のパフォーマンスをさらに向上させるために様々な工夫が施されています。一部のテクニックは、画像認識以外のディープラーニングの応用分野でも使われています。

　大量な画像データで大規模なネットワークの学習を行う必要がある中で、CNN の学習効率と汎化性能を向上させるための技術が考案されています。本節では代表的な技術を紹介します。

● **重みの初期設定法**

重みの初期値を、適切なばらつきを持たせながら、後から最適化がうまく行きやすいような値に設定する

● **ドロップアウト（Dropout）**

一部のニューロンをランダムに無効化することにより、過学習を抑える

● **バッチ正規化（Batch Normalization）**

ミニバッチごとに、各層への入力データを標準化（範囲を揃える）

● **データ拡張（Data Augmentation）**

回転や平行移動を通じて人工的に訓練画像のバリエーションを増やす

● **転移学習（Transfer Learning）**

膨大なデータで訓練した学習済みモデルを別のタスクに転用・応用する

● **モデルの軽量化**

量子化、プルーニング、蒸留などを通じてモデルを小さくする

　それぞれについてより詳細に説明していきましょう。

3.9.1 初期値の設定

　ニューラルネットワークの初期値の設定が、学習の収束に影響することがあります。全ての重みをほぼ同じ初期値に設定すると、全ての重みが同じように更新されてしまいます。一方で、重みをバラバラな値に設定した場合でも、ばらつきが大きすぎると勾配消失問題を引き起こしやすくなります（活性化関数への入力が極端に大きく、または小

さくなるため）。

　経験的に、前の層のニューロンの数が多いと伝播してくる値も大きくなりがちです。それゆえに、**先行する層のニューロンの数を考慮して重みを初期化すべき**と考えられています。活性化関数に**シグモイド関数やTanh関数**を用いる場合は、**Xavierの初期値**を使うことが多く、活性化関数に**ReLU関数**を用いる場合は**Heの初期値**を使うことが多いです。

3.9.2　ドロップアウト

　ドロップアウトとは、学習時に**一部のニューロンをランダムに無効化**することで、**過学習**を軽減して**汎化性能**を上げるための工夫です（図3.9.1）。どのニューロンを無効化するかはミニバッチごとにランダムに選びます。無効化されたニューロンも予測時には重みつきで使用され、各ニューロンからの出力には**（1 －無効化割合）**の係数を掛けます。

　ドロップアウトを取り入れたモデルは、Chapter2で学んだ**アンサンブル学習器**の一種とみなすことができます。なぜならば、ミニバッチごとに異なるノードから構成される**「少しずつ異なるニューラルネットワーク」を多数組み合わせている**からです。これは、ランダムフォレストなどのアンサンブル学習器における各弱学習器の特徴量選択と原理が似ていますね。

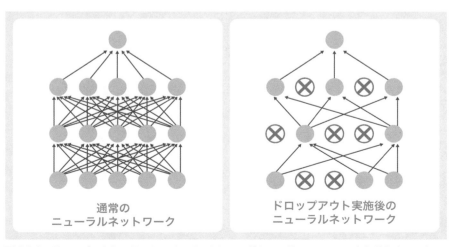

通常の
ニューラルネットワーク

ドロップアウト実施後の
ニューラルネットワーク

図3.9.1：ドロップアウトでは、ミニバッチごとにランダムに一部のニューロンを無効化することで、過学習を防止し、汎化性能を向上させる

3.9.3 バッチ正規化

　データサイエンスにおける「正規化」とは、一般的に**データを一定範囲内に揃える**ことを指しています。例えば、機械学習では入力データの値を全て0～1におさまるように正規化を行うことで、モデルの学習効率を改善することができます。また、式3.9.1のように、平均を引いて標準偏差で割ることを「標準化」といいます。

$$(x - \mu)/\sigma \quad \cdots 式3.9.1$$

　せっかく入力データを正規化したのに、長いネットワークの中で**何層も演算を繰り返すうちにデータの分布が偏ってくる**共変量シフトと呼ばれる現象が発生することがあります。これに対処するために、バッチ正規化という操作を取り入れています。具体的には、各層でミニバッチごとに**標準化処理を用いて共変量シフトを層ごとに補正**します。標準化（式3.9.1）を行うことで、データの分布の偏りをなくし、正規分布に近くなるようにデータを整えています。これは、**学習を早くし**、**過学習を防止**する効果があります。

　バッチ正規化の操作は通常、線形変換と非線形変換の間に適用されます。例えば、全結合層（線形変換）と活性化層（非線形変換）の間、あるいは畳み込み層（線形変換）と活性化層（非線形変換）の間です。

3.9.4 データ拡張

　画像分類の精度をよくするために、学習データの量だけではなく、バリエーションも重要です。例えば、猫の画像認識モデルを作る場合、画像中の猫がどんな角度や位置にあっても、全て「猫」と認識したいわけです。とはいっても、あらゆる位置やポーズの猫の画像を用意し、画像の1つひとつに正解ラベルを付けることは非現実的ですよね。

　そこで、**擬似的・人工的に学習用画像データのバリエーションを増やす**技術として**データ拡張**が使われます。図3.9.2のように、「画像を上下左右に平行移動、回転、拡大縮小」を**ランダム**な量で行い、変化を適用した後の画像を新しい画像としてみなします。

　しかし水増しされた画像の数がどんどん膨らんでいき、全計算機内部にそのままの形で保管しようとしていたら、計算機のメモリ上限を超過してしまいます。そのため、画像を「まとめて保管」はしません。実際には、学習中に画像データをミニバッチごとに都度拡張する方法を用いることで、**データの総量は変わらず、バリエーションのみ増やす**ことができます（図3.9.3）。

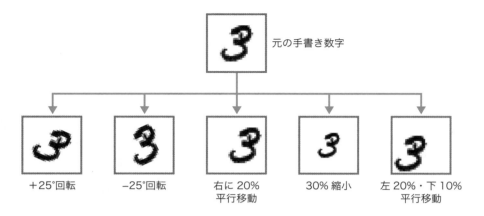

図 3.9.2：元の画像（手書き文字の「3」）をある角度に回転させたり、平行移動させたり、縮小したりして、バリエーションを人工的に増やす

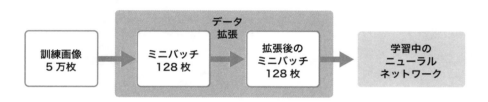

元の訓練画像 5 万枚の中から 1 つのミニバッチ（バッチサイズ 128）を一度に取り出して、ランダムに変換を施してバリエーションを作ってから、変換後の 128 枚を学習データとしてニューラルネットワークに入れます。データの量は 128 枚であることは変わりません。

図 3.9.3：データの総量を増やさないようにしながら、ミニバッチごとにデータのバリエーションを増やす

3.9.5 転移学習

　転移学習とは、**あるタスクのために学習させたモデルを、他のタスクに適応する**手法です。

　転移学習に使われる学習済みモデルは、通常、**大規模データセットを用いて学習**したものです。こういったモデルの隠れ層はすでに**優秀な特徴抽出器**になっており、それを少し違う別のデータに適用しても、それなりに**汎用的なパラメータ**を提供できます。ゼロから大量なデータを用いて長い時間をかけて学習を行う代わりに、転移学習を活用すると、手元のタスクについて、**少ないデータ量で、効率的に高精度を出せる**ことがメリットです。

学習済みモデルを新しいタスクに「使い回す」時に、**新しいタスクに特化した専用の層を出力層に近い部分に追加**します。上流の層はより「一般的な」特徴（領域の明暗や輪郭など）を抽出するので、画像認識モデル間で共通な要素が多いのに対して、CNNの出力層やそれに近い隠れ層は、特定のタスクに特化しています。そのため、**微調整や再訓練をするのは、主に**ネットワークの下流**のパラメータ**です。

転移学習において、学習済みモデルは以下のように活用されます。

① **学習済みモデルに新しいタスクのための層を追加／置き換える**
② **出力層に近い側のパラメータのみ訓練し、上流のパラメータは固定**
　再訓練に使えるデータ規模が小さい場合、訓練時間を節約したい場合に使う
③ **訓練済みモデルの全てのパラメータを再訓練**

一般的に、②と③（特に③）は、**ファインチューニング**と呼び、時間がかかるけれど、高い精度を狙いたい時に使われます。

転移学習の機能は、ディープラーニングのフレームワークにも含まれています。また、画像認識のために多くの優秀な学習済みモデルが転移学習のために公開されています。その多くは画像認識コンペで著しい成績を収めたものです。例えば、次節で紹介する、ImageNet を用いて学習した VGG-16 や ResNet などのパラメータは画像認識に有効的に活用されています。

3.9.6 モデルの軽量化

モデルを軽量化することによって、計算の効率化（GPU、メモリなど計算リソースの節約）、訓練データ準備の負担軽減、推論の高速化、省エネルギーといったメリットが期待できます。

特に、「訓練データ準備の負担軽減」について具体的に説明します。訓練データの量は、モデルの複雑さ、タスクの難易度、必要なデータのバリエーション、モデルの目標性能など、複数の要素によって決定されます。このような要素のうち、パラメータの数を減らすことでモデルを簡略化する（複雑さを減らす）ことができるので、過学習のリスクが下がるという利点があります。そうすると、**過学習を抑えるために必要な訓練データ量が少なくて済みます**。別の観点からいうと、軽量化によって、過学習がある程度抑えられるため、**同じ量の訓練データを使用しても、より汎化性能の高いモデルを訓練でき**

る可能性があります。

　以下では、モデルの軽量化の手段として、量子化、プルーニング、蒸留の３つについて紹介します。

■ 量子化

　パラメータをより小さいビット数で表現することにより、モデルの軽量化を図る手法です。32 ビット浮動小数点数から 8 ビット整数に変換するなど、少ない桁数の数値で代用します。量子化は、**ネットワークの構造を変えずにメモリ使用量と計算コストを削減できる**ことが利点です。一方で、パラメータを表す数値の精度が下がるため、モデルの精度も低下する可能性があり、軽量化と精度のバランスをとることが重要です。

> G 検定においては、アナログ音声をデジタル音声に変換する A-D 変換の文脈でも「量子化」という用語が登場（本書の Chapter4）しますが、こことは異なる意味であることに注意してください。

■ プルーニング(Pruning；枝刈り)

　ネットワークの一部の（比較的重要度の低い）ニューロンを剪定することで、モデルのサイズ（パラメータ数）と計算コストを軽減する手法です。経験上、モデルの精度に大きな影響を及ぼすことなくモデルを効果的に軽量化することが可能です。

　図 3.9.4 の左はプルーニング前のモデルの簡易図です。ここでは、各ノードが密に結合しています。ここで、図 3.9.4 の右のように、ノード間の重みが小さい箇所の接続を切断する手法がプルーニングです。計算の対象であるパラメータが減少することによって、モデルの軽量化と処理の高速化が期待できます。また、一般的にはプルーニングだけでは精度が落ちてしまうため、プルーニング後に再学習を行います。

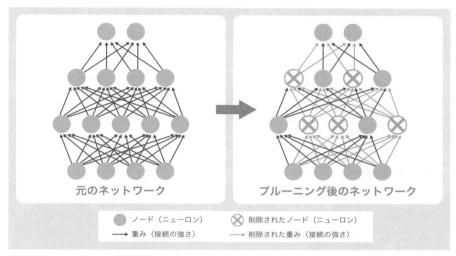

図 3.9.4：プルーニング前（左）と後（右）のネットワーク

■ 蒸留

　大きくて複雑なモデルやアンサンブル学習器を教師モデルとして、その知識（入力や予測出力）を小さくて単純なモデル（生徒モデル）に継承し、その学習に利用する手法です。 学習済みモデルが保有する知識を伝達することで、小さなモデルでも教師モデルと同等の性能を達成できる、という考え方は転移学習と似ています。一般的に蒸留は以下の流れで行われます。

① 大規模なデータセットを用いて、教師モデルを訓練する
② 学習済みの教師モデルを用いて、新たなデータセットに対して予測を行う
③ 教師モデルの予測出力を用いて、生徒モデルを教師モデルに近づくように訓練する

　②において、教師モデルが最も確率が高いと出力したクラスのみを用いた正解ラベルをハードラベル、全てのクラスに対する確率の出力値を用いた正解ラベルをソフトラベルと呼びます。通常、より情報量の多い**ソフトラベルを使って生徒モデルを訓練**します。

　図 3.9.5 の例において、教師モデルの出力スコアが ｛花：0.95、鍋：0.05、鳥：0.0｝です。このソフトラベルを使うと「花である可能性が一番高く、どこか鍋に似ている部分があるが、鳥に似ている部分はない」という幅広い情報を生徒モデルの訓練に利用することができます。これに対して、ハードラベルの場合は、教師モデルの正解である「花である」という情報しか利用できません。

量子化やプルーニングは情報を削減しながらモデルの軽量化を図るのに対し、蒸留は、情報量を増やしながらモデルを軽量化します。

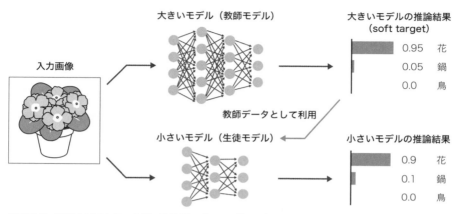

図 3.9.5：蒸留のプロセス。上部では教師モデルの予測、下部ではその出力を用いた生徒モデルの訓練。

ココが試験に出ます！

- **データ拡張**：データにランダムな変更（回転や平行移動など）を行うことによって**人工的に訓練データのバリエーションを増やす**。
- **転移学習**：膨大なデータで訓練した**学習済みモデルの汎用的なパラメータ値を別のタスクに応用**する。
- **ファインチューニング**：転移学習に用いる学習済みモデルに、**新しいタスクに特化した層を追加し、出力層に近い位置のパラメータを調整**する。
- **バッチ正規化**：層ごとに**標準化**（平均を引いて標準偏差で割る操作）を行うことで、データの分布の偏り（**内部共変量シフト**）を補正する。
- **ドロップアウト**：学習時に**一部のニューロンをランダムに無効化し、過学習を軽減し汎化性能を上げる**ための工夫。1つのノードの無効化の割合をpとすると、最終的に結果を出力する際に、当該ノードに（1-p）の重みをつける。

以下はモデルを軽量化する手段：

- **プルーニング（枝刈り）**：汎化性能への寄与度が比較的低いノード間の接続を切る
- **蒸留**：大規模モデル（教師モデル）への入力データとその出力を用いて、小さいモデル（生徒モデル）を学習する
- **量子化**：パラメータをより小さいビット数で表現する

有名なCNNのアーキテクチャ

本節では、画像認識の研究開発に大きなインパクトを与えてきた、転移学習にも利用される CNN モデルをいくつか紹介します。各モデルの工夫や性能に着目しましょう。

3.10.1 ネオコグニトロン

福島邦彦氏が 1982 年に発表した**ネオコグニトロン**は、CNN の先駆けと言えるモデルです。ネオコグニトロンは、**「特徴抽出を行う S 細胞層」と「位置ズレを許容する C 細胞層」を交互に重ねた多層構造を持つ神経回路モデル**で、ディープラーニングの原型とも言えます。この特徴的な S 細胞層と C 細胞層はそれぞれ、CNN の畳み込み層とプーリング層に対応します。

ネオコグニトロンと CNN の違いは、主にその学習方法にあります。ネオコグニトロンは、「add-if silent」という学習手法を用いるのに対し、CNN は誤差逆伝播法や勾配降下法などを用います。次に紹介する LeNet はネオコグニトロンの学習方法に誤差逆伝播法を適用した CNN モデルであり、両者の橋渡し役でした。

3.10.2 LeNet

1998 年にヤン・ルカン（Yann LeCun、現 Meta のチーフ AI 科学者）によって CNN の第一号と言える **LeNet** が提案されました。

LeNet は現在の CNN の基本的な要素をもっており、畳み込み層とプーリング層を交互に重ねたネットワークです。当時、文字認識のタスクにおいて高い性能を達成していました。LeNet では、プーリング層として、サブサンプリングを使用してデータを半分に圧縮していました。

3.10.3 AlexNet

3.8 節で紹介したように、2012 年に発表された **AlexNet** は、ILSVRC2012 で飛躍的な成績を残すことによってディープラーニングの火付け役となった CNN モデルです。

8 層のネットワークになっており、ドロップアウト、データ拡張、バッチ正規化など数々のテクニックを取り入れています。

3

ディープラーニングの基礎概念と応用技術

VGG

オックスフォード大学によって開発された **VGG** は、**2014 年の ILSVRC で 2 位の
成績**を収めました（この時の 1 位は後述の GoogLeNet）。図 3.10.1 のような驚くほど
シンプルでわかりやすいアーキテクチャであるため、その後も汎用的なモデルとして人
気が続いていました。

AlexNet と同様に、畳み込み層とプーリング層を重ねた「典型的な」CNN ですが、
AlexNet よりもネットワークを深くしています。重みを持つ隠れ層（畳み込み層や全
結合層）が 16 層あるモデルは「**VGG-16**」、隠れ層が 19 層あるのは「**VGG-19**」と
名付けられています。

当時は経験則的に、大きいフィルタで画像を一気に畳み込むよりも、**小さいフィルタ
を多数畳み込む**方が特徴をよりよく抽出でき、高い表現力を出せることが知られていま
した。VGG では小さなフィルタを使った畳み込み層を 2 つから 4 つ連続して重ね、そ
の間にプーリング層でサイズを半分にすることを繰り返すような構造をとっています。

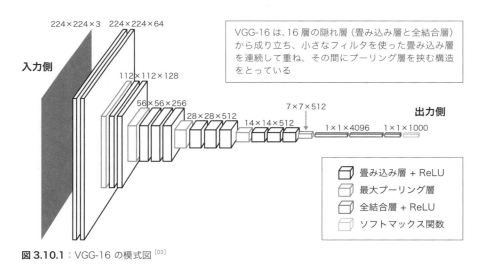

図 3.10.1：VGG-16 の模式図 [03]

3.10.5 **GoogLeNet**

Google 社によって開発された **GoogLeNet** は、**2014 年の ILSVRC で 1 位**になっ
たモデルです。**入力層から出力層まで一直線ではなく、異なるサイズの畳み込み層を並
列に並べたインセプション（Inception）モジュール**を組み合わせた、横に広がりを

持つ構造が特徴的です（図 3.10.2）。

　畳み込み処理の後に、全結合層の代わりに出力の直前で **Global Average Pooling**（**GAP**）を導入しています。GAP は、**各特徴マップの全ピクセルにわたる平均を計算し、特徴マップを一つのスカラー値にまで圧縮**します。空間的な情報を抽象化し、モデルが画像中の物体の位置や姿勢の変化に対して頑健（がんけん）になる効果があります。また、パラメータ数が削減され、過学習のリスクも減少します。

　これらの工夫により高い表現力を維持しつつ、過学習を抑え、パラメータ数を減らす効果もあります。さらに、ネットワークの中間の分岐点では、損失情報のフィードバックを得る **Auxiliary Classifier** を用います。Auxiliary Classifier は、学習中に追加の損失をネットワークにフィードバックすることで、深いネットワークでの**勾配消失問題を緩和**する効果が期待されます。GoogLeNet は「インセプションモデル」とも呼ばれ、その改良版に Inception-v3、Inception-v4、Inception-ResNet などがあります。

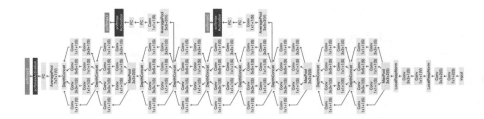

図 3.10.2：インセプションモジュールから構成される GoogLeNet の模式図 [04]

3.10.6 ResNet

　Kaiming He（当時 Microsoft Research）によって提案された **ResNet**（**Residual Network; 残差ネットワーク**）は、**2015 年の ILSVRC で優勝**したネットワークです。**非常にディープかつ表現力の高い**モデルとして、はじめてヒトの認識精度の誤差 5% を超えました。

　それまでの CNN では、表現力を高めるために層を深くしようとしましたが、深すぎると、勾配消失問題などにより性能が落ちるという壁にぶつかりました。ResNet ではこの問題を、**スキップ・コネクション**（**スキップ結合**）を取り入れることで解決しました（図 3.10.3）。スキップ・コネクション構造は、**ある層への入力を飛び越えて層をまたいで奥の層へ入力**する形式です。これにより勾配消失を防止しながら層が非常に多いネットワークを実現できました。ResNet は技術的には最大 1000 層くらいまで増や

3

ディープラーニングの基礎概念と応用技術

しても、しっかり学習できました（2015 年の ILSVRC 大会では 152 層）。前年優勝の
GoogLeNet の 22 層より遥かにディープにすることができました。

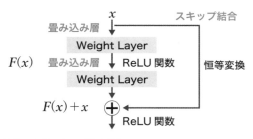

図 3.10.3：ResNet の特徴であるスキップ結合 [05]

3.10.7 EfficientNet

　近年、CNN モデルは、精度を上げるために、モデルをますます大きく（パラメー
タの数を多く）してきました。一般的に、モデルを大規模にすればするほど性能が高
くなると考えられているからです。例えば、ResNet は層の数を増やすことによって、
ResNet-18 から ResNet-200 まであります。

　モデルを大きくする際に、以下のようなことを試すことが多いです。

● **深さ（Depth）：層の数**
  ● **ネットワークを深くする**ことで、表現力を高くし、複雑な特徴表現を獲得できる
● **幅（Width）：各層のニューロン（ユニット）の数を増やす**
  ● **モデルを広くする（ユニット数を増やす）**ことで細かい特徴表現を獲得し、学習も
    高速化できる。特に小さめのモデルの精度を改善するために広さを調整することが
    有効
  ● しかし、モデルが浅い（層が多くない）のに広すぎる（ユニットが多すぎる）と、かえっ
    て高度な特徴表現を獲得しにくくなる
● **入力画像の解像度（Resolution）**
  ● 高解像度の入力画像を用いると、詳細な特徴を見出しやすくなる

　従来のアプローチでは、CNN の幅、深さ、画像の解像度などを「適当」にスケールアッ
プすることで、精度を高めようとしていました。ネットワークの深さや解像度の適切な
値に関しては不透明なことが多かったのです。とはいえ、このラフなアプローチをとっ

ても、精度をある程度、向上させることができました。

しかしながら、モデルが複雑なあまり、その学習に必要なデータ量と計算量がいくらでも膨らんでしまうことが問題になりました。

この事態を変えたのは、ICML2019 で発表された論文、"EfficientNet：Rethinking Model Scaling for Convolutional Neural Networks"[※1] において提案された、**モデルスケーリングの法則**です。端的にいうと、幅、深さ、解像度など、それぞれを何倍増やすかは、**複合係数（Compound Coefficient）** と呼ばれる係数を導入することで最適化し、CNN をスケールアップします。

この優秀なスケールアップ手法が、**EfficientNet** の開発につながりました。EfficientNet では Compound Coefficient に基づいて、**深さや広さ、解像度を最適化しながらスケール調整することで、小さなモデルで効率よく高い精度**を達成しています。ここでのポイントは、従来のモデルよりもパラメータ数を激減させた小さいモデルの達成です。モデルを小さくできることにより、EfficientNet は従来の CNN に比べて、モデルが効率化・高速化されました。

図 3.10.4 に示される、EfficientNet の模式図から、比較的シンプルかつ簡潔な構造をしていることがわかります。

図 3.10.4：ベースライン・ネットワークである EfficientNet-B0 のアーキテクチャ [06]

EfficientNet の性能を、図 3.10.5 に示します。これは、ImageNet のデータを用いた、既存の CNN モデルと数種類の EfficientNet 系モデルを比較した実験の結果です。

---

memo　※1　翻訳：EfficientNet：畳み込みニューラルネットワークモデルのスケーリングを再考する。

EfficientNet は既存モデルに比べて、**精度と効率の両面で優れている**ことがわかります。開発当時の最高精度を達成していると同時に、パラメータの数と計算量が数倍は減っています。例えば、代表的な ResNet-50 の精度 76.3% に比べて、EfficientNet-B4 は同じくらいの計算量で精度が 82.6% と 6.3% も改善しています。

さらに、EfficientNet は、シンプルな構造をしているため汎用性も高く、転移学習でも性能を発揮できることが示されています。EfficientNet はオープンソースとして公開されています。

> モデルの「深さ」と「広さ」と「解像度」の 3 つの要素をバランスよく調整したことがポイントです。

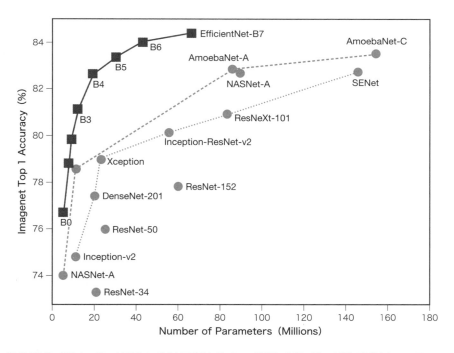

図 3.10.5：EfficientNet は従来の CNN モデルに比べて、精度と効率の面で大幅に改善されている
図中の暗い緑の実線と四角が何種類かの EfficientNet、横軸はパラメータの数（単位：100万）、
縦軸は ImageNet を用いた画像認識精度 [07]

リカレントニューラルネットワーク(RNN)

RNN は、ニューラルネットワークの一種であり、時系列データを
扱うのに適しているため、文章解析に使用可能です。

前節までは主に画像認識に使われる CNN について学びました。画像認識の他にも、
様々な分野において深層学習の応用技術が活躍しています。本節では、文章解析に使われる RNN について、後続の節では深層強化学習について学びます。

3.11.1 RNNとは

RNN（**リカレントニューラルネットワーク：再帰型ニューラルネットワーク**）の「リカレント」という言葉は、「再帰的」「繰り返し処理する」という意味です。
詳細な仕組みに入る前に、まずは以下の RNN の特性を覚えてください。

- **時系列データ**を扱うニューラルネットワークである。
- 一度処理した情報を同じセルに「記憶」できるので、**値の順序（例：単語の並び）**を解析できる
- サンプルごとに系列の長さが異なる**可変長データ**にも対応できる

時系列データとは、時間の経過に伴い変化する、順序に意味のあるデータを指します。
音声、言語、動画など、多様な分野で見受けられます。その特徴はデータ間の連続性と時間的な依存性であり、これにより「先行する言葉から次の言葉を予測する」や「株の過去の動きから未来の株価を予測する」などのタスクに活用されます。RNN は主に、機械翻訳、文章生成、音声認識、画像脚注生成（図 3.11.1）などに応用されてきました。

RNN の自然言語処理の分野における活躍については、Chapter4
で学習します。

砂漠の上でスキーしている人間

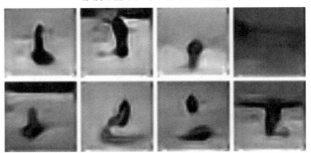

A person skiing on sand clad vast desert.

図 3.11.1：RNN を用いた自動画像脚注付の例 [08]

　では、RNN はなぜ時系列データの処理に使いやすいのでしょうか？ RNN の仕組みからその答えを見つけましょう。

　以下にあるような、「過去の単語系列から次の単語を予測する」タスクを考えましょう。空欄□にはどんな言葉が入るのか推測できますか？

今日の空は真っ青なので ☐ がいい。

　人間の場合は、空欄□より前の一連の単語の意味を理解した上で、それを踏まえて「天気」や「気分」などの単語を推測するでしょう。同じような推定はニューラルネットワークにも可能でしょうか？

　これまで学んだニューラルネットワークは、**フィードフォワード（順伝播型）**です。これは**データが入力側から出力側に向かって一方向に処理される**ことを意味します。順伝播型のネットワークは、時系列情報を扱うことに適していません。なぜなら、**情報の処理は全て時刻に関して独立に行い、時間順序に関する情報が削られてしまうため、複数の時刻にまたがる情報を同時に考慮できない**からです。例えば、先ほどの質問から、「今日」という単語が一度順伝播型ネットワークに入力され処理されると、次の単語「は」が入力される時には、以前入力された「今日」はネットワークの中で全く「記憶」されておらず、もう残っていません。

　これに対して RNN のセル内には、以前に処理した情報を現時刻に**フィードバック**する仕組みが特徴的です。「入力層→隠れ層→出力層」という順で重みが伝播することは今までと同じです。ではどこが違うのかというと、順伝播型では一方向的に独立的に情報を処理するのに対して、**RNN では過去の隠れ層と現在の隠れ層の間に情報の繋がりがあるため**、過去の時刻の情報を考慮しながら現時刻の情報を処理します。このように、時間順序の情報が削れないため RNN は時系列データを扱うことに適しているといえます。

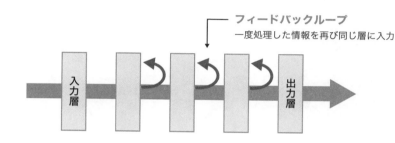

図3.11.2：RNN におけるフィードバックループの模式図

COLUMN ｜ **RNN の隠れ層における時系列データの処理のイメージ**

　RNN の仕組みを数学的に説明すると、**ある時刻 t の予測は、1つ前の隠れ層からの出力を入力として受け取って予測を行った結果**です。RNN の 1 つの層は「セル」とも呼ばれます。セルは各時刻 t ごとに、その内部状態はベクトル c_t で表されるとします。セルは現時刻 t における外部入力信号 x_t と 1 つ前の時刻の状態 c_{t-1} を入力として受け取り、出力 y_t を返す関数として解釈できます。

$$\begin{pmatrix} c_t \\ y_t \end{pmatrix} = f \begin{pmatrix} c_{t-1} \\ x_t \end{pmatrix}$$

x_t：現時刻の入力

c_t：現時刻のセル内部状態

c_{t-1}：1つ前の時刻のセル内部状態

y_t：現時刻の出力

RNNと可変長データ

RNNは時系列データを処理できるとともに、もう1つの重要な特徴は、**可変長の入出力**に対応できることです。つまり、入力データと出力データの時系列長を固定にする必要はなく、自由度の高い使い方が可能になります。

この特徴は、RNNを利用した機械翻訳に都合がいいです。翻訳元の文章（入力）と翻訳後の文章（出力）の単語数が一致しないことが当然よくありますよね。図3.11.3のように、英語で "The Earth is green" という単語系列は長さ4ですが、これを和訳すると「地球 は 緑」になり、単語系列は長さ3となります。一方で、中国語に翻訳すると英語と同じ長さ4です。このように、RNNでは入力と出力の長さが異なっても問題ありません。

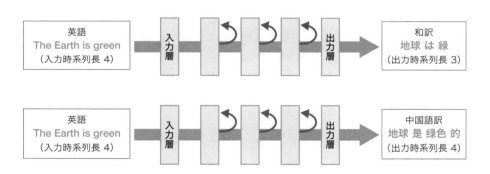

図3.11.3：RNNを用いた機械翻訳において、入力と出力で単語列長が一致しない例

RNNの自然言語処理への応用に関しては、Chapter4で学びます。その1つはRNNを用いたNeural Machine Translation（ニューラル機械翻訳）です。初期のニューラル機械翻訳モデルにはRNNから構成される**エンコーダ・デコーダ（Encoder-Decoder）**を利用していました。ルールベースや統計的手法の機械翻訳より精度が大きく改善しました。

ここでいう、**Encoder（エンコーダ）**と**Decoder（デコーダ）**はオートエンコーダで紹介したおなじみのパーツです。エンコーダでは可変長のデータとなる元の文章を取り込んで圧縮させ、デコーダでは可変長の翻訳後の文章を出力します。

3.11.3 RNNの学習における課題

RNN は 1980 年代に発明され、2000 年代後半にはじめてその技術が実用され始めました。この時間のギャップの理由は、**RNN はニューラルネットワーク全体の中で特に学習が難しい**からです。主な障壁が**勾配消失問題**と**重み衝突問題**です。

■ 問題点① 勾配消失問題

勾配消失問題は、ニューラルネットワークの全般的な問題です。RNN を時間方向に展開すると長い順伝播型モデルと見なせます。**時間ステップの分だけ深く**なるので、特別な工夫をしない限り、勾配消失が通常のニューラルネットワークよりも深刻になってしまいます。

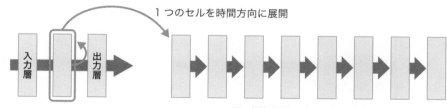

図 3.11.4：RNN を時間方向に展開した考え方

■ 問題点② 重み衝突問題

重み衝突問題は、時系列データを扱う上での特有の問題です。

RNN を時間方向に展開すると長い順伝播型モデルと見なせるため、モデルの最適化のために、一般的なニューラルネットワークと同様に誤差逆伝播が適用できます。RNN における誤差逆伝播は特に **Back Propagation Through Time（BPTT）**と呼びます。

「通常の」ニューラルネットワークでは、予測したいものと関係が深いデータが入力された場合は重みが大きく、逆に関係の薄いデータが入力された場合は重みが小さくなります。しかし時系列データの場合は、「ある過去の時刻の予測では重要度（重み）が低いが、別の時刻の予測では重要度（重み）が高くなる」というように、**過去のデータの重みを特定の値に決定できない**ことがあり、これを**重み衝突問題**といいます。入力に関する場合は**入力重み衝突問題**、出力に関する場合は**出力重み衝突問題**と呼び、いずれも学習を妨げます。

もう少し詳細に説明すると、RNNでは、各時刻で勾配が別々に計算されるのに対して、RNN全体では、重みは全時刻に共通な値に更新されます。そうすると、**ある時刻では大きい勾配、ある時刻では小さい勾配**、という不揃い状態になってしまいます。通常は各時刻の平均勾配で重みを更新します。ところが、「遅い」側の勾配が大きくなりがちであるため、「早い」側の重みは不適切に更新されてしまいます。重み衝突問題は、特に**長い系列データ**の場合に影響が大きく、RNNの精度が悪化します。

■ 課題を解決するLSTM

　上記で述べた問題を解決するために、**LSTM（Long Short Term Memory）**というRNNの改良版が開発されました。LSTMは、**セルへ出入りする情報を制御**する**ゲート**構造を設けることによって、従来のRNNよりも長い系列データを扱えるようになりました。ゲートは、学習に必要な**誤差情報を適宜メモリに「書き留める」**ことで、**勾配消失**を軽減することができます。また**不要になった情報を棄却**する機能もあります。

　LSTMのセルは**CEC（Constant Error Carousel）**と呼びます。そのセルへ出入りする情報を適切なタイミングで制御するのが「ゲート」構造です。

　LSTMのゲートには、**入力ゲート、出力ゲート、忘却ゲート**という3種類があります。各ゲートは活性化関数を用いて情報の取捨選択を行っています。

- 入力ゲート：入力重み衝突問題を防止するためのゲート機構（入力時の重みを制御）
- 出力ゲート：出力重み衝突問題を防止するためのゲート機構（出力時の重みを制御）
- 忘却ゲート：誤差が過剰にセルに停留することを防止し、リセットの役割を果たす

　ただ、LSTMでは各ゲートの最適化に多くの計算量を要していたので、**LSTMを簡略化した GRU（Gated Recurrent Unit）**というモデルが代わりに使われることもあります。GRUでは、入力ゲート、出力ゲート、忘却ゲートの代わりに、**リセットゲートと更新ゲート**の2種類が使われます。

言語モデルで「私は…」ではじまる一文が終了した後、数個の文の後に、かつて主語が「私」であったことは忘れたいですよね。こういう時はLSTMの忘却ゲートを利用します。

通常の LSTM のゲート（3 種類）および GRU のゲート（2 種類）は G 検定でよく問われます！

ココが試験に出ます！

- **RNN（リカレントニューラルネットワーク；再帰型ニューラルネットワーク）**：時系列データを扱うニューラルネットワーク。隠れ層のフィードバック機構の働きにより、**一度処理した情報を再び同じ層に入力し保持できるため、過去の入力や順序を考慮した予測が可能。**

- **BPTT（Back-Propagation Through Time）**：RNN における、時間軸に沿って誤差を伝播する仕組みであり、勾配消失問題の原因になりうる。

- **重み衝突問題**：RNN を時間方向に展開すると長い順伝播型モデルと見なせるが、一般的なニューラルネットワークと同じく誤差逆伝播が適用されるため、時系列データを扱う上、**「今の時刻では関係性が低いが、将来の時刻では関係性が高い」のような入力を与えた場合、重みを適切な値に設定しづらい。**

- **LSTM（Long Short Term Memory）**：従来の RNN の改良版。**長い系列の学習が困難である問題を軽減。** ゲート を取り入れて情報制御を行い、**長期的に保存したい情報をメモリに書き留め、不要な情報を忘却**する。
  - **入力ゲート**：入力重み衝突問題を防止するためのゲート機構（入力時の重みを制御）
  - **出力ゲート**：出力重み衝突問題を防止するためのゲート機構（出力時の重みを制御）
  - **忘却ゲート**：誤差が過剰にセルに停留することを防止し、リセットを行う

- **CEC（Constant Error Carousel）**：長期依存を学習できるようにした RNN の拡張モデルである LSTM における、過去のデータを保存するユニット。

- **CTC（Connectionist Temporal Classification）**：RNN を用いた自然言語処理において、**入力系列長と出力系列長が一致しなくてもよいように、空白文字（blank）を加えて処理をすることによって、形式的に系列長をそろえる**技術。

- **GRU**：LSTM を簡略化したモデル。3 種類のゲートの代わりにリセットゲートと更新ゲートの 2 種類が用いられる。

3

ディープラーニングの基礎概念と応用技術

CHAPTER
3.12

深層強化学習

本節では、強化学習の基本原理、そしてディープラーニングを取り入れた深層強化学習について学びます。深層強化学習の応用技術はChapter4 で紹介します。

Chapter2 からの復習ですが、強化学習は、教師あり学習、教師なし学習と並んで、機械学習の三大分野の 1 つです。従来では複雑なルールを持つゲーム（囲碁など）に活用されることがほとんどでした。近年では、自動運転やロボティクスなど応用の幅が広がっています。

【一言説明】強化学習とは

- **ある特定な状態下で、最大限の「ご褒美（報酬）」をもらうために、どのような行動をとるべきか**を学習するための機械学習手法
- **試行錯誤**や**探索**を通じて**意思決定のルール**を見出す
- 教師ラベルがなくても学習できる

3.12.1 強化学習の基本原理

強化学習の基本用語（エージェント、環境、状態、行動、報酬）の関係性は図 3.12.1 に示されています。

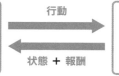

図 3.12.1：強化学習の基本原理を理解するためのキーワード

次の図 3.12.2 のように、強化学習では「**状態・行動・報酬**」に基づいて、意思決定のルールを見出します。エージェントとはゲームのプレイヤーのような存在であり、強化学習の「主体」です。このエージェントは、迷路のような「環境」が与えた「状態」の中で**行動**の試行錯誤を繰り返します。行動の 1 つひとつに対して、「どの程度よかったのか」

を示す指標として**報酬**が環境から与えられます。

　図 3.12.2 の❶～❺が繰り返されることで、最終的に**最大の報酬**をもらえるような**行動**を学習します。

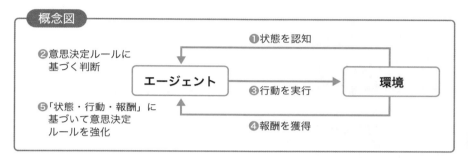

図 3.12.2：強化学習は「環境」の中で、「報酬」を最大化するように繰り返し「行動」を試行錯誤する

●強化学習は教師あり学習と混同してはいけない

　機械学習の三大分野のうち、強化学習と教師あり学習の違いをきちんと把握しておきましょう。

☑ 教師あり学習：事前に定められた正解に出力が近づくように学習する
☑ 強化学習：一連の行動の結果としての報酬を最大にするように学習する

　「ロボットの歩行訓練」を例に用いて、強化学習の教師あり学習に対する違いを図 3.12.3 に示しています。

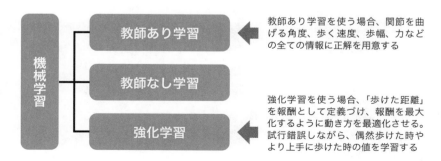

図 3.12.3：「ロボットの歩行訓練」における強化学習と教師あり学習の違い

強化学習におけるモデルの最適化

　ここでは、強化学習の理論に軽く触れましょう。状態と行動と報酬が各時刻で変わっていきます。スタート時点を 0 とし、任意の時刻 t における状態を s_t、行動を a_t、報酬を r_t と表すと、強化学習の大まかな流れは以下の通りです。

① エージェントは時刻 t において環境から状態 s_t を受け取る

② エージェントは状態 s_t のもとで行動 a_t を選択し、それを実行する

③ 環境が次の状態 s_{t+1} に遷移し、エージェントは報酬 r_{t+1} を受け取り、行動 a_t を評価する

④ 上記①から③を繰り返す

　強化学習の目的は、**将来にわたって獲得できる累積報酬を最大化するように行動を学習**することです。この累積報酬は、式 3.12.1 のように表すことができます。

$$R_{total} = r_{t+1} + \gamma \cdot r_{t+2} + \gamma^2 \cdot r_{t+3} + \cdots \qquad \cdots 式 3.12.1$$

　式 3.12.1 で、R_{total} は累積報酬、r_{t+1}、r_{t+2} などは各時刻(t+1, t+2, …)の報酬を表します。記号 γ は**割引率**を表し、**各時刻の報酬に割引率を乗算することで累積報酬を計算**しています。「将来のことは不確定だ」「報酬は未来の方が小さくなる」「未来まで待つことは損をする」といった考え方に基づき、将来時刻からのリターンを割引して加算しています。つまり、割引率は「**将来もらえる報酬をどれくらい現在の価値として考慮するか**」を表すハイパーパラメータです。

　割引率 γ は、**0〜1** の間の値をとります。γ が **1** に近いほど、将来もらえる報酬を減点せずに現在の報酬と同じくらい価値があるものとして考慮します。逆に、γ が **0** に近いほど、将来の報酬よりも現在の報酬に重きを置きます。

■ 2つのアプローチ:方策と価値関数

　報酬を最大にするための行動を求めるには、主に 2 つのアプローチがあります。

① **最適な方策を直接的に見つける**

② **行動価値関数を最大にするような行動を求める**

　この２つのアプローチの間には、最適化に使用する関数など共通の要素も多いため、体系的に理解することがなかなか難しいと感じます。したがって、以下では両者の違いを可能な限りわかりやすく説明したいと思います。

　①最適な方策を直接的に導き出す手法として、**方策勾配法**（Policy Gradient Method）が代表的です。ここで、「方策」とは、「ある状態において行動を選択するための作戦」と言い換えることができます。方策をパラメータで表現可能な関数とします。**累積報酬の期待値が最大となるように、関数のパラメータを勾配降下法を用いて逐次的に更新しながら、直接的に方策を最適化**します。

　方策勾配法は、ロボット制御など、特に行動の選択肢が多い場合に使われます。なぜならば、そのようなケースでは②で述べる「各行動の価値」を１つひとつ計算する計算量が膨大になってしまい、**方策を表現するパラメータを直接最適化**するアプローチをとった方がよいという判断になるからです。しかし、方策を最適化することが難しい時もあり、その時は②のアプローチが使われます。

　②**ある状態と行動から得られる将来の累積報酬の期待値**を、その状態と行動の価値とします。**価値が最大となるような行動を導き出すことで、最適な行動を選択する能力が間接的に得られます**。このタイプの手法として、**Q学習**が代表的であり、数多くの強化学習のアルゴリズムに使われています。

　具体的には、価値を評価するために、**価値関数**（Value Function）を用います。価値関数には、状態価値関数（V関数）と行動価値関数（Q関数）の２種類があります。**状態価値関数 V(s)** は、**特定の状態sから開始して方策πにしたがうときの価値（累積報酬の期待値）** を表しています。一方、**行動価値関数 Q(s, a)** は、**特定の状態sにおいて特定の方策にしたがって行動aを取ったときに、将来もらえる価値（累積報酬の期待値）** を表しています。

　問題設定によっては、状態価値関数と行動価値関数のいずれか、もしくは両方が使われますが、行動価値関数の方が比較的多く用いられています。「価値関数」というと「行動価値関数」を指していることが多いです。

　①と②のそれぞれの代表である方策勾配法とQ学習の違いを以下のようにまとめます。

行動の最適化：方策勾配法は、**方策**（エージェントがどのように行動を選択するか）そのものを直接的に最適化しようとします。一方、Q学習は、**行動価値関数（Q関数）**を最適化することで、最適な行動を選択する能力が間接的に得られます。

関数の更新：方策勾配法は勾配降下法を使用して方策を更新するのに対し、Q学習は、ベルマン方程式に基づく動的計画法を使用して行動価値関数Qを更新します。

安定性と収束性：理論的には、特定の条件（マルコフ決定過程、無限試行など）を満たせば、Q学習は最適な価値関数に収束可能です。これに対して、方策勾配法は報酬を最大化する方策に収束しようとする中で、局所最適解に収束する可能性もあります。

非常に大切な用語なので復習しましょう。行動価値関数(Q関数)とは、エージェントの行動を最適化するにあたって、ある状態にあるときに、ある方策にしたがってある**行動を取った後に評価として得られた価値（報酬の期待値）**を定義するための関数です。

行動価値関数（Q関数）は、ある時点でとった行動による即時報酬だけでなく、未来に渡る価値の見積もりも考慮しています。

■ バンディットアルゴリズム

最大の報酬を得るために、とりうる行動の膨大な組み合わせの中から最善の行動を選択することは、かなり煩雑です。

強化学習において、一連の試行錯誤の後に報酬が高かった行動を積極的に選択しようとすることを、専門用語で「**活用**」（**Exploitation**）と呼びます。逆に、より高い報酬をもたらす別の行動がないかを探すことを「**探索**」（**Exploration**）と呼びます。活用と探索はトレードオフの関係にあり、そのバランスを整えることが重要です。**バンディットアルゴリズム**（**Bandit Algorithm**）は、「活用と探索のトレードオフ」を解決する問題として知られています。バンディットアルゴリズムには、一定の確率でエージェントにランダムな行動を選択させるε - **greedy法**を用いています。以下に説明します。

　状態と行動のセット（s,a）に対して価値を推定した後に、その状態における最も価値の高い行動を（その時点での）最適行動とします。**常にそのような最適行動を選択**することを **greedy 法**と呼びます。

　しかし、単なる greedy 方策ではさらによい方策がないのかを探索できないため、探索を可能にする要素を取り入れる必要があります。これに対して、ε - greedy 法では、**確率 ε でランダムな行動（探索）を選択し、($1 - \varepsilon$）の確率でこれまで最も報酬の高かった行動（活用）を選択**します。このように、ε - greedy 法はこの探索と利用のバランスを取るための方法として解釈することができます。

> G 検定でよく出る「greedy 法」では、常に価値関数が最大になるような行動を選ぶ決定的方策です。「greedy」（グリーディー）とは「欲張り」という意味ですよ。

■ マルコフ決定過程モデル

　マルコフ性（Markov Property）とは、確率プロセスにおいて、**未来の状態が現在の状態にのみ依存し、過去の状態やどのように現在の状態に達したかには依存しない**という性質を指します。強化学習では**環境がマルコフ性を持つことを仮定**することが多いです。つまり、時刻 t における行動 a_t について、状態 s_t から次の状態 s_{t+1} への遷移は、現在の状態と選択された行動 a_t にのみ依存し、それ以前の状態や行動には依存しないと仮定します。このように状態遷移にマルコフ性を仮定したモデルのことを**マルコフ決定過程**（Markov Decision Process）と呼びます。

　普通に考えれば、報酬は過去の全ての出来事に依存すると捉えるのは自然でしょう。しかし、過去の全ての情報を行動選択のプロセスに盛り込もうとすると、計算コストが非常に大きくなります。そこで、マルコフ性を仮定することによって、**現在の状態 s_t と行動 a_t さえ与えれば、将来の状態 s_{t+1} に遷移する確率を導出する**モデルが実現されます。また、逐次的に計算を繰り返すことによって、現在の値には過去の全ての時刻の情報が考慮されていることになります。

3.12.3 価値ベースの強化学習手法

3.12.2 で紹介した、価値を最大にする行動を選択する「価値ベース」の手法をここで具体的に学びます。強化学習には多数のアルゴリズムが考案されています。それらを分類するための考え方も様々です（on-policy と off-policy、モデルベースとモデルフリー　他）。ここでは、動的計画法、モンテカルロ法、TD 学習の 3 種類に分けて考えましょう。このうち、動的計画法は状態遷移確率と価値関数を知る必要のある「モデルベース」の手法で、モンテカルロ法と TD 学習はその必要のない「モデルフリー」の手法です。

以下では、得られる報酬の期待値である「行動価値関数」の値を「Q 値」と記すことがあります。

ちょっと復習しましょう。行動価値関数を「Q 値」と呼びます。Q 値とは、各状態に対する行動により得られる**報酬の期待値**です。強化学習の「価値」とは「**最終的にもらえる報酬の期待値**」と解釈することができます。

動的計画法（Dynamic Programming）は、初期の強化学習の手法の一つです。モデルのパラメータに対して Bellman 最適方程式を解いて最適な方策を得るというアプローチです。**モデルのパラメータ（状態遷移確率と価値関数）が既知の場合にのみ使用可能**ですが、現実世界の多くの問題においてはこれが満たされないため、動的計画法の適用範囲は限定的です。

モンテカルロ法（Monte Carlo Method）は、ランダムに多数のパターンを探索する手法で、各ステップで行動するたびに価値関数（Q 値）の更新を行うのではなく、**報酬が得られるまで行動し、報酬を得た段階で過去の価値関数を一気に更新**することが特徴です。言い換えると、報酬が得られた時点で、辿ってきた状態と行動に対してその報酬を分配します。このように、一連の行動が終了し、報酬が得られるまで Q 値を更新できないため、時間が長くかかることもあります。

TD 学習（Temporal Difference; 時間的差分）は、実際の経験（エージェントと

環境の交互作用）に基づいて学習します。つまり、「今、選択する行動によって、価値の高い状態に遷移できるか」を評価するために、**実際にエージェントを行動させ、次の時点の状態を確認しながら Q 値を更新し続けることで、行動を最適化し、方策を間接的に改善**していくアプローチです。

　現実世界の複雑な問題に効率的に対応できる観点から、上記の 2 つの手法よりも、TD 学習の方が実務で多く採用されています。

　以下では、TD 学習の具体的なアルゴリズムである、Q 学習と SARSA を紹介します。両者は、方策関数 π を固定し、行動価値関数のみ学習する価値ベースの手法であることが共通点です。異なる点は、価値関数を更新する計算式です。

■ Q学習
　Q 学習（Q-Learning）では、各時刻における状態とエージェントの行動とそれに対する評価に基づいて Q 値（行動価値関数）を更新します。
　具体的には、状態 s を起点として行動 a を選択し、その行動をとって状態 s' に移行します。続いて行動価値関数 Q(s, a) を更新したいので、**最も価値の高い行動 a' と状態 s' の組み合わせ (s', a') を用いて、Q 値を更新**します。
　この過程は、以下の式 3.12.2 で表すことができます。

$$Q(s,a) \leftarrow Q(s,a) + \alpha \left(r + \gamma \max_{a'} Q(s',a') - Q(s,a) \right) \quad \cdots 式 3.12.2$$

　ここで、Q(s, a) は状態 s と行動 a における行動価値関数（Q 値）、γ は割引率、α は学習率です。**現在の Q 値（Q(s, a)）と得られる最大の Q 値（maxQ(s', a')）の差分（= TD ; Temporal Difference）を使って、現在の Q 値を更新**しています。式 3.12.2 の中の max 関数が、最も価値の高い行動を選択する役割を担っています。

Q 値は、次の状態がどれくらいの価値を持つかを見積もっています。Q学習は、その価値の見積もりを推定される最大値にしましょう、という考え方です。

■ SARSA

SARSA は Q 学習と同じく、エージェントが実際にとった行動に基づいて、行動価値関数（Q 値）を更新する TD 学習の一種です。Q 学習との違いは、**実際の行動を Q 値の更新に用いている**ことです。

具体的には、エージェントが状態 s で行動 a を選び、報酬 r を得て次の状態 s' に移行し、その状態で行動 a' を選んだ場合、その経験（s, a, r, s', a'）を用いて Q 値を更新します。

SARSA における Q 値の更新は、式 3.12.3 のように表すことができます。

$$Q(s,a) \leftarrow Q(s,a) + \alpha(r + \gamma\, Q(s',a') - Q(s,a)) \quad \cdots \text{式 3.12.3}$$

ここで、γ は割引率、α は学習率です。**現在の Q 値（Q(s,a)）と、次のステップで実際に得られる Q 値（Q(s',a')）の差分（= TD；Temporal Difference）を使って、現在の Q 値を更新**しています。そこからさらに次のステップの状態と行動で同様に Q 値の更新を繰り返していきます。Q 学習の式 3.12.2 と違って、式 3.12.3 では max 関数を使用していないことに注目してください。

以上の価値ベースの手法をまとめましょう。

Q 学習や SARSA では、行動した結果と過去の推定値の差をもとに、各ステップで行動価値関数（Q 値）が更新されます。このように各ステップで Q 値を更新する方法を TD（Temporal Difference）学習といいます。

これらに対して、モンテカルロ法は各ステップでは更新を行わず、報酬が得られるまで行動し、報酬を得た段階で、辿ってきた状態と行動に対してその報酬を分配し、過去の価値関数を一気に更新します。これにより、**TD 学習**はモンテカルロ法より効率的といえます。

また、同じ TD 学習でも、SARSA は各ステップで実際にとった行動を用いて Q 値を更新するのに対し、Q 学習は最大の価値をもたらすと推定される行動を用います。

Q 学習では、Q 値の更新に用いる行動を現在の方策に基づいて決めるのではなく、最大の Q 値を持つ行動かどうかで決めるということです。「実際にとる行動」と「価値関数の更新に用いる行動」が異なるため、Q 学習は、**方策オフ（off-policy）**の TD 学習法とも呼ばれます。これに対して、SARSA の更新式では実際に選択した行動 a' を使っているので、**方策オン (on-policy)** の TD 学習と呼びます。

3.12.4 深層強化学習の登場

　1990年代に注目された強化学習の研究は、2000年以降に一度衰退しはじめました。以下のような困難により、現実世界の複雑な問題に対応しきれないと考えられたためです。

- 「状態」を表現することが難しい
- 現実的な時間内で最善の行動を判断することが難しい

　従来型の強化学習では、とりうる行動の全ての組み合わせを計算する必要があるため、現実的な速度で課題に対応できないわけです。この問題を改善したのは、**ディープラーニングと強化学習を組み合わせた** 深層強化学習です。強化学習にディープラーニングを取り入れることによって、学習にとって本質的な情報を見つけ出しやすくなりました。深層強化学習では、行動の最適化が改善され、従来に比べて使い道が広がりました。

　深層強化学習の代表的な手法は、**DQN（Deep Q-Network）**です。基本的な思想はQ学習と似ていますが、DQNは、**行動価値関数（特定の状態において特定の方策にしたがって取った行動に対する価値を定義する関数）を近似**するために**CNN**を用いていることが「深層強化学習」としてのポイントです。状態と行動と報酬をまとめた「Qテーブル」に対し、ディープラーニングで回帰を施し、これを近似することで、**状態の数が膨大になっても学習を現実的な時間内で終了**することができます。

　DQNの発案当初、エージェントから得られるサンプルが時系列的に相関を持つことが問題となりました。一般的に、サンプル間の相関は学習に悪影響を及ぼします。そこで、DQNに取り入れたのは、**Experience Replay（経験再生）**という工夫です。サンプルのバッファーから一度に複数のサンプルを取り出してミニバッチ学習を行う仕組みによって、サンプル間の相関による影響を軽減することができました。

　DQNの初期の有名な事例は、2013年に**Atari**社のブロック崩しゲームで人間のスコアを超え、反響を引き起こしたことです。その後2015〜17年に**DeepMind**社開発の**AlphaGo（アルファ碁）**が世界トップの棋士を打ち倒しました。AlphaGoでは碁盤の学習、状態や行動の評価にCNNを使用し、打つべき手の探索にモンテカルロ木探索法を使用します。2017年10月には、**完全自己対局**で学習する強化版の**AlphaGo Zero**も開発しました。

　その後、DQNをベースとして、深層強化学習のアルゴリズムが数多く開発されました。

現在の深層強化学習は上記のような難しいゲーム以外に、自動運転、ロボティクスにも活用されています。Chapter4 ではこれらについて学びましょう。

ココが試験に出ます！

- エージェントは環境から受け取った状態のもとで、なるべく高い報酬を受け取れるような行動を選択できるように学習を行う。
- 割引率：「将来もらえる報酬をどれくらい現在の価値として考慮するか」を表すハイパーパラメータで 0 と 1 の間の値を取る。将来からのリターンを割引して累積報酬を計算する。
- バンディットアルゴリズム：報酬が高かった行動を積極的に選択しようとする「活用」と、別の行動を探す「探索」のバランスを整えることに用いられる。
- Q 値（状態行動価値）：各状態に対する行動により得られる報酬の期待値。
- 行動価値関数：Q(s, a) は、特定の状態 s において特定の方策にしたがって行動 a を取ったときに、将来もらえる価値（累積報酬の期待値）を表す。

以下は行動を最適化する手段：

① 最適な方策を直接的に見つける

　方策勾配法が代表的。方策関数のパラメータを勾配降下法で逐次的に更新しながら、直接的に方策（を表現するパラメータ）を最適化する。

② 行動価値関数を最大にするような行動を求めることで間接的に方策を改善する

　Q 学習が代表的。価値が最大となる行動を導き出すことで、最適な行動を選択する能力が間接的に得られる。

- モンテカルロ法（Monte Carlo Method）：ランダムに多数のパターンを探索する手法。行動するたびに Q 値の更新を行うことはせず、報酬が得られるまで行動し、報酬を得た段階で過去の価値関数を一気に更新する。
- TD 学習（時間的差分）：実際にエージェントを行動させ、次の時点の状態を確認しながら Q 値を更新し続けることで行動を最適化し、方策を間接的に改善する。
- SARSA は各ステップで実際にとった行動を用いて Q 値を更新する、方策オン（on-policy）の TD 学習法
- Q 学習は最大の価値をもたらすと推定される行動を用いる、方策オフ（off-policy）の TD 学習法

- **greedy 法**：その時の状態における**価値関数が最大となるような行動を常に採用し**方策を決定する。

- **ε - greedy 法**：探索可能な行動範囲を広げるために、**一定の確率εでランダムな行動**をとらせる。

- **マルコフ性**：**現在の状態にのみ依存**し、過去の状態には一切依存しないという仮定。

- **マルコフ決定過程**（**Markov Decision Process**）：マルコフ性に基づき、現在の状態と行動だけから将来の状態に遷移する確率を導出するモデル。

- **DQN**（**Deep Q-Network**）：深層強化学習の代表的な手法。DeepMind 社により開発。設計の基本的な思想は強化学習の Q 学習に基づいており、**行動価値関数（Q値）を表現するためにディープラーニングを用いることで、膨大な数の状態の学習を可能**にする。

- **Experience Replay**（**経験再生**）：DQN においてサンプルのバッファーから一度に複数のサンプルを取り出してミニバッチ学習を行う仕組みによって、サンプル間の相関による影響を軽減する手法。

- **AlphaGo**：DeepMind 社開発の囲碁 AI。碁盤の学習、状態や行動の評価に CNN を使用し、打つべき手の探索にモンテカルロ木探索法を使用。

- **AlphaGo Zero**：AlphaGo の強化版。自己のプレイデータだけで強くなる**完全自己対局**での学習が可能。

3

ディープラーニングの基礎概念と応用技術

3 Generalist Exam
[clear explanations and quality exercises]
Powerful textbook leading you to success!

章末問題
End-of-chapter problems

問1　以下の文章を読み、（ア）に最もよく当てはまる選択肢を1つ選べ。

ニューラルネットワークモデルの予測値を実際の値に近づけるように学習を行うために、（ア）を定義し、その値を最小化するようにモデルのパラメータを更新する。

1. カーネル関数
2. 損失関数
3. 活性化関数
4. 価値関数

解答・解説　　正解 2

選択肢 2 が正しい解答である。

学習の目的は、「モデルの予測出力と実際の値との誤差を最小化すること」です。モデルの**出力と正解の間の誤差**を表すのが**損失関数**（誤差関数）であり、これを最小化するように、ネットワークのパラメータ（重みなど）が更新されていきます。

- 選択肢 1：カーネル関数はサポートベクトルマシン（SVM）において、写像後の空間で線形分類できるように、データを高次元に写像するために使う関数です。
- 選択肢 3：活性化関数は、ネットワークの層間に伝播する信号を調整する関数です。
- 選択肢 4：価値関数とは、強化学習においてエージェントがある状態に存在したり、行動を選択したりすることにどれくらい価値があるのかを定量化した関数です。

問2　以下の文章を読み、（ア）（イ）の組み合わせとして、最も適切な選択肢を1つ選べ。

ニューラルネットワークの中では、予測誤差に関する情報を参考にして重みの更新を行っており、誤差に関する情報はネットワークの中で（ア）していく。この仕組みに由来するネットワークの学習の問題は（イ）である。

1.（ア）出力層から入力層まで伝播　　（イ）誤差消失問題
2.（ア）入力層から出力層まで伝播　　（イ）重み衝突問題
3.（ア）出力層から入力層まで伝播　　（イ）勾配消失問題
4.（ア）入力層から出力層まで伝播　　（イ）誤差消失問題

解答・解説　　正解 3

選択肢 **3** が正しい組み合わせである。

ニューラルネットワークにおける**誤差逆伝播**とは、**出力側から入力側に向かって逆方向に誤差情報を伝播**し、その順で隠れ層の重みが更新されることです。

誤差逆伝播法によって**勾配消失問題**が引き起こされやすくなります。具体的には、ネットワークが深くなると、勾配（重みの更新に必要な情報）が正しくネットワークの上流に反映されなくなり、ニューラルネットワークの学習が停滞してしまいます。

....

問 3　　**活性化関数に関する記述のうち、最も不適切な選択肢を 1 つ選べ。**

1. 活性化関数は、ニューロンからの出力データを適切な形に整える役割を持つ。
2. ReLU 関数は、誤差情報が正しく伝播することに貢献している。
3. シグモイド関数は Tanh 関数より勾配消失問題が生じやすい傾向にある。
4. ReLU 関数の派生版である Leaky ReLU 関数は、元の ReLU 関数よりも性能が改善されているケースが多い。

解答・解説　　正解 4

選択肢 **4** が誤った内容である。

活性化関数として歴史的にシグモイド関数や Tanh 関数（ハイパボリックタンジェント関数）が使用されてきました。しかし、これらは**入力値が小さい値または大きい値になった場合、ネットワークの中で誤差の情報が正しく伝播されなくなる「勾配消失問題」**が生じてしまいます。そこで、隠れ層における活性化関数の主流を **ReLU 関数（Rectified Linear Unit 関数）**に切り替えることにより勾配消失問題が軽減されました。それ以降、Leaky ReLU など ReLU 関数の派生版も考案されましたが、経験的に、**元の ReLU 関数の方が性能が高い**ことは珍しくありません。

....

問 4　　**以下の文章を読み、（ア）のアルゴリズムとして最も適切な選択肢を 1 つ選べ。**

ニューラルネットワークの最適解は解析的な手法（理論的な数式の変形による解法）で求めることができず、（ア）を用いて少しずつパラメータを更新していく中で最適解に近づく。

1. 境界要素法　　　　　　　　　　　　2. 局所最適化法
3. 勾配降下法　　　　　　　　　　　　4. 誤差逆伝播法

選択肢 **3** が正しい解答である。

勾配降下法では、損失関数の勾配（接線の傾き）に沿って、損失関数を減らすようなパラメータ値を探索しながら、**大域最適解**に向けて逐次的に値を更新していきます。これはニューラルネットワークの学習法の基本的なアプローチです。

- 選択肢 1：境界要素法は、解析的に解きにくい微分方程式の近似解を得る数値解析手法であり、構造力学分野などで使われます。本題には該当しません。

- 選択肢 2：「局所最適化法」は、局所最適解を求めるための方法ですが、機械学習によるパラメータ更新では通常、局所最適解は望ましくない解であり、この文脈で適切な手法ではありません。

- 選択肢 4：**誤差逆伝播法**とは重みを更新するために必要な誤差情報をネットワークの中で伝達する方法です。

....

問 5   以下の文章を読み、（ア）に当てはまるものとして最も適切な選択肢を1つ選べ。

学習の中で、最適なパラメータの設定にたどり着くまでに、パラメータを何（ア）分も繰り返し更新する必要がある。ただし、（ア）はパラメータが更新された回数を表す量である。

1. サイクル   2. エポック
3. バッチ   4. イテレーション

解答・解説   正解 4

選択肢 **4** が正しい解答である。

パラメータの最適解に落ち着くまで、学習を何度も繰り返し行う必要があります。その過程の中で、同じ学習データが何回も学習に使用されます。パラメータを一度更新することを、1回の**イテレーション（iteration）**をこなしたといいます。

- 選択肢 2：**エポック（epoch）**は、**同じ訓練データが何回繰り返し学習に使われた**のかを表す量であり、イテレーションと混同しやすいので要注意です。

問 6　ニューラルネットワークのパラメータを更新する手法は複数ある。訓練データを複数のグループに分けて、グループごとにネットワークに入力して損失関数を計算し、パラメータを更新する仕組みとして、最も適切な選択肢を 1 つ選べ。

1. ミニバッチ学習
2. オンライン学習
3. オフライン学習
4. 最急降下法

解答・解説　　正解 1

選択肢 **1** が正しい解答である。

勾配降下法には、いくつかのバリエーションがあります。一気に全てのデータを一回の更新に使う方法や一度に 1 件のデータのみ使用する方法などが挙げられます。これらに対して、**ミニバッチ学習**では、毎回一部のサンプルからなる一部のデータ（**ミニバッチ**）を取り出して、それを使ってパラメータを更新します。一度に使うデータ数（**バッチサイズ**）が比較的少ないため、**パラメータの変化に対して損失関数が敏感に反応**し、そのため傾きが 0 に近い地点でも**学習が停滞しづらい**傾向にあります。

このような、一定数のサンプルを使って徐々に更新する手法が多くの場合において効率的であることが経験的に知られており、本章で取り上げる「確率的勾配降下法」にも採用されています。

....

問 7　　ドロップアウトの説明として、最も適切な選択肢を 1 つ選べ。

1. 誤認識が発生するサンプルを訓練データから排除すること。
2. 過学習の予兆が見える手前で学習を打ち切ること。
3. ランダムに一部のニューロンを無効化しながら学習を進めること。
4. 汎化性能の向上への寄与が少ないノード間の接続を削除することでモデルの軽量化を図ること。

解答・解説　　正解 3

選択肢 **3** が正しい解答である。

ドロップアウトは、学習時に、ミニバッチごとに**ランダムに一部のニューロンを無効化**することで、**過学習を軽減**し**汎化性能**を上げるための工夫です。ドロップアウトを取り入れたモデルは、ミニバッチごとに異なるノードで構成される「少しずつ異なるニューラルネットワーク」を多数組み合わせているため、ランダムフォレストなどのアンサンブル学習器と概念が似ています。

蒸留に関する記述として、最も不適切な選択肢を 1 つ選べ。

大きいモデルやアンサンブルモデルを教師モデルとして準備し、その教師モデルの推論結果を生徒モデルの学習に利用することで、軽量でありながら教師モデルと同等の精度を期待できるモデルを作成する手法である。

1. 蒸留には、モデルの軽量化を実現することが期待できる。
2. 蒸留における生徒モデルは教師モデルと同等の精度を期待できる。
3. 蒸留とは、学習済みモデルへの入力と出力を用いて新しいモデルを学習する手法である。
4. 蒸留とは、モデルの学習済みパラメータを新しいタスクのために転用する手法である。

解答・解説　　正解 4

選択肢 4 が誤った内容である。
蒸留とは、**大きくて複雑なモデルを**教師モデル**として、その入力や推論の結果を、小さくて単純なモデル（**生徒モデル**）に継承**し、その学習に利用する手法です。大きな学習済みモデルが保有する知識を伝達することで、小さなモデルでも教師モデルと同等の性能を達成することが期待できると同時に、**モデルの軽量化**を実現します。
したがって、選択肢 1、2、3 は蒸留に関する正しい内容です。

• 選択肢 4：膨大なデータで訓練した学習済みモデルを別のタスクに応用することは**転移学習**に関する内容です。

⋯⋯

問 9　　**以下の文章を読み、空欄（ア）（イ）の組み合わせとして、最も適切な選択肢を 1 つ選べ。**

モデルのサイズ（パラメータ数）を圧縮することにより、学習の高速化や効率化を期待できる。（ア）はネットワークの一部の（比較的重要度の低い）ニューロンを剪定する手法である。（イ）は、パラメータをより小さいビット数で表現する手法である。

1.（ア）プルーニング　　（イ）粒子化
2.（ア）枝刈り　　　　　（イ）標準化
3.（ア）プルーニング　　（イ）量子化
4.（ア）ドロップアウト　（イ）一元化

解答・解説　正解 3

選択肢 **3** が正しい組み合わせである。

プルーニング（枝刈り）とは、**ネットワークの一部の（比較的重要度の低い、汎化性能の向上に貢献の少ない）ニューロンを剪定する（ニューロン間の接続を切る）**ことで、モデルのサイズ（パラメータ数）と計算コストを軽減する手法です。一般的にはプルーニング後に再学習を行います。

量子化とは、**パラメータをより小さいビット数で表現**することにより、ネットワークの構造を変えずにメモリ使用量と計算コストを削減する手法です。

（※）Chapter4 の内容である音声処理における A-D 変換の文脈での「量子化」と混同しないように要注意です。

プルーニングと量子化は蒸留とともに、モデルの軽量化に効果的な手法です。

問 10　以下の文章を読み、（ア）（イ）に当てはまる用語の組み合わせとして、最も適切な選択肢を 1 つ選べ。

CNN では、元の画像の上にフィルタを重ねて（ア）を行い、その結果を（イ）へ射影する。

1.（ア）ブースティング　　（イ）特徴マップ
2.（ア）畳み込み演算　　　（イ）特徴マップ
3.（ア）ブースティング　　（イ）プーリング層
4.（ア）畳み込み演算　　　（イ）プーリング層

解答・解説　正解 2

選択肢 **2** が正しい組み合わせである。

CNN の**畳み込み層**の役割は、**入力画像から特徴を抽出**することです。画像には**フィルタ（カーネル）**という小さな画像をかけて**畳み込み演算**を行います。その計算結果の集合体として、画像認識に必要な特徴表現を含む**特徴マップ**が新しい画像データとして生成されます。この特徴マップは CNN の次の層への入力データとして渡され、より高度な特徴量を抽出するための材料として使われます。

問 11　**GoogLeNet に関する説明として、最も適切な選択肢を 1 つ選べ。**

1. 入力層から出力層まで一直線の構造をしているのが特徴である。
2. ILSVRC で 2015 年に勝利し、ヒトの認識精度をはじめて超えた画像認識モデルである。
3. スキップ結合と呼ばれる、層を飛び越えた結合を行うことで過学習を抑制している。
4. Inception モジュールを組み合わせているネットワーク構造である。

選択肢 **4** が正しい解答である。

GoogLeNet は、2014 年の ILSVRC で 1 位になった CNN モデルです。ネットワークの構造は入力層から出力層まで一直線ではなく、異なる大きさの畳み込み層を並列に並べた**インセプション（Inception）モジュール**を組み合わせた、横に広がりを持った構造が特徴的です。

- 選択肢 2、3：スキップ結合を特徴とする CNN モデルの **ResNet** に関する記述です。

....

問 12　　リカレントニューラルネットワーク（RNN）に期待される利点として、最も適切な選択肢を 1 つ選べ。

1. 少数の正解ラベル付きのデータを用いて、ラベルが付与されていないデータの擬似的ラベルを予測できるため、モデルの訓練データを準備するコストが軽減される。
2. ミニバッチごとにデータを水増しすることで、訓練データを準備するコストが軽減される。
3. 過去の時刻に入力された情報をネットワーク内に保持することで、文脈を考慮したテキスト解析を実現できる。
4. 試行錯誤を通じて、与えられた環境の中で行動を最適化できる。

解答・解説　　正解 3

選択肢 **3** が正しい解答である。

RNN のセルの内部にはフィードバックの仕組みがあり、一度処理した情報も同じ層にその「記憶」が保持されています。**過去の隠れ層と現在の隠れ層の間に繋がり（情報の伝播）があるため、過去の入力を考慮した予測が可能**となります。また、時間順序の情報が削れないため、RNN は時系列データを扱うことに適しています。

- 選択肢 1：半教師あり学習に関する記述です。
- 選択肢 2：データ拡張に関する記述です。
- 選択肢 4：強化学習に関する記述です。

....

問 13　　リカレントニューラルネットワーク（RNN）に関する記述として、最も不適切な選択肢を 1 つ選べ。

1. 時間軸に沿って伝播する重みの更新と一般的なニューラルネットワークとしての重みの更新の間で矛盾が起きやすい。
2. LSTM は長期依存を学習できるようにした RNN の拡張モデルである。
3. RNN は、同じく再帰型モデルである GRU の軽量版である。
4. CEC は RNN における過去のデータを保存するユニットである。

解答・解説 正解 3

選択肢 **3** が誤った内容である。
記述とは逆に、**GRU（Gated Recurrent Unit）**は LSTM の軽量版です。LSTM では各ゲートの最適化に多くの計算量を要しているので、LSTM を簡略化した GRU が開発されました。
他の選択肢は RNN に関する正しい内容です。

- 選択肢 1：RNN の仕組みの一部である **Back Propagation Through Time（BPTT）** と関連して、**重み衝突問題**（過去のデータの重みを特定の値に決定できない）が起きやすいです。
- 選択肢 4：**CEC（Constant Error Carousel）**とは、LSTM のセルを指しており、ここを通じて伝播される情報をゲートで制御しています。

問 14 **Deep Q-Network（DQN）の説明として、最も不適切な選択肢を 1 つ選べ。**

1. Deep Q-Network（DQN）は畳み込みニューラルネットワーク（CNN）と一緒に使用されることがある。
2. DQN では、多数の行動の選択肢から最適な 1 種類に絞るために、ε -greedy 法を導入している。
3. DQN をベースとして様々な深層強化学習のアルゴリズムが開発された。
4. DQN の価値関数の表現にディープニューラルネットワーク（DNN）が使用されている。

解答・解説 正解 2

選択肢 **2** が誤った内容である。
Deep Q-Network（DQN）では、（行動の選択肢を絞るためではなく）**行動探索の範囲を広げる**ために、**ε - greedy 法**を導入しています。常に価値の最も高い行動を選び続けるという **greedy 法**をとった場合、行動の探索範囲が狭くなるという問題が指摘されています。これに対処すべく、意図的に外乱を与え、**一定の確率 ε でランダムな行動**をとらせながら強化学習を行う手法が ε - greedy 法です（ε はイプシロンと発音する）。
他の選択肢は DQN に関する正しい記述です。

- 選択肢 1：DQN は DeepMind 社によって開発されており、同社が開発した囲碁 AI である **AlphaGo** において、DQN と碁盤の画像認識を行う CNN が一緒に使用されています。
- 選択肢 4：深層強化学習の手法である DQN では、従来の強化学習とは異なり、**Q 値（状態行動価値；各状態に対する行動により得られる報酬の期待値）**を計算する際に、DNN を使用します。「DNN」はディープな（層の数が多い）ニューラルネットワーク、あるいはディープラーニングとほぼ同じ意味と解釈してよいです。

以下の文章を読み、空欄（ア）に入る選択肢として最も適切なものを1つ選べ。

オートエンコーダは、現在のディープラーニングを用いた画像認識の元になったアルゴリズムと言われている。オートエンコーダは入力が正解と同じであり、出力を入力に近づけるように隠れ層で特徴を抽出する（ア）の手法である。

1. 教師あり学習
2. オンライン学習
3. バッチ学習
4. 教師なし学習

解答・解説 正解 4

選択肢 4 が正しい解答である。

オートエンコーダでは、入力層と出力層の間に隠れ層が位置し、隠れ層では、入力されたデータを一度圧縮し、重要な情報のみ抽出します。出力層において、入力層と同じデータになるように復元を行います。外部から出力に対する正解が与えられているわけではなく、エンコーダとデコーダで形成されるモデルの内部において、**次元削減**を行うことで特徴量の抽出を行います。よって、教師なし学習と解釈するのが正しいです。

CHAPTER 4

ディープラーニング
の研究分野

Advances in Deep Learning Research

前章ではニューラルネットワークの仕組みに関する深い理解を身につけました。本章では、その知識を活かして、一般物体認識、自然言語処理、音声認識、生成 AI、ロボティクス、マルチモーダル AI など、ディープラーニングの数多くの応用分野について学びます。各技術について、用語の暗記というよりも、「開発された背景」と「最新動向」を捉えることに注力するとよいでしょう。

一般物体認識

前章では、CNN を用いた画像認識について学びました。ここでは、画像認識の概念を拡張し、物体を背景から切り出してクラス認識をする「一般物体認識」を解説します。

4.1.1 一般物体認識とは

「画像認識」とはそもそも何でしょうか。一般的に「画像認識」とは、「画像や動画から特徴を見出し、対象物を識別する技術」と定義することができます。人間の場合、対象物を「視覚」で捉え、経験を基に「理解」し判断します。AI の場合、画像をピクセルごとの情報（色合いや明るさなど）の集合体として捉え、大量の画像データを用いて学習を行うことで、画像の被写体を認識するための特徴量を抽出できるようになります。

本書ではこれまでに、畳み込みニューラルネットワーク（CNN）の仕組みをまず理解していただくため、「1 つの画像に写っているものは 1 つのクラス（物体）だけ」と簡単な仮定をして画像認識を解説してきました。

しかし、現実世界では、画像中の複数の物体に対する予測を行う技術が必要であり、これを**一般物体認識**（Generic Object Recognition）と呼びます。

例えば、みかんとりんごを分類する画像認識モデルを考えましょう。単純に考えると、みかんとりんごのどちらか一方だけが写った画像を集め、クラスのラベル（「みかん」または「りんご」）を付与し、そのデータを用いてモデルを学習します。ここまでは前章まで学んだ後ならイメージしやすいですよね。

ところが、「みかんとりんごの両方」が画像に混在する場合、あるいは、「みかんとりんごとお皿とテーブルクロス」のように、**複数の物体と背景が画像に共存する場合、モデルは何を手がかりに、どういう値を予測すればよいのでしょうか。**

画像中に含まれる複数の物体を切り分けて認識する際に、先述の一般物体認識を利用します。本節では、この一般物体認識のいくつかの手法について解説していきます。

> カメラで身の回りの写真を撮ったとします。物体が 1 つだけではなく、複数の物体が写り、さらに壁紙や空やビルの壁などの「背景」も一緒に写っているのが普通ですよね？

4.1.2 一般物体認識の全体的なプロセス

一般物体認識の難点として、次の点などが挙げられます。

- 物体が属するクラスの名称の範囲が広い
- 物体を背景や他のクラスの物体から切り出さなければいけない
- 特徴を抽出する作業が複雑

画像に複数の物体が写っている場合、各々のクラスを識別する前に、各物体の位置を特定する必要があります。一般的に行われている手段としては、**物体候補を「ウィンドウ」で囲み、各ウィンドウ中の物体を、クラス予測用の分類器に渡し画像認識を行います**。物体ではない場合は「背景」として認識します。

まとめると、一般物体認識は次の2種のタスクから成り立ちます。

● **物体検出／同定（Object Detection / Localization）**

画像の中で物体がどこにあるのか？
この領域が物体なのか背景なのか？

● **物体認識／分類（Classification）**

どのクラスに属する物体なのか？

4.3節では、「物体検出」とは異なる一般物体認識の手法である「セマンティックセグメンテーション」を紹介します。長方形で領域を特定するのではなく、物体の輪郭を画素単位で非常に精密に切り出します。一般的に、「物体検出」という用語は、バウンディングボックスを用いた手法を指すので、混同しないように注意してください。

4.1.3 物体検出

物体検出とは、画像に写っている**物体の位置とカテゴリ（クラス）**を検出する手法の1つです。物体が存在しうる候補領域を**関心領域（ROI; Region of Interest）**と呼びます。図4.1.1のように、各物体を、**バウンディングボックス（Bounding Box）**と呼ぶ長方形で囲み、その位置（関心領域）を切り出します。これは、長方形の座標を予測する回帰問題に帰着します。入力画像において全ての候補領域を洗い出した後に、**候補領域を画像分類器に入力**します。

右側縦書き：**4 ディープラーニングの研究分野**

図 4.1.1：バウンディングボックスを用いた物体検出の例 [01] ※1

　次節では、物体検出からクラス識別までの全体的プロセスを、具体的な手法の紹介を交えて解説します。物体検出を使用した一般画像認識の手法は、**R-CNN**、**Fast R-CNN**、**Faster R-CNN**、**SSD**、**YOLO** などが有名です。

ココが試験に出ます！

- **物体検出**：**バウンディングボックス**（矩形）を用いて物体の候補領域を切り出した後に、画像分類器でクラスを推定する。
- R-CNN では物体候補領域の検出に **Selective Search** を利用し、色や強度などが類似する隣接ピクセルをグルーピングする。
- R-CNN を高速化した改良版：**Fast R-CNN** は「全体に対して一度のみ CNN を適用」すること、**Faster R-CNN**、**SSD**、**YOLO** は「領域の切り出しと物体認識を同時に行う」ことで高速化を実現。

memo　※1　[00] 表記で注釈を入れている番号は P.474-476 に参考文献があり。なお、番号は章ごとに設定し直している。

物体検出の具体的な手法

本節では、物体検出の具体的なアルゴリズムを学びます。物体検出の元祖手法である R-CNN をはじめとし、予測の高速化・効率化に注目した発展版も開発されています。

4.2.1 Regional CNN (R-CNN)

物体検出の原型となるモデルは、2014 年に発表された **R-CNN**（**Regional CNN**）です。図 4.2.1 にその全体像が示されています。R-CNN では、画像内の物体の候補領域を特定した後に、画像認識のための特徴量を抽出し、物体のクラスを推定します。入力は画像データであり、出力は画像内の各物体の領域を示すボックスとクラスラベルです。

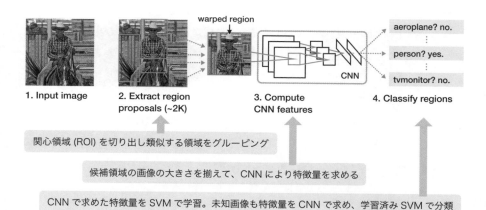

図 4.2.1：R-CNN では、物体の位置を検出してから、その物体が何であるかのラベルを出力する [02]

物体が存在しそうな領域を洗い出す課題は**物体候補領域検出**（**Region Proposal**）と呼ばれ、これには **Selective Search** というアルゴリズムを採用しています。Selective Search では、**色や強度などが類似している隣接ピクセルをグルーピングする**ことで、複数のセグメントに分割します。これによって得られた領域のそれぞれに対して、**CNN で特徴を抽出し、SVM でクラス分類**を行います。

R-CNN の全体プロセスは、以下の流れとしてまとめることができます。

①**物体が存在すると思われる領域を検出**
　物体候補領域（関心領域；ROI）を、**バウンディングボックス**で切り出した後、画素粒度でグルーピングすることで物体らしき領域を見出す。

②**画像の整形、特徴量を算出**
　全てのボックスを同じ寸法にリサイズする。領域ごとに個別に **CNN** を呼び出し、画像から特徴量を抽出する。

③**特徴量を学習し、画像認識を行う**
　CNN で求めた特徴量を **SVM** によって学習し、クラス識別モデルを構築する。未知の画像が入力された場合は、学習時と同様に CNN で求めた特徴量を基に学習済みの SVM で分類する。

4.2.2 高速R-CNN（Fast R-CNN, Faster R-CNN）

　R-CNN に使われる CNN は特徴量抽出の精度が高い反面、計算コストが高い手法です。従来の R-CNN は**多数の物体候補領域のそれぞれに対し、CNN を呼び出して**複雑なタスク（画像リサイズや CNN のファインチューニングと特徴量抽出）を行う必要がありました。そのため、**処理が重たく時間がかかる**ことが課題でした。

　この課題を解決すべく、R-CNN の改良版である**高速 R-CNN（Fast R-CNN）**が開発されました（図 4.2.2）。従来の R-CNN では領域候補の数だけ CNN を毎回走らせていたことが問題でした。Fast R-CNN ではこの問題点に着目し、**全体に対して一度のみ CNN を適用**した後に、CNN で得られた特徴マップを入力とし物体認識を行うことにしました。この工夫によって**計算量を減らせて高速化を実現**できました。

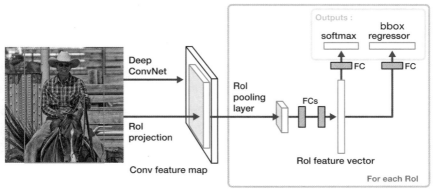

図 4.2.2：Fast R-CNN は関心領域の全体を 1 つにして特徴量を求める [03]

　ところで、Fast R-CNN は元祖の R-CNN と同様に、Region Proposal の計算に Selective Search を採用しており、そこで費やす時間が全体の大部分（論文の実験では 80% 以上）を占めていました。そこで、さらに高速化させた **Faster R-CNN** が開発されました。

　Faster R-CNN で行われる工夫は、**関心領域の切り出しと物体認識を同時に行うこと**です。これにより、リアルタイムな物体検出（5fps 以上）が実現可能となったため、**Faster R-CNN を動画に応用**できるようになりました。図 4.2.3 に Faster R-CNN による物体検出の結果の例が示されています。図のように全ての物体候補領域に対して一度にクラス分類の結果（確率値）が出力されています。

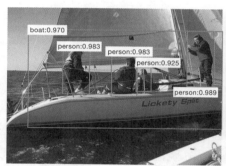

図 4.2.3：Faster R-CNN による物体検出の結果：画像の中の全ての物体候補領域に対して一度にクラス分類の結果が確率で出力される [04]

4.2.3　その他の物体検出の発展モデル

　Faster R-CNN と同じく**「物体領域の切り出しと物体認識を同時に行う」**ことを特徴とする高速版モデルがその後相次いで登場しました。2016 年に、**YOLO（You Only Look Once）**と **SSD（Single Shot Detector）**[05] が開発されました。名前が示唆する通り、アルゴリズムは**1 つの CNN で完結し、領域推定と分類を同時に行う**ため、**処理が高速**です。これらの原型はやはり元祖の R-CNN と考えることができます。

CHAPTER
4.3

セグメンテーションを用いた物体認識

本節では、「物体検出」とは別のアプローチとして、物体領域を画素単位で精密に切り出す一般物体認識の手法を紹介します。

4.3.1 セマンティックセグメンテーション

　セマンティックセグメンテーション（Semantic Segmentation）とは、物体領域を画素単位で切り出し、各画素をクラスに割り当てる、一般物体認識の手法です。図4.3.1 にその適用例が示されており、ここではバイクと乗車している人間の境界を精密に描いています。

　セマンティックセグメンテーションは、工業検査、自動運転、衛星画像や医療画像の解析など、精密な領域分割が必要な分野に応用されています。代表的な学習データセットに、VOC2012 と MSCOCO があります。

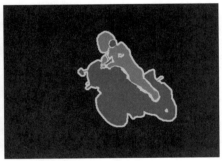

図 4.3.1：右側は左側の画像にセマンティックセグメンテーションを適用した後の例 [06]

> 図 4.3.1 を見ると、物体と物体の間、物体と背景の間の境界線（輪郭線）を画素単位という高い精度でくっきりと予測しているのがわかりますね。

■ 完全畳み込みネットワーク（FCN）

セマンティックセグメンテーションの有名なモデルの1つは、**完全畳み込みネットワーク（FCN ; Fully Convolutional Network）**です。その特徴は、最初から最後まで**全ての層が畳み込み層**（およびプーリング層）であり、全結合層を有しないことです。「名前が似ている CNN と何が違うのか」という観点から、FCN の仕組みを詳細に説明します。

● 【FCN vs CNN・その1】教師データのラベル

教師データにおいて、同一カテゴリに属する物体が同一ラベルとして扱われることは共通です。一方で、CNN は**画像ごとにラベル**が付けられるのに対して、FCN では**画素ごとにラベル**付けした教師データを与えて学習させます。FCN では、未知画像が入力された時も同様に、**画素ごとにカテゴリを予測**します。

● 【FCN vs CNN・その2】出力ノードの数

CNN では、分類対象クラスの数だけ出力層のノード数があります。これに対して、FCN では、**画素ごとにカテゴリを付与**するため、出力ノードはかなり大きな数（縦画素数×横画素数×（カテゴリ数＋1[※1]））になります。

● 【FCN vs CNN・その3】入力画像のサイズ

CNN は全結合層を持つため、事前に画像を統一的にリサイズする必要があります。これに対して、FCN では**入力画像のサイズは可変**であることが許されています。ただし、出力画像が入力画像と同じサイズになるように設計されています。

■ 代表的なセマンティックセグメンテーションのモデル

セマンティックセグメンテーションには、FCN 以外にも代表的なモデルがあります。**SegNet** は、CNN からなるエンコーダを用いて入力画像から特徴マップを抽出し、アップサンプリング層からなるデコーダを用いて、特徴マップと元の画像の画素位置の対応関係をマッピングします。SegNet の特徴として、エンコーダの特徴の代わりに、**Max プーリング**からのインデックスを使用してデコーダを誘導することで、FCN に比べて**メモリ効率を上げ**ています。

---

memo　　※1　カテゴリ数＋1の「1」は背景を「1つのカテゴリ」として扱うために加えている。

U-Net は、SegNet と同じくエンコーダとデコーダで構成されています。名称の "U" はネットワークの形が U 字型に見えることに由来します。エンコーダとデコーダの間に**スキップ接続**を取り入れていることが特徴です。これは、**エンコーダの各層で出力される特徴マップをデコーダの対応する各層の特徴マップに連結**する手法です。スキップ接続により、エンコーダからの情報をデコーダに直接伝えることができます。深いネットワークの中でも、詳細な情報を保持し伝達することができ、エッジや細かい特徴もよく捉えることができます。U-Net は学習用画像の数が比較的少なくてもセグメンテーションの精度がよい上、学習および学習済みモデルによるデータ処理が高速です。医療画像分析のような精密なタスクで高いパフォーマンスを示しています。

4.3.2 インスタンスセグメンテーション

次に、**セマンティックセグメンテーションと物体検出を統合**した**インスタンスセグメンテーション（Instance Segmentation）**を紹介します。まずバウンディングボックスを用いた「物体検出」を行い、画像内における**物体のおおよその位置を把握**した後に、各々の**物体の輪郭を画素単位で切り出す**「セグメンテーション」を行います。

セマンティックセグメンテーションでは、物体クラス単位でしか画素を分類できないため、複数の物体が重なっていたり、同一クラスに属する別々の物体の場合は、境界判別が困難となってしまいます。これに対して、**インスタンスセグメンテーションは同じクラスに属しても別々の物体として扱うため、物体の形状を正確に捉える**ことができます。

前節で紹介した YOLO は、リアルタイムにワンステップで物体検出を行うアルゴリズムです。インスタンスセグメンテーションの有名な手法の１つである **YOLACT** は、それと同様に「ワンステップ」でインスタンスセグメンテーションを行います。

4.3.3 Mask R-CNN

Mask R-CNN は、Faster R-CNN を拡張したインスタンスセグメンテーションのためのアルゴリズムで、Faster R-CNN の物体検出機能にセグメンテーションの機能を付加する形で進化した手法と解釈することができます。2017 年に、Kaiming He（何愷明；米 Meta AI）らが提案しました。

Mask R-CNN は Faster R-CNN に加えて、画素単位でクラス分類を行った上、**物体の形を精密に推定**することもできます。2017 年に開催された ICCV[※1] にて、Mask

R-CNN が Best Paper[※2] に選出されたほど、有能な手法です。

　以下が Mask R-CNN [07] の大まかな流れです。まず、画像中の物体らしき領域とその領域の中の物体クラスを検出します。物体らしき領域は複数個が検出され、その中から「物体らしさ」がある閾値以上の領域のみに絞り込むことで、精度の高い結果が得られます。

Mask R-CNN を用いた物体認識では、人物の姿勢や関節の角度などの細部まで推定可能

図 4.3.2：インスタンスセグメンテーションを施した結果 [08]

　クラスの確率は「物体らしき領域」ごとに得られ、領域ごとに最も確率が高いクラスのみを採用します。セグメンテーションとは画像中の画素ごとにクラスを予測することを指します。Mask R-CNN では、画像の中の全ての画素ではなく、**物体検出で絞られた物体候補領域についてのみセグメンテーション**することで、効率アップを図っています。学習済みの Mask R-CNN のモデルからは、図 4.3.2 のような高精度なセグメンテーションが得られます。

---

memo　※1　コンピュータビジョンの最高峰のカンファレンスは ICCV（International Conference on Computer Vision）であり、ここでは最先端の研究内容が集まる。
　　　　※2　Mask R-CNN の原論文は［03］を参照。

矩形の位置を一意に識別するために、一時的には画像内の各物体について合計 5 つの変数を予測します。

bounding_box_top_left_x_coordinate（左上 x 座標）
bounding_box_top_left_y_coordinate（左上 y 座標）
bounding_box_width（幅）
bounding_box_height（高さ）
class_name（クラスラベル）

画像中の物体は様々なサイズなのに、**ウィンドウサイズ**をどう定めるのでしょうか？実際、元の画像を複数サイズにリサイズ（一般的には縮小）したバージョンを用意し、その中からウィンドウ内に物体が完全に含まれるものを見つけます。こうして、全ての画像について、固定サイズのウィンドウ検出を実行することができます。

ココが試験に出ます！

- **物体検出**：バウンディングボックス（矩形）を用いて物体の**候補領域を切り出した後に、画像分類器でクラスを推定**する。

- R-CNN では物体候補領域の検出に **Selective Search** を利用し、色や強度などが類似する隣接ピクセルをグルーピングする。

- R-CNN を高速化した改良版：**Fast R-CNN は「全体に対して一度のみ CNN を適用すること、Faster R-CNN、SSD、YOLO は「領域の切り出しと物体認識を同時に行うことで高速化を実現。**

- **セマンティックセグメンテーション**：物体の**輪郭を画素単位で精密に切り出し、各画素にクラスを割り当てる。**代表的なモデルは **FCN**、**U-Net**、**SegNet** など。

- **FCN（Fully Convolutional Network; 完全畳み込みネットワーク）**：**全ての層が畳み込み層**から成り立つ。画素ごとにラベル付けした教師データで学習し、未知画像に対し、**画素ごとにカテゴリを予測**する。

- **SegNet**：エンコーダを用いて入力画像から特徴マップを抽出し、デコーダを用いて特徴マップと元の画像の画素位置の対応関係をマッピングする。メモリ効率が FCN より高い。

- **インスタンスセグメンテーション**：物体検出とセマンティックセグメンテーションを統合した手法。**重なった物体や同一クラスに属する物体の境界・形状の判別が強み。**代表的なモデルは **YOLACT** や **MASK R-CNN** など。

CHAPTER
4.4
自然言語処理

ディープラーニングを用いた手法の前に、まず自然言語処理の基本的なタスクを紹介します。

4.4.1 自然言語処理とは

自然言語処理（Natural Language Processing; NLP）とは、人間が日常的に使う**「自然言語」を統計的に解析できる形に変換し、機械で処理する一連の技術**のことです。言語学と統計分析を、機械学習の技術と融合させることで実用化されています。

画像ピクセルや音声の振幅は数値としてイメージしやすいけど、自由記述の文章は、何を取っ掛かりに解析すればよいか想像できないですね。

文章データの前処理を行い、単語をうまく数値化することで、有効な特徴量を作れますよ。

自然言語に含まれる文化的なばらつきや曖昧さが、機械で処理する際の「ルール化」を難しくしています。画像のピクセル値や音声の振幅とは違って、言葉が最初から「物理的な実数値」[※1]として表現されていません。したがって、文章そのままの形では機械で処理ができません。**機械学習に有効に使えるためには、適切な「前処理」をテキストデータにあらかじめ施す必要があります。**その1つは、**単語を「記号」から、ベクトルや行列で計算できる「数値」に変換**することです。

ただし、どんな数値でもよいというわけではありません。有意義な解析結果を得るためには、数値ベクトルに**「単語の意味」**や**「単語間の関係性」**を表現できる必要があります。近年、ディープラーニングを取り入れることで、自然言語処理の精度が著しく改

---

memo ※1 ここで「物理的な実数値」とは、「物理的に区別可能な状態を数値で表現したもの」の意味。例えば、画像の各ピクセルは、赤緑青の3色（RGB）に対応する整数値で表現することができる。

善し、機械翻訳や文章生成など様々なタスクに応用されています。まず、その背景にある、自然言語を機械によって扱いやすくするための基礎技術を解説します。

4.4.2 形態素解析

　自然言語処理でほぼ最初に行うのは、文章を「意味を持つ表現要素の最小単位」に分割し、辞書を参照しながら各要素の**品詞**を推定することです。この解析作業を**形態素解析**（Morphological Analysis）と呼びます。英語などの欧米系言語に関しては、単語は空白（スペース）で区切られており、形態素解析も空白の箇所で分割するだけなので、シンプルです。一方で、日本語や中国語などは単語間にスペースがないため、形態素解析は複雑なルールにしたがって行われます。日本語の形態素解析ツールとして、様々な辞書を利用している **MeCab**、**JUMAN**、**Janome** [09] などが有名です。

　図 4.4.1 に形態素解析を日本語の一文に対して実施した例があります。この解析で得られる、最小単位要素である**形態素**を後続の自然言語処理への入力として使用します。

図 4.4.1：形態素解析は、単語を最小単位に区切り、各要素の品詞を推定する

　実際、上記で解説されている形態素解析は「分かち書き」とも呼ばれる手法です。日本語のような「単語がスペースで区切られていない言語」を最小単位に分割するために、形態素解析の他に、**N-gram** という手法も使われています。文字数（N）の窓を設定し、**文章を N 文字あるいは N 単語ずつ区切りながら分解**するアプローチです。N の数によって名前が付けられ、N = 1 はユニグラム、N = 2 はバイグラム、N = 3 はトライグラムと呼ばれることもあります。

　以下は、「人工知能の性能が上がった」という文に対して N=3 個の連続する単語や文字の系列（N-gram）に分解している例です。4 つの「3 個の単語のグループ」に分割されます。

人工知能の性能 / の性能が / 性能が上 / が上がった

　以上のように、N-gram では、グループ間で単語の重なりがあるため、単語間のローカルな依存関係を捉えることができます。これは**文脈の把握**、そして、**複数の意味を持つ単語の曖昧性の解消**に効果的です。

4.4.3 自然言語処理の一般的なフロー

　図 4.4.2 には、自然言語処理の基本的な流れが示されています。処理フローの各々のプロセスを以下で解説します。

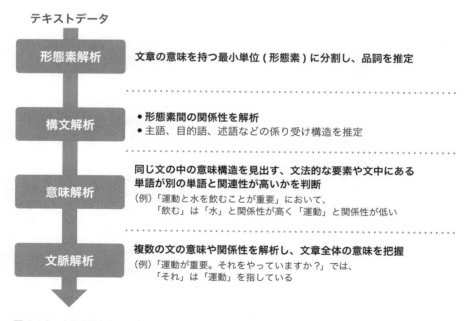

図 4.4.2：自然言語処理の一般的なフロー

■ 構文解析

形態素解析の終了後に、形態素間の関係性を文法的に解析する手法が**構文解析**です。主に、**主部や述部などの係り受け構造**を推定します。特定の国の言語には、その言語の特徴を考慮した構文解析の手法が使われます。日本語の場合、構文的依存関係を解析するツールとして、**CaboCha** や **KNP** [10] が有名です。

■ 意味解析

形態素解析と構文解析が終了した後に、**同じ文の中の意味構造を見出す**ために**意味解析**を行います。言葉の通り、**文章の意味を正しく把握**するために、文法的な要素だけではなく、文中にある単語同士の関連性を解析します。

例えば、「運動と水を飲むことが重要です。」という一文においては、「飲む」は「水」と関連性が高いけれど、「飲む」と「運動」の関連性は低いです。仮に「運動を飲む」と「水を飲む」を合併して「『運動と水』を飲む」と書いても、文法上は合っていたとしても意味がかなりおかしいですよね。

■ 文脈解析

意味解析は単一の文の単語間の関係性を解析するのに対して、**文脈解析**は、**複数文の関係性を解析することで、文章全体の意味を把握**するための作業です。

例えば、「健康のために運動は重要です。それをちゃんとやっていますか？ 私はやっていません。」という 3 つの文から成り立つ文章を考えましょう。この場合、文脈解析を通じて、「それ」は「運動」を指しており、さらに 3 つ目の文の「やっていない」は「運動」のことを示していると判断することができます。

文脈解析の代表例をここで 2 つ挙げます。**照応解析**は、文章内に存在する**代名詞などの照応表現が指している箇所を推定**する手法です。例えば、「これは珍しい花だ。」という文中の代名詞「これ」は「花」を指していることを推定します。

談話構造解析は、**文章の中の文と文の間の意味的構造から因果や背景など**を解明するための手法です。例えば「私は植物園に行ってきた。普段見ない珍しい花に出会った。それで笑顔になった。」という 3 つの文の間に何らかのつながりがあります。第 3 文目の「笑顔になった」には主語が明示されていません。しかし、文間のつながりを解析することで、その主人公は「私」であることがわかります。

4.4.4 自然言語処理のためのデータ前処理

　機械学習を用いた言語解析に適した形となるように、テキストデータに前処理を施すことが不可欠です。以下が最も基本となる前処理作業です。

① **形態素解析**：**意味を持つ最小単位**に分割し、品詞を特定する（4.4.2 の通り）

② **データクレンジング**：テキストデータに散在する**不要な文字列**を除去する。除去対象の１つは**ストップワード**であり、情報量が少ない単語、解析に関係ない単語（日本語の「は」「の」「です」や英語の a, the, of など）を指します。

③ **Bag-of-Words**（**BoW**）：文章における**単語の出現頻度**を考慮した**数値ベクトル**に変換する

④ **TF-IDF**：単語に**重要度を付与**する（以下にて説明）

　TF-IDF の計算法は G 検定に問われることが少なくないので、もっと詳細に説明します。

　TF-IDF とは、特定の単語が文書内でどれだけ重要かを定量化した指標であり、TFと IDF の積で計算されます。

● **TF（Term Frequency）** とは、「**ある文書の中の特定の単語の出現頻度**」を表す指標であり、文書中の特定の単語の出現回数を全単語数で割ったものである。

● **IDF（Inverse Document Frequency）** とは、「**全文書中で特定の単語を含む文書がどれくらい少ない頻度で存在するか（文章間のその単語の珍しさ）**」を表す指標で、全文書数をその単語が出現する文書の数で割った値の対数をとったものである。

　具体例を見ていきましょう。

以下の文書 1、文書 2、文書 3 の中で "sales" という単語の TF-IDF を計算しましょう。

文書 1："We saw an increase in sales this term"
文書 2："He is overseeing sales"
文書 3："This is our new manager"

解答・解説

3 つの文書について、TF と IDF をまず個別にそれぞれ計算します。

"sales" という単語の各文書における TF は以下のように計算できます。
- 文書 1：TF("sales", 文書 1) = 1 / 8 = 0.125
- 文書 2：TF("sales", 文書 2) = 1 / 4 = 0.25
- 文書 3：TF("sales", 文書 3) = 0 / 5 = 0

次に、"sales" の IDF を計算します。
IDF("sales") = log(全文書数 /"sales" が出現する文書の数) = log(3 / 2) ≈ 0.405（※自然対数を使用）

したがって、"sales" の各文書における TF-IDF は以下のようになります。
- 文書 1：TF-IDF("sales", 文書 1) = 0.125 * 0.405 = 0.0507
- 文書 2：TF-IDF("sales", 文書 2) = 0.25* 0.405 = 0.101
- 文書 3：TF-IDF("sales", 文書 3) = 0 * 0.405 = 0

"sales" 以外の全ての単語についても同様に計算し、TF-IDF の値を比較することで、各文書にとって最も重要な単語を推定することができます。例えば、文章 2 において、overseeing は、TF-IDF = 1/4 × log(3/1) = 0.275　なので、sales よりも重要といえます。

　近年、従来のデータ解析法に代わって、ディープラーニングを用いた自然言語処理の技術が発展しました。**膨大な量のテキストデータを実用的な速度で解析**できるとともに、**文章の意味を学習**することを可能にしたことで、自然言語処理の精度が著しく向上しました。上記のような前処理を経て変換された数値ベクトルを**特徴量として機械学習に有効活用**するためには、以下の条件を満たす必要があります。

- 変換後の数値ベクトルが、単語や文章の特徴を有効に表現できること
- 変換後の数値ベクトルが、単語の意味や単語間の関係性を計算できること

これらの条件を満たせるような「文章を数値化する手法」については、次節で解説します。

ココが試験に出ます！

- **コーパス**：自然言語処理に用いられる大規模なテキストデータ（P.241 に解説あり）

- **Bag-of-Words（BoW）**：**単語の出現頻度に基づいて、テキストを数値ベクトルに変換**する手法。

- **形態素解析**：言語解析の最初で行う。文章を、意味を持つ最小単位である**形態素**に分割（**分かち書き**）し、辞書を参照しながら各要素の**品詞を推定**する。有名な形態素解析のライブラリは、**MeCab**、**JUMAN**、**Janome**、**Kuromoji**、**Sudachi**など。

- **N-gram**：文章を **N 文字ずつ**に区切っていきながら単語を分解する方法。

- **TF-IDF**：文章中の単語の重要度を定量化する手法。値が大きいほど単語の重要度が高いと推定される。1 つの文章内での単語の出現頻度 **TF（Term Frequency;単語の出現頻度）**とその単語が存在する文書の割合の逆数の対数 **IDF（Inverse Document Frequency; 逆文書頻度）**の積として計算される。

- **ストップワード**：情報量や出現頻度が少ない単語で、一般的に自然言語の解析に寄与しない。例えば、日本語では「は」「の」「です」、英語では a, the, of などが該当。

- **構文解析**：主部や述部などの**係り受け構造を推定**する。代表的なツールは**CaboCha** や **KNP** など。

- **意味解析**：**同じ文の中の意味構造**を解析する。構文解析の後に適用。

- **文脈解析**：**複数文の関係性**を解析する。代表的なタスクとして照応表現（代名詞など）が指す場所を推定する**照応解析**、因果と背景など解明する**談話構造解析**がある。

単語の数値化の手法

単語を適切に数値化することは、自然言語処理にとって重要です。One-Hot ベクトル表現からはじまり、次第に単語の意味を考慮できる分散表現と Word2Vec が相次いで考案されました。

4.5.1 One-Hotベクトル表現

One-Hot ベクトルとは、**全要素のうち 1 つだけが数値 1 であり、残りは全て数値 0**であるベクトルです。

文章に適用した場合、文章内の単語の 1 つひとつに、（0,0……,0,1,0,……0,0）のような、1 個の要素だけが 1 である長いベクトルを割り当てます。One-Hot ベクトル変換のプロセスは図 4.5.1 に示しており、大まかに以下の 2 つのステップです。

①トークン化

形態素解析を行った後、同じ単語には同じ **ID（トークン）** を割り当てます。句読点にも 1 つのトークンが割り当てられます。

```
This    is     a     pen    .    This   pen    is   expensive   .
[1]    [2]    [3]   [4][5]      [1]    [4]    [2]     [6]       [5]
```

② One-Hot ベクトルに変換

ユニークな単語の数と同じ次元のベクトルを用意し、各単語に対し、その **ID に対応する成分のみ 1** を、それ以外のインデックスに全て 0 を割り当てます。

One-Hot ベクトル変換によって、**1 つの単語と 1 つのベクトルが 1 対 1（一意）の**関係になり、「形式的」には機械で処理できるようになりました。しかし、実際は機械学習に向いていません。理由は以下となります。

- 単なるダミー数値として、同一単語かどうかの判定はできても、**単語の意味や関係性を表現できない**
- 単語の種類だけベクトルの次元数が膨大になるので、計算コストが急増し、単語の追

加が難しい

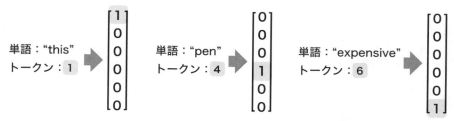

図 4.5.1：単語を One-Hot 表現に変換するプロセス：出現する単語の種類だけ次元が増える

4.5.2 新たな単語の数値化手法：単語分散表現

One-Hot ベクトル表現に代わって、単語の意味を表現できる**分散表現（Distributed Representation）**が 2000 年に開発されました。単語分散表現とは、適切な演算を行う変換行列を用いて、単語を**低次元の密な数値ベクトル**に変換した表現です（図 4.5.2）。ここでいう「密」とは「ゼロではない値で詰まっている」という意味です。

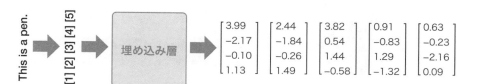

単語から数値ベクトルを計算する変換行列

図 4.5.2：分散表現モデルを用いて、単語を（トークン化した後に）低次元の密なベクトルに変換する

この手法では、各単語をベクトル空間上の点として捉えており、**意味が近い単語同士はベクトル空間上で距離の近い座標点に対応**しています（図 4.5.3）。このような「ベクトル空間モデル」を用いることで、**単語の意味や類似性をベクトルの演算を通じて表現**できるようになりました。

また、「**単語をベクトル空間に埋め込む**」ことにちなんで、単語分散表現は**単語埋め込み（Word Embedding）**とも呼ばれ、数値ベクトルを計算する変換行列は「**埋め込み層**」とも呼ばれます。図 4.5.3 から、概念が近い単語同士に対応するベクトルは近い位置に埋め込まれていることが理解できますね。

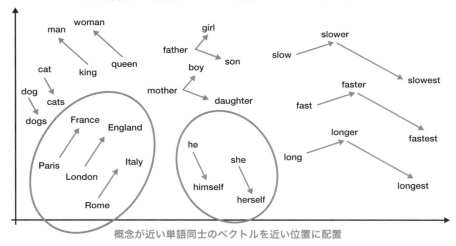

図 4.5.3：ベクトル空間上における分散表現の例 [11]

　概念の類似度をベクトルで表現するイメージを図 4.5.4 に示しています。「食べ物軸」に関しては、「みかん」と「黄身」と「鶏」は近い数値をとります。「動物軸」に関しては、「黄身」と「鶏」は数値が近く、「果物軸」に関しては「みかん」と数値が離れています。ここでは簡略化のために、低次元のベクトルを使っていますが、実際は次元数が数百以上にもなるベクトルで単語を表現することがあります。

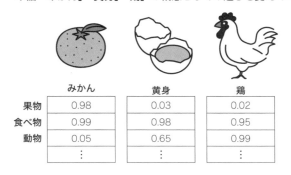

「果物軸」「食べ物軸」「動物軸」 などを用いて、
単語 **「みかん」「黄身」「鶏」** の概念としての近さを捉えている

	みかん	黄身	鶏
果物	0.98	0.03	0.02
食べ物	0.99	0.98	0.95
動物	0.05	0.65	0.99
	⋮	⋮	⋮

図 4.5.4：単語の意味をベクトルの距離で表現した例

「分散表現」に対して、前出の One-Hot ベクトルは、各概念を一対一対応で表現するため、**局所表現**と呼ばれます。分散表現と One-Hot ベクトル表現の違い（表 4.5.1）を理解することが重要です。

	分散表現	One-Hot ベクトル表現（局所表現）
単語ベクトルの特徴	**低次元**かつ「**密**」（ゼロではない値が多い）	高次元かつ「スパース」（ゼロ値が非常に多い）
表現力	ベクトル空間上で表現し、単語の意味や他の単語との類似性をベクトル演算で求められる	全ての単語を独立に扱うため、単語の意味や関係性を表現できない

表 4.5.1：分散表現と One-Hot ベクトル表現の違い

4.5.3 Word2Vec

単語分散表現の登場により単語の意味を数値ベクトルに反映できたことは、重要な進歩でした。しかし、従来の分散表現においては処理が複雑で膨大な計算量が必要であるため、実用的とは言えませんでした。

自然言語処理のための大規模なテキストデータを**コーパス**と呼びます。

2013 年にトマス・ミコロフ（当時 Google 所属）により新しい分散表現の手法である **Word2Vec** が提案されました。これにより、**現実的な時間で大規模なテキストデータの処理が可能**になりました。自然言語処理にとって顕著な貢献です。

Word2Vec は、**2 層のニューラルネットワークのみで構成**されます。構造がシンプルであるからこそ、分散表現の学習が現実的な計算量で可能になったわけです。ニューラルネットワークの隠れ層の重みの最適化を通じて単語ベクトルを学習します。この場合、「具体的な学習課題」を与える必要があり、Word2Vec では下記のようなアプローチが相反するモデルを使用します（詳細は 4.5.4）。

● **スキップグラム（Skip-gram）**
　ある単語を与えて周辺の単語を予測するモデル

● **CBOW（Continuous Bag of Words）**
　周辺の単語を与えてある単語を予測するモデル

■ カウントベースと推論ベースの分散表現モデル

　単語分散表現を計算する手法は、大きく分けて「**カウントベース手法**」と「**推論ベース手法**」の２種類があります。カウントベースの手法は単語の出現頻度によって単語を表現する方法です。テキストデータに対して、統計処理（例えば、**特異値分解；Singular Value Decomposition；SVD**）を施した後に、単語分散表現を計算します。この場合、膨大なデータ量を一度に処理するので計算コストが大きいです。従来の分散表現の計算法はカウントベースに属します。

　一方で、**推論ベースの手法は、ニューラルネットワークの効率的な学習法を取り入れている**ため、現実的な計算時間での単語ベクトルの計算を可能にしました。Word2Vecは推論ベース手法の代表です。

Word2Vecのニューラルネットワークの**隠れ層が獲得する特徴表現は、単語の意味表現に対応**する、と解釈してください。

■ Word2Vecのすごいところ

- **計算が速い**、しかも**精度がよい**
- **ベクトルの足し算・引き算**を通じて「**単語の意味の近さ**」を定量的に表現できる
  有名な例：王様 － 男性 ＋ 女性 ＝ 女王
- **複合句に対応可能**
  例：New York Times、Japan Airlines
- **単語の意味を周辺の単語から推測できる**
  例：「Python」と「R」は類似度が高く、これらの近くに「データ」がよく現れる

意味が似た単語を近いベクトルで表すことは、人間が「既に知っていることと関連づけることで新しいことを覚える」とイメージが近いですね。

4.5.4 Word2Vecの学習課題の詳細

■ スキップグラム(Skip-gram)

スキップグラムは、**ある単語を与えてその周辺の(複数の)単語を予測**するモデルです。入力として「中心語」である単語 A を与え、単語 A の前後の一定範囲(window)内に「周囲語」である単語 B が存在するかどうかを推定します。

スキップグラムでは、ニューラルネットワークの教師あり学習を行い、ある単語の周囲にどのような単語が現れる可能性が高いかを学習します。正解ラベルは、window の中に対象単語が存在すれば 1、存在しなければ 0 とします。未知データに対しては、**window 内に推測対象の単語が含まれる確率**を算出し出力します。

Skip-gram

(例 1) 単語 A：**flower**　　単語 B：**is**　　window 幅：**2**

This **flower is** very beautiful.

window 幅：2

window 幅の中に単語 B(is)が含まれているので正解ラベルは 1

(例 2) 単語 A：**This**　　単語 B：**beautiful**　　window 幅：**2**

This **flower** is very **beautiful**.

window 幅：2

window 幅の中に単語 B(beautiful)が含まれていないので正解ラベルは 0

■ CBOW(Continuous Bag of Words)

CBOW は**周辺の単語を与えて中心にある単語を予測**するモデルです。推測対象である単語 A(中心語)の前後の単語(周囲語)を入力とし、単語 A が何であるかを推定します。

CBOW は、スキップグラムと同様に教師あり学習を行います。この場合、入力となる周辺語の単語を手がかりに、予測対象である中心語が現れる条件付き確率を最大化するように学習を行います。

スキップグラムも CBOW も、「window の幅」つまり「前後の単語を何個使うか」を

モデルごとに判断します。出力層においては各単語の確率スコアを出力する際に、ソフトマックス関数（3.5 節）などの確率値を表せる活性化関数を使用します。

CBOW

（例）単語 A：**flower**　　window 幅：**2**

This red **flower** is beautiful and smells good.

window 幅：**2**

window 幅に含まれている単語群（"this"、"red"、"is"、"beautiful"）を入力
として、単語 A が何であるかを推定する。この例では正解は "flower"

COLUMN ｜【用語解説】トークン

言語モデルでは、入力されたテキストを「意味を持つ最小単位」に分割してから、その埋め込みベクトルを生成します。そこから、異なるトークン間の関係を解析することで、テキストの構造と意味を解釈します。

この「最小単位」を表すものとして、皆さんがイメージを抱きやすいように、本書の大部分では「単語」という言葉を使っています。一方で、より厳密にはこの「最小単位」は「**トークン**」です。

１つのトークンは、実際、一単語であることが多いですが、空白や句読点や数字などの意味を伝える記号である場合もあります。日本語を含む一部の言語の場合はさらに複雑で、**単語、空白、句読点以外に、漢字、ひらがな、カタカナなどもトークン**となります。空白や不要な文字はデータクレンジングで削除することが多いです。

CHAPTER

4.6

トピックモデル

トピックモデルとは、大量のテキストを分析することで、その「主題」を抽出するための手法です。ここでは、トピックモデルの代表的なアプローチを紹介します。

4.6.1 トピックモデルの手法

トピックモデル（**Topic Model**）では、**クラスタリング**を用いて、文章中の話題（トピック）を見つける統計手法です。ニュース記事、ブログ、書類などの文章分類、コンテンツの推薦システム、情報検索、メールフィルタリングなど、様々な応用例があります。

クラスタリングというと、Chapter2 で学んだ K-means を思い出します。トピックモデルは K-means と何が違うかというと、K-means は各データを１つのクラスターに属させるのに対して、トピックモデルは**１つのデータを複数のクラスターへ割り当てること**が可能です。

トピックモデルは、「**文書が潜在的なトピックから生成される**」、さらに「**文書内の単語は特定のトピックが持つ確率分布にしたがって出現する**」という仮定に基づいて、文章分類を行います。例えば、「健康」と「趣味」の２つのトピックから生成される文章には、「健康」に関連する単語（「食事」「運動」など）と「趣味」に関連する単語（「ゲーム」、「クラブ」など）が混在する確率が高いです。ウェブニュース記事の自動カテゴリ分けを例に考えると、１つの記事を政治に分けるのか、スポーツに分けるのか、経済に分けるのかは、記事に出てくる単語を解析することで、それぞれのカテゴリに属する確率を導出します。

トピックモデルの具体的な手法を見ていきましょう。以下の２つは、比較的早期に提案された手法です。

- **潜在的意味解析**（**Latent Semantic Analysis; LSA**）
  トピックを抽出するためのベーシックな手法です。単語の出現数に注目した、文書と単語の間の共起行列を生成し、その行列に対して、**特異値分解（SVD）** を行うことによって、潜在的なトピックを見つけます。具体的には、特異値分解を用いて「文書数、単語数」から「潜在的なトピック数」に削減しており、言い換えると、元の共起行列を最も重要ないくつかのトピックで近似しています。

- **確率的潜在的意味解析**（Probabilistic Latent Semantic Analysis; PLSA）

  確率の考え方を取り入れて LSA を拡張した手法です。**文書はある確率モデルに基づいて生成され、1 つの文章は一定の確率をもって複数のトピックに関連づけられている**ことを仮定しています。モデルは、各トピックに割り当てる確率値を出力とします。

そして近年、先行する LSA と PLSA を発展・改善した形で開発されたのが、**潜在的ディリクレ配分法**（Latent Dirichlet Allocation; LDA）であり、現在トピックモデルの主流となっています。LDA は、**ディリクレ分布**という確率分布にしたがって各文章や単語が生成されることを仮定しながら、トピックの確率値を出力します。

PLSA では、文章の数に比例して、確率モデルのパラメータの数が増えてしまい、過学習しやすいのが問題でした。これに対して LDA は、各パラメータを 1 つの値に決定するのではなく、その確率分布を考えるため、汎化性能が改善されています。

ココが試験に出ます！

- **One-Hot ベクトル**は、その単語に対応するインデックスだけ 1、残りは全て 0 であるような、高次元かつスパースな単語ベクトルである。**単語の意味を表現できないことや単語の種類だけベクトルの次元が増えてしまうことから機械学習には向かない。**

- **単語埋め込み**：変換行列を用いて単語を低次元の密なベクトル（分散表現）に変換。**ベクトル空間モデル**を用いて、各単語をベクトル空間上の点として捉えることで、意味や類似性をベクトルの演算で表現できた。単語同士の意味が近いほど座標間の距離が短い。

- **Word2Vec**：ニューラルネットワークの隠れ層の最適化を通じて、単語の意味や関係性を数値ベクトルを用いて表現できるモデル。

- **Doc2Vec**：文章間の類似度をベクトル演算で表現する手法。

- **スキップグラム**（Skip-gram）：Word2Vec のアルゴリズム。「**中心語**」を与え、その前後の一定範囲内に「**周辺語**」が存在する確率を推定。

- **CBOW**（Continuous Bag of Words）：Word2vec のアルゴリズム。**周辺語**を与えて**中心にある単語**を推定する。

- **トピックモデル**（Topic Model）：クラスタリングを行うことで、文章中の話題（トピック）を導き出す。

- **潜在的ディリクレ配分法**（Latent Dirichlet Allocation; LDA）：近年のトピックモデルの主流。**ディリクレ分布**という確率分布を仮定して文章分類の確率値を生成する。

CHAPTER
4.7

自然言語モデルの発展

ここではまず、Word2Vec の延長線上に開発されたモデルを紹介します。次に、RNN を用いたエンコーダ・デコーダモデルの仕組みを解説します。

インターネットの普及により、大量のテキストデータが使用可能になった当時、Word2Vec およびその派生モデルは、自然言語処理に進展をもたらし、その後の実用的な言語モデルの開発に繋がりました。

後続の節で登場する BERT や GPT も単語の分散表現を学習します。一方で、Word2Vec が文脈を考慮していないのに対し、これらのモデルは、Transformer をベースとし、文脈依存の単語表現を学習することができます。

4.7.1 Word2Vecの派生型モデル

ここでは、Word2Vec の延長線上に開発されたモデルを紹介します。Word2Vec の延長線上にあるフレームワークとして、2013 年に Word2Vec の考案者でもあるトマス・ミコロフによって **fastText** が提案されました[※1]。Wikipedia などを学習データとして使用し、世界中 157 の言語で訓練が行われています。その主な特徴は以下です。

- テキスト分類と単語特徴表現の学習が圧倒的に高速化されています（名前に "fast"）。Facebook 社が公表した実験結果によると、標準的な CPU を用いた場合、10 億の単語を 10 分以内で学習でき、50 万個の文章を 30 万のカテゴリに 5 分以内で分類できます。

- **Out of Vocabulary**（**OOV**）、つまり訓練データには存在しなかった新しい単語を適切に処理することができます。fastText は単語を **N-gram** の集合として表現し、単語をより小さな部分語に分解します。OOV の単語が入力された際に、モデルはその単語の部分語について、**以前に学習済みの単語の部分語に基づいて、単語埋め込みを表現**することができます。この方法は、言語の曖昧性（言い換え、語尾変化、誤字など）に対して有利です。

※1　トマス・ミコロフが fastText を発表した時期は、Google 社から Facebook 社の人工知能研究所「Facebook AI Research」に移籍した後。

同じく Word2Vec から派生した **Doc2Vec** は、**文章間の類似度のベクトル**計算を可能にした手法です。Word2Vec は各単語の意味をコードするベクトルを計算するのに対し、Doc2Vec では**文章（単語の集合）単位でベクトルを割り当てる**ことが特徴です。例えば、ウェブ記事や履歴書などの類似度を算出することができます。

4.7.2 エンコーダ・デコーダモデル

自然言語処理では、入力も出力も「単語の系列」です。**Sequence-to-sequence（Seq2Seq）**とは、**入力された時系列（sequence）から新しい時系列へ変換**し出力するモデルです。Seq2Seq は、**エンコーダ・デコーダ（Encoder-Decoder）**モデルの一種です。図 4.7.1 にその模式図を示しています。**エンコーダが入力データを処理して符号化（エンコード）し、符号化された情報をデコーダで復元（デコード）します。**出力データも時系列なので、全体を一気に出力せずに、デコーダはある時刻における自身の出力を次の時間ステップで入力として受け取りながら、最後まで 1 ステップずつ処理していきます。

Chapter3 で学んだ通り、RNN の隠れ層は「過去の時刻の情報」を学習に反映できるフィードバック機構を持つため、時系列データの解析に適しています。最初の頃の Seq2Seq モデルのエンコーダとデコーダは、RNN（LSTM）から構成されています。

代表的な用途の 1 つが**機械翻訳**です。エンコーダの RNN で翻訳前の単語系列をベクトルに圧縮し、隠れ層を経由してベクトルをデコーダに渡し翻訳後の単語列を生成します。RNN の特性上、翻訳前と翻訳後で時系列の長さが一致する必要はありません。

Seq2Seq を用いた単語系列データの処理 ― 緑のブロックが LSTM セルに対応

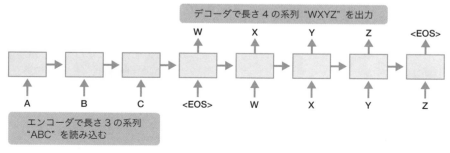

図 4.7.1：Sequence-to-sequence（Seq2Seq）モデルの模式図 [12]

4.7.3 Bidirectional RNN（BiRNN）

一般的なニューラルネットワークと同様に、1つのRNNからの出力を別のRNNに入力することで、RNNを積み重ねて使用することができます。単独のRNNは過去から未来へと一方的にしか学習できません。一方で、**「過去用」と「未来用」の2つのRNNを組み合わせることで、未来から過去の方向に学習**することが可能になります。

このコンセプトで設計された**双方向RNN言語モデル**を **Bidirectional RNN（BiRNN）** と呼びます。過去と未来の両方の情報を学習や予測に活用できるので、例えば時系列の途中に歯抜けがある場合に有利となります。

4.7.4 ELMo

Word2Vec以降、単語の意味を表す分散表現ベクトルを学習できるようになったことで、言語処理の精度向上に寄与しました。ただし、従来の埋め込みモデルでは、分散表現を計算する際に**文脈を考慮できていない**ことが課題でした。

「プールで泳ぐ」と「目が泳ぐ」では「泳ぐ」の意味合いが違いますよね。同じく「The weather is cool」と「He is a cool guy」とでは「cool」の意味は異なります。従来は区別できずに全て同じ分散表現に変換していました。

文脈を考慮した単語の学習を実現すべく、2018年にアレン研究所により、**ELMo（Embeddings from Language Models）**[13]が開発されました。ELMoの特徴は、**対象単語を含む文章全体を学習の入力とし、深いネットワークを使って埋め込み表現を学習**することです。これによって、文脈を反映した単語の意味を認識できるようになりました。さらに、**BiRNNを使用**することで文脈を双方向に考慮することができます。

ニューラル機械翻訳

本節では、ルールベースの手法と統計的手法を用いた機械翻訳、そして現在使われているニューラル機械翻訳の仕組みを解説します。

本節では自然言語処理の代表的な用途であるニューラル機械翻訳（ニューラルネットワークを利用した機械翻訳）の仕組みについて学習します。

機械翻訳を時々使用する方は、ここ数年、その精度の進化には少なからず気付いているでしょう。例えば、以前に比べて、文節がいくつもある長い文も正しく翻訳できる確率が高くなっています。

これまでに、ニューラル機械翻訳には RNN から Transfomer（4.9 節）までいくつかのモデルが使われてきており、その機械翻訳の精度は言語モデルのベンチマークも果たしています。

4.8.1 ニューラル機械翻訳の前の機械翻訳

初期の AI の多くがそうであったように、機械翻訳も最初は**ルールベース**のシステムでした。**両言語に関するマニュアルと照合して訳文を出力**します。

辞書や構文ルールなど、人間が事前に大量の複雑なルールを作成し、システムに登録する必要がありました。手間がかかるにもかかわらず、役に立つ用途は限定的でした。

1990 年代に、統計モデルを通じて訳文を出す**統計的機械翻訳**が主流となりました。この時から、純粋なルールベースではなく**データを用いて学習**を行うようになりました。

学習データは起点言語と目標言語に関する大量の文章ペアであり、両言語に翻訳された政府の書類や国連の議事録などがよく使われていました。これらのペアを結びつける巨大な確率テーブルを計算することでモデルを学習させます。新しい文章が入力された際には学習済みの確率テーブルを見ながら最適な（統計学でいうと「尤もらしい」）翻訳文を探します。Google 翻訳も 2006 年のサービス開始から 2016 年まで 10 年間、統計的機械翻訳を採用していました。

4.8.2 ニューラル機械翻訳

2016 年に Google 社が**ニューラル機械翻訳**である **GNMT**（**Google Neural Machine Translation**）を発表しました。発表当初は **RNN の対**から構成される**エンコーダ・デコーダ**（**Seq2Seq**）モデルが組み込まれていました。エンコーダが翻訳前の文章を読み込み、埋め込み層を用いて分散表現に変換し、隠れ層で特徴表現に変換した活性化値をデコーダに渡します。こうして、デコーダを通じて復元される訳文（新しいデータ）が出力されます。

現在、Google 社以外の企業から開発された機械翻訳システムも含めて、そのほとんどがニューラル機械翻訳です。

それでは、機械翻訳の内部の仕組みをより具体的に理解してみましょう。図 4.8.1 は、RNN を用いたエンコーダ・デコーダモデルによって、英語の "A woman is carrying her cat"（和訳「ある女性は彼女の猫を抱えている」）がフランス語の "Une femme tient son chat" に翻される過程を簡略的に表しているものです。これを用いて機械翻訳の基本的な仕組みを説明します。

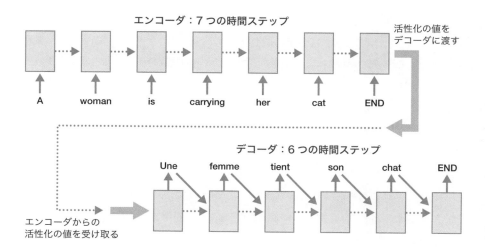

図 4.8.1：エンコーダ・デコーダモデルを用いた機械翻訳の簡易的な仕組み図

4
ディープラーニングの研究分野

機械翻訳に著しい進化をもたらした技術であるエンコーダ・デコーダモデルは、その後に開発された数多くの言語モデルの「基礎」となり、自然言語処理の進歩に大きな貢献を果たしました。

　図 4.8.1 にある長方形 1 つひとつは、「隠れ層」であり、それらが連なったものが、各時間ステップでデータを処理するエンコーダもしくはデコーダを表します。各時間ステップでの出力は次の時間ステップへフィードバックされます。入力された単語（例えば woman）はあらかじめ Word2Vec などの埋め込みモデルを通じて単語ベクトルに変換されてからエンコーダに入力されています。

　図の上半分のネットワークは RNN でできたエンコーダから成り立っています。図の例では入力文は「END 符号」も含めて 7 つの時間ステップでエンコードされます。1 つの時間ステップから次へ向かう点線矢印は隠れ層での再帰型の繋がりを表すものです。単語は 1 つずつ隠れ層で活性化値に変換され、次のユニットに送り込まれます。このようにして、エンコーダの中で翻訳前の英語の文章を表現するものが作り上げられていきます。

　7 つ目の時間ステップ（END 符号付与後）の時点での隠れ層の活性化値が文章全体の「エンコードの結果」となります。これがデコーダ（図の下半分）に伝播され、復元されることで翻訳文が作られます。その出力は翻訳後の文章を構成する単語を表す数値ベクトルです。

　図では、英語（入力）は 7 個のステップで処理されるのに対して、フランス語（出力）は 6 個となっています。このように、エンコーダ・デコーダモデルは、翻訳前後での単語数の変化に対応可能です。

　ところが、RNN を用いたモデルでは、入力文章がある程度以上長くなると、後半の時刻では、前の時刻の情報を「忘れて」しまい、翻訳の精度が落ちてしまいます。2016 年以降、ニューラル翻訳の技術の改善に伴い、「長文翻訳」の精度が改善を重ねてきました。これに貢献したのが、次節で紹介する、時間ステップごとに情報の重要度を決める「Attention」やそれを用いた高精度な言語モデル「Transformer」です。

ココが試験に出ます！

- **fastText**：高速な文章分類と単語特徴の学習を特徴とする言語モデル。訓練データには存在しない **Out of Vocabulary（OOV）** に対する推測が可能。

- **Sequence-to-sequence（Seq2Seq）**：入力された時系列（sequence）から新しい時系列へ変換し出力するモデル。**エンコーダ（encoder）** と**デコーダ（decoder）** という RNN（または Transformer など）から構成されたエンコーダ・デコーダモデル。エンコーダが入力データを符号化（エンコード）することで固定長ベクトルに変換し、それをデコーダで復元（デコード）する。

- **Bidirectional RNN（BiRNN）**：「過去用」と「未来用」の２つの RNN を組みわせることで、**過去と未来の両方向の情報を学習や予測に活用**できる言語モデル。

- **ELMo（Embeddings from Language Models）**：BiRNN を用いた言語モデルで、双方向から**文脈を考慮しながら単語の意味を把握**できる。

- **GNMT（Google Neural Machine Translation）**：Google 社が開発した**ニューラル機械翻訳**モデル。当初は RNN の対から構成される Seq2Seq モデルが使われたが、後に **Transformer** を採用することによって、長文翻訳の精度が向上した。

Attentionとトランスフォーマー

長文でも高精度に解析でき、本日の言語モデルに貢献している
Transformer と Attention を学びます。

4.9.1 長文解析に貢献したTransformerとAttention

従来の RNN を用いた言語モデルには下記のような課題が残されていました。

● 入力系列が長くなると、遠く離れた単語間の関係や文脈を正しく把握しなくなる

● 入力データを1時間ステップごとに処理する必要があり、並列処理ができない

2017 年に Google の研究チームが開発した **Transformer**（トランスフォーマー）
の登場により、上記の問題が改善され、**長い文章の解析精度の飛躍的な向上**をもたらし
ました。その背景にあるのは Transformer の内部構造に潜む **Attention**（注意機構）
という仕組みです。[14]

Attention は、各時刻における**情報の重要度（重み）を計算し、重要度の高い情報に「注
意」を向けて学習**する手法です。人間が学習する時に重要な内容を優先するという感覚
に近いです。これにより、文が長くても、つまり単語同士が離れていても、**全ての単語
の関係性を網羅的に把握し、それぞれの単語が果たしている役割を理解**することができ
ます。

Attention を内蔵することによって、Transformer が自然言語処理において優れた
性能を発揮することができています。その後、大規模自然言語モデル（LLM）の大
部分は Transformer を使用して開発されており、機械翻訳、文章分類、文章生成な
ど多種多様な言語タスクに応用されています。例えば、後に学ぶ「文章生成」でも、
Transformer は先行する文章（あるいはプロンプト）中の単語の関係性を理解し、広
い文脈を考慮しながら、次に来るべき単語を予測し適切な文章を生成できるようになり
ました。

従来の RNN を用いたモデルと Attention を採用したモデルを以下の表にて比較して
います。

従来の RNN を用いたモデル	Attention を用いたモデル
• エンコーダで入力文を1個の固定長のベクトルに圧縮するため、長文の圧縮精度が悪くなる • 文中の離れた位置にある単語の関係性を把握しにくい • 文章が長くなるにつれて精度が悪化する	• 入力文のある単語と他の全ての単語の関係性を学習し、文脈全体を考慮して各単語を解釈する • 過去の各時刻の情報に重要度を付与し、これをデコーダの出力に反映させる • 長い文章でも、網羅的に高い解析精度を保てる
• 単語間の関係を計算するためには単語数の分だけのステップが必要 • 並列演算ができない	• Self-Attention では一文の全ての単語間の関係をわずか1ステップで計算できる • 各単語を並列に計算できる

表 4.9.1：従来の RNN を用いた言語モデルと Attention を採用したものを比較

　Attention には複数の種類があり、隠れ層の重みに着目することが共通点でありながら、構造と用途に違いがあります。後ほど、自然言語処理でよく使用される Self-Attention と Source-Target Attention を解説します。両者の主な違いは、Source-Target Attention が異なる系列間の関連性を評価するのに対して、Self-Attention は同じ系列内の関連性を評価する点にあります。

　他に、Attention を並列に並べることで性能向上を図っている **Multi-Head Attention** も使用されています。

4.9.2 Self-Attention

　従来の RNN を用いたエンコーダ・デコーダモデルでは、「過去のある時刻の情報が現在の予測にどれだけ影響するか」を算出することができません。そのため、過去の時刻で読み込んだ単語列の影響が時間とともに薄れてしまい、文中の単語間の関係性や文脈を理解することが困難でした。

　この問題に対して、**Self-Attention（自己注意機構）**では、**入力された系列（文）の「各単語が、他の全ての単語とどの程度関連しているか」を計算する**機能を持っています。これは、特定の時刻の単語に重要度（重み）を付加することと等価です。**文脈全体を考慮しながら各単語を解釈**し、単語の分散表現を生成・更新することができます。結果として、長い範囲にわたる依存関係を把握しやすくなります。

Self-Attention の名前にある「self」とは、「自身へ入力された系列に対して重みを計算する」ことに由来します。

図 4.9.1 のように、"The dog would not eat the meat because it did not smell good." という一文において、"it" は前方の dog を指す確率が低く（線が薄い）、後方の "meat" を指す確率が高い（線が太い）ことを判断することができるため、常識推論（言語モデルの性能評価タスクの１つ）に強いです。

また、従来の RNN では、単語間の関係を計算するためには単語数の分だけのステップが必要でした。これに対し、Self-Attention では、単語ごと**並列**に計算できるため、一文の全ての単語間の関係をわずか１ステップで高速に計算できます。

例えば、英語の "gum" を翻訳する際、その単語は単独で日本語の「歯茎」と「ガム」と翻訳される可能性があります。適切な翻訳を行うためには、"gum" が文中でどのような役割を果たしているか、つまり文脈を把握する必要があります。

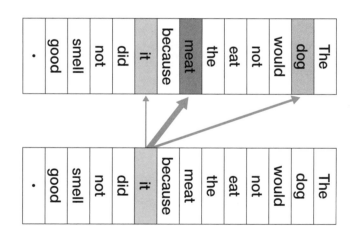

図 4.9.1：Self-Attention は入力系列の各単語と他の単語の間の関連性を計算する

4.9.3 Source-Target Attentionとニューラル機械翻訳

Source-Target Attention は、**入力系列（Source 文）の各部分に対する出力系列（Target 文）の各単語の関連性**を解析する仕組みです。図 4.9.2 のように、Seq2Seq モデルと同様に、エンコーダとデコーダから構成されています。

エンコーダは入力された **Source** 文を処理し、それをモデルが理解できる内部状態

（エンコーディング）に変換し、デコーダに伝えます。デコーダはエンコーダからの出力に基づいて、Target文を生成します。具体的には、エンコーダの出力の中から、**生成すべき次の単語に最も関連する部分を特定し、それらに「注意」を払いながら、出力系列を生成**します。

以上に述べた特性により、Source-Target Attentionは、ニューラル機械翻訳において重要な役割を果たします。例えば、英語の文を日本語訳する際に、日本語の単語を生成するために、元の英語の文のどの単語に「注意」を払うべきかをモデルが判断します。

Source-Target Attentionは、Transformerが開発される前より、RNNを使用したニューラル機械翻訳モデルに使用されていました。エンコーダとデコーダがそれぞれRNNであり、それを橋渡しする役割でした。

2017年に、Transformerが新しいニューラル機械翻訳のモデルとして開発されました。この新しいモデルでは、**エンコーダとデコーダに、RNNの代わりにSelf-Attentionを採用し、入力と出力の間の橋渡しをするためにSource-Target Attentionを利用**します。Attentionの性能により、離れた位置にある単語同士の関係性も捉えやすくなり、長文の翻訳の精度が飛躍的に向上しました。また、RNNを使用しないことで並列計算が可能になり、データ処理やモデルの学習が高速化されました。

上記で「橋渡し」とは入力文（Source）と出力文（Target）の間で単語間の関連性を算出することを指しており、その役割をSource-Target Attentionが果たしています。

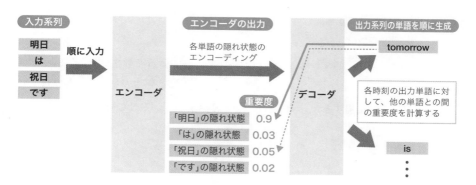

図4.9.2：Source-Target Attentionのエンコーダとデコーダでデータを処理する仕組み。

4.9.4 Transformerモデル

Attention の役割に注目しながら、Transformer のアーキテクチャを詳細に見ていきましょう。Transformer を用いたニューラル機械翻訳モデルの模式図（図 4.9.3）を用いて説明します。

Transformer の主要な構成要素はエンコーダとデコーダです。**エンコーダは、入力文（翻訳前の文）を処理し、デコーダは、出力文（翻訳後の文）を一単語ずつ順番に生成します**。例えば、"He is a teacher" という英文を和訳する翻訳タスクの場合を考えましょう。エンコーダへの入力は "He is a teacher" という Source 文（翻訳前の文）、デコーダからの出力は「彼は先生です」という Target 文（翻訳後の文）です。

エンコーダとデコーダはそれぞれ異なる目的で複数の Self-Attention のレイヤーを持っています。そして、デコーダには Source-Target Attention があります。

まず、Self-Attention の役割を考えます。

- **（図 4.9.3 の左側）エンコーダで使われる Self-Attention**

  入力文の**各単語と他の単語の関連度**を計算し、各時刻の単語の隠れ状態に対して、**文脈に即した表現（エンコーディング）を生成**し出力します[1]。

- **（図 4.9.3 の右側）デコーダで使われる Self-Attention**

  デコーダへ入力される「**前の時刻で生成された出力単語**」との関係を捉えることで、出力系列の生成において**適切に次の単語が選ばれる**ことに寄与します。これを特に **Masked Self-Attention** と呼びます。通常の Self-Attention と同様の役割を果たすと同時に、まだ生成されていない「未来」のトークンにはアクセスできないようにマスキングします。これにより、「各ステップでの出力がそれまでの出力にのみ依存する」という自己回帰的な性質を実現しています。

次に、Transformer のエンコーダとデコーダを結びつける役割を果たしているのが Source-Target Attention です。デコーダに対して「**エンコーダが処理した各単語をデコーダがどの程度重視するか**」を指示します。例えば、図 4.9.3 の例では、「明日」との関連が強い単語「祝日」がより重視されます。

 ※1　過去のそれぞれの時刻での隠れ層の状態を「記憶」し、その単語の重みを計算し、最終的には、全ての隠れ層の状態の重み付き和を出力の計算に使います。

上記のように、2種類の Attention のそれぞれが Transformer のパフォーマンスに重要な役割を果たし、これらが同時に作動することによって、**ある時刻の単語を生成する際に、前の時刻の出力およびエンコーダに入力された系列の中から影響力の高い単語に注意を向ける**ことができます。

図 4.9.3 に対する補足をします。厳密にいうと、入力前に、単語が数値ベクトルに変換され、それらの内積（図 4.9.3 の中の単語間を結ぶ線で代表）を計算することで単語間の類似性が求められています。そして、デコーダでは各単語の「確率分布」が出力されます。デコーダが実際に生成する単語系列は、この分布をもとに決定されます。

また、学習の時と予測の時はデコーダへの入力が異なります。学習の時は、「彼は先生です」という正解文がデコーダに与えられます。一方で、予測時は「彼は」というデコーダが出力した途中までの翻訳文がデコーダに入力されます。

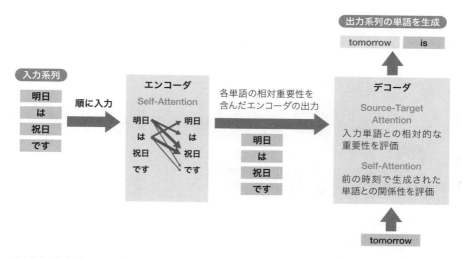

図 4.9.3：Self-Attention と Source-Target Attention を内蔵した Transformer モデルの構造

■ TransformerのPositional Encoding

Self-Attention は単語の関係性と文脈を高速に計算できるといった長所がある一方、**語順に関する情報を直接考慮できない**という弱点があります。つまり、入力される単語の順序が変わっても、出力が変わらないという問題が存在します。

例えば、「山田さんが会社を買収する」と「会社が山田さんを買収する」は全く異なる意味を持ちますが、この差異を理解するためには単語の順序に関する情報が重要です。

　上記の問題に対処するため、Transformer では**位置エンコーディング（Positional Encoding）**を用いて、単語の順序に関する情報を入力に加味します。具体的には、**各単語が「系列中の何番目の位置にあるか」を一意に区別するための位置情報をベクトルとして表現し、これらの位置ベクトルを単語の埋め込みベクトルに追加**します。

　位置ベクトルへの変換には符号化関数（三角関数など）を用います。単語の絶対的な位置情報だけではなく、単語間の相対的な位置関係を埋め込むこともあります。

　位置エンコーディングにより、Transformer は**単語の位置と意味を両方用いて文脈を解釈**できるようになるため、より精度の高い結果を生成します。

ココが試験に出ます！

- **Attention**（注意機構）：系列データの各時刻の情報に重みを付加し、**重要度の高い情報にだけ注意を向けて学習**する。
- **Source-Target Attention**：**入力系列（source）と出力系列（target）の間で単語間の関連性**を算出する。
- **Self-Attention**（自己注意機構）：一文の中の**各単語が他の全ての単語とどの程度関連しているかを評価**し、文脈を捉える。
- **Transformer**：RNN を用いず、全て **Attention** で構成。**Self-Attention** で構成されたエンコーダとデコーダを **Source-Target Attention** で橋渡しする。並列演算が可能のため高速になり、離れた単語同士の関係性を捉えやすくなった。位置エンコーディングを用いて、**単語の順序**に関する情報を入力に加味。

大規模自然言語モデル

本節では、汎用的な言語タスクで力を発揮する大規模言語モデル、および代表的な BERT と GPT について学びます。

大規模自然言語モデル（Large Language Models、LLM）とは、膨大な数のパラメータから構成された汎用的な言語モデルです。大量のテキストデータを学習することにより、様々な自然言語処理タスクを人間にある程度近い精度で行うことができます。

4.10.1 事前学習とファインチューニング

大規模な画像データセットを用いて学習した画像認識モデルを転移学習に使用することと同じ仕組みが、自然言語処理にも応用されています。後ほど学ぶ BERT や GPT は、事前学習と転移学習に使いやすい言語モデルの有名な例です。

大規模自然言語モデルが実用化されるまでには、事前学習とファインチューニングの2つのプロセスがあります。

事前学習（Pre-Training）とは、インターネット上の大量のテキストデータ（コーパス）を学習し、自然言語処理に関する「一般的な知識や情報」を獲得することです。学習用コーパスの規模は数十億件のトークン（単語やフレーズ）にも及ぶことがあります。

事前学習には通常、**教師なし学習**が用いられます。すなわち、ラベル付けされたデータセットは必要としません。**モデルは大量のテキストデータから自動的に自然言語の統計的なパターンや意味を抽出し、それに基づいて新たなテキストを生成する能力を獲得**します。

事前学習を終えた**学習済みモデル**（**基盤モデル**）は、既に多くの文章に共通する汎用的な特徴量をあらかじめ隠れ層で「習得」してあるため、新しい言語タスクに対する転移学習に利用することができます。

従来は、翻訳や質問応答などの特定のタスクに特化した、小さ目のデータセットを利用してモデルを学習させていました。ところが、2018 年以降、学習済みの大規模自然言語モデルを転移学習に用いる手法が有力になっています。そのためには、一般的に**ファ**

インチューニングを行う必要があります。図 4.10.1 に、事前学習とファインチューニングの関係性が示されています。

　ファインチューニングでは、**特定のタスクに特化したデータセット**（例：質問と答えのセット）をある程度用意し、それをもって、**事前学習済みのモデルの一部のパラメータのみ、追加学習と更新**を行います。これにより、目的とする機能やサービスに適した応答が得られるようになります。

　事前学習に比べて、ファインチューニングで必要なデータは数百〜数千と、ずっと少ないです。そのため、リソースが比較的確保しにくい一般企業でも LLM の活用が可能になり、手元にある学習データが小規模な場合でも高い性能を達成することができます。

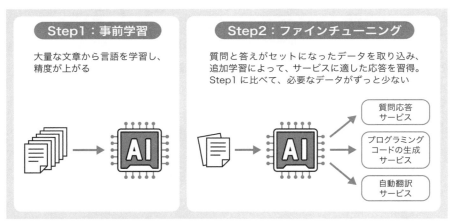

図 4.10.1：事前学習とファインチューニングの違い

4.10.2 スケール則

　スケール則（Scaling Laws）とは、**モデルのパラメータ数とそれに伴う訓練データ、計算量などが増加するにつれて、モデルの性能もほぼ同じ割合で向上**するという経験則です。言い換えると、より大きなモデルを、より多くのデータで訓練すると、様々なタスクにおけるモデルの性能が向上するというものです。自然言語処理の分野に限らず、例えば、画像に使われる最先端のディープラーニングモデルの多くは、このスケール則という原動力にしたがってモデルを訓練してきたことで達成されています。

　確かに、パラメータ数の多い巨大な「汎用的自然言語モデル」ほど、幅広いタスクにおいて驚異的な性能を発揮します。しかしデメリットはそのコストです。

近年開発された有名な言語モデルのパラメータ数は驚くほど膨らんでいます。例えば、2018 年に提案された「BERT」のパラメータ数は 3 億程度であったのに対して、2020 年の「GPT-3」では 1750 億程度まで巨大化し、2023 年 3 月に公開された「GPT-4」では 1 兆を超えています。

このような高度な深層ニューラルネットワークを利用しているため、それに応じて、**学習データの量と計算資源をますます増やす必要があります**。実際、近年の LLM の学習には数百〜数千個の GPU や TPU が使われています。パラメータが多ければ多いほど学習費用が大きくなり、例えば、GPT-3（パラメータ 1750 億個）の学習費用は日本円にすると数億円にものぼると言われています。

だからこそ、言語モデルの研究開発は、どうしても計算のリソースや予算を使える IT 大手企業を中心に競い合われることになります。

しかし、最終的には次元の呪いや計算コスト、エネルギーコストなどの問題に直面してしまうため、スケールアップできる実用的な限界が存在します。近年、同程度な性能でモデルのサイズダウンに関する研究も盛んに行われています。

4.10.3 BERT

事前学習を取り入れた大規模言語モデルの先駆者は、2018 年に Google 社により開発された **BERT（Bidirectional Encoder Representations from Transformers）**[15] です。Transformer の**エンコーダ**部分のみが BERT で使用されています。また、"Bidirectional Transformer" という名前の通り、**Transformer を用いた双方向の学習**を活用しています。従来のモデルは文脈を一方向にしか理解できないのに対し、BERT は「過去から現在」と「未来から現在」の双方向（Bidirectional）の情報を同時に使用することができます。

4.10.1 で解説した通り、BERT の**事前学習**では、大量のテキストデータから学習し、その結果得られた知識（言語の統計的なパターンや意味）を保持します。主に次のようなタスクを実行します。**Masked Language Model（MLM）**では**文章の穴埋め問題**を解きます。文章内の単語のうち一部を「マスク」した（隠した）状態で入力し、マスクされた単語を正しく予測できるように学習します。**Next Sentence Prediction（NSP）**では、入力された任意の **2 つの文が連続する文かを判断**できるように学習します。

そして、学習済みの BERT を転移学習に使用することで、文章の分類や要約、質問応答、

意味役割付与など様々な自然言語理解タスクにおいて広く活用されています。BERT は開発当時から各種の自然言語処理タスクで精度スコアの記録を更新し続け、その高い性能と汎用性に一気に注目が集まりました。

2018 年に提案された BERT のパラメータ数は **3 億**程度でした。その後、パラメータ数を削減する工夫が施され、2019 年に、BERT の軽量版である **ALBERT** と **DistilBERT** が公開されました。他に、Microsoft 社から **MT-DNN（Multi-task Deep Neural Networks）** が発表されています。そのロジック自体は BERT も参考にしており、性能は BERT を上回っています。

BERT は双方向の文脈を理解できる点が ELMo と似ており、実際には ELMo の LSTM ブロックを Transformer に置き換えた事前学習モデルと考えることができます。

4.10.4 GPT

2019 年に、OpenAI から **GPT（Generative Pre-trained Transformer）**[16] が公開されました。事前学習を取り入れた大規模自然言語モデルで、文章の内容や背景を学習し、自然言語の生成と理解を行う驚異的な能力を発揮します。

GPT の事前学習では、インターネットから取得された大量のテキストデータを使用して、**与えられた文章（単語系列）の次に来るべき単語を予測し、文を自動完成**できるように「基礎訓練」が行われます。

事前学習には膨大なデータ量と計算量が必要でしたが、学習済みの GPT を転移学習に使用すると、ゼロからモデルを再構築するプロセスを省くことができます。ネットワーク下流のパラメータの微調整を通じて、GPT は文章生成、質問応答、文章要約、調査、ソースコード生成など幅広い言語タスクで人間に匹敵する精度を達成することができます。

BERT の事前学習は主に文章の穴埋め問題と二文が連続しているかを当てる分類問題を解くのに対し、GPT は次単語予測による事前学習を行います。

GPT-1、GPT-2、GPT-3、GPT-4 と相次いでバージョンアップしました。それに伴い、モデルのサイズ、つまりパラメータの数が以下のように上昇しています。

GPT-1：**1 億 1700 万** → GPT-2：**15 億** → GPT-3：**1750 億** → GPT-4：**1 兆以上**（非公開）

4.10.2 で学んだスケール則の通り、モデルの学習にはますます大規模なデータと計算能力を必要とします。例えば、**GPT-3 の事前学習には約 45TB にもなるコーパスを使用**し、それには千億もの単語や語句が含まれています。その多くはウェブからスクレイピングしたデータ、電子書籍、ウィキペディア、ウェブページ、ブログ記事、コードなどが元になっています。

■ GPTの学習の仕組み

どの GPT のバージョンも基本的な考え方が類似していますが、以下では基本的に GPT-3 以降のモデルに関して、その学習と文章の自動生成の仕組みを解説します。

GPT には、**Transformer** のデコーダの部分が使用されています。事前学習では膨大な量のデータを用いて、教師なし学習（自己教師学習）を行います。データを一旦最小単位（トークン、単語）に分割した後、その系列を Transformer のデコーダに送り、各時刻ステップで**「ある単語列の後に来る単語」**を予測します。一度予測された単語が次の時刻ステップの入力の一部となります。「過去の単語列から次の単語を予測する」タスクを繰り返すことで、文章を自動完成、つまり文章を生成できるようになります。

より正確にいうと、**「ある単語列の後にある単語が現れる確率」**を学習します。

例えば、"I"、"need"、"ice"、"because"、"my"、"drink"、"is"（和訳：「私は氷が必要だ。なぜなら飲み物は…」）において、"is" という単語の次に来る単語を予測するケースを考えましょう。出力値は「次に来る単語とその確率」です。今回の場合、"hot"：50%、"warm"：30%、"good"：15%、"cold"：5% になったと仮定します。すると、"I need ice because my drink is" の後に続く単語は "hot" が尤もらしい候補で、"warm" はまあまあ可能性がある、"good" や "cold" は確率が低いと推測できます。

大量の文章を読み込んで、上記のような**「次の単語を確率的に予測する」**という「穴埋め問題」をひたすら繰り返すと、AIは単語間の出現確率の組み合わせを学習できるようになります。

　図4.10.2では、**ランダムな位置で文章の後半を隠し（マスキング）**、前半部分を頼りに後半の単語を当てる「穴埋め問題」を示しています。教師なし学習なので、穴埋めの問題と回答からなるデータセットを自ら自動的に生成しています。

　GPTを構成するニューラルネットワークのパラメータは、最初はランダムな初期値に設定されます。これらを学習の結果に基づいて随時、正確な予測に繋がる値に更新されます。学習の途中で誤予測をした場合、出力と正解の間の誤差を計算し、その誤差を小さくする方向に学習を繰り返していく中で精度が改善されます。

次の単語を推測して出力する	空腹	だ	。	昼食	?			
次の単語を推測して出力する	空腹	だ	。	昼食	を	?		
次の単語を推測して出力する	空腹	だ	。	昼食	を	食べ	?	
次の単語を推測して出力する	空腹	だ	。	昼食	を	食べ	たい	?
	空腹	だ	。	昼食	を	食べ	たい	。

図4.10.2：GPTの学習において、文章の一部分をマスキングし、次に続く単語を推測する。

■ GPTによる文章生成

　学習済みのGPTは**数少ない「事例」（書き出しの部分）を与えられるだけで、次に来るべき単語を逐次的に予測しながら、文章を自動的に完成できる**ことが特徴的です。[17]しかも、あたかも人間が書いたような自然な文章を生成できます。

　実際の出力値は**「単語が次に来る確率」であり**、確率の最も高い単語を採用し文を生成（**確率的生成**）します。図4.10.3ではその一例が示されています。

　このように、「いくつかの事例」（= few shot）で学習できるAIを「Few Shot Learning」と呼びます。

　4.11節で学ぶ生成AIに与える「プロンプト」、つまり、文章生成モデルに入力される指示も上記の「事例」に該当します。

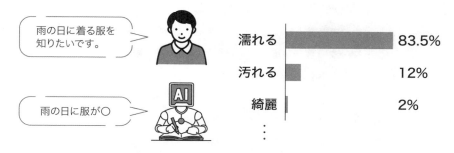

図 4.10.3：GPT による実際の出力値は「ある単語が次に来る確率」

　GPT にファインチューニングを適用することによって、文章の生成だけではなく、翻訳、質疑応答、文章の校正、ブレインストーミング、自然言語からソースコードを生成する、楽譜を創作する、など様々な言語タスクに使用することができます。例えば、プログラミングコードの最初のたった数行を与えるだけで、指定した用途に合わせてコードの続きを自動生成できます。

作家がたくさんの小説（大量のテキストデータ）を読んで書き方を学び（特徴の学習）、それに基づいて新しい物語を作る（文章生成）するというイメージです。

　なお、GPT そのものはニューラルネットワークのモデルであり、それを実用的なタスクに活用するには、そのモデルへの入出力を行うインターフェイスが必要になります。その代表例が GPT を基盤モデルとする **ChatGPT** [18] という対話型の文章生成 AI です※1。ChatGPT は、GPT そのものを使用した際に起きる機能上の問題や不適切な出力を減らすように調整したモデルです。詳細は 4.12 節で解説します。

　また、GPT は驚異的な文章能力を示しますが、その使用に関しては、出力の正確さ、AI 倫理上問題のある内容の出力、悪用のリスクなどいくつかの問題が発表されています。これらに関しても、4.12 節の ChatGPT の文脈で紹介したいと思います。

memo　※1　GPT の API もあるので、API を使用する技術を有する利用者であれば、元の GPT を使うことも可能。

4.10.5　自然言語処理のタスクと精度評価

　年々開発されている**自然言語処理モデルの性能を客観的に評価し、モデル間で比較**するために、**ベンチマーク（評価基準）**が用いられます。ここでいうベンチマークとは、言語モデルに出す「テスト」、あるいはそれに使われる、公開されているデータセットを指します。

　汎用型の言語モデルは多種多様なタスクに適用可能なので、単一のタスクではなく、一定範囲に及ぶ複数のタスクをモデルに実行させ、その結果に基づく総合的な評価が必要です。

　テストの結果から、モデルの弱点を特定し、改善のための方向性が示されます。また、新しいモデルが既存モデルを超えてどんどん進歩していくと、より難しいベンチマークが提案され、その難しいベンチマークを解決できるように、開発者によりモデルの改善が行われる、というサイクルにより技術が進歩していきます。

　使用される言語タスクの代表例として、表 4.10.1 にいくつかの例を挙げます。

言語タスクの種類	概要
機械翻訳 （Machine Translation）	Source Language の入力文を Target Language に翻訳して出力する
感情分析 （Sentiment Analysis）	● テキストからポジティブまたはネガティブな感情を特定する（「ネガポジ判定」とも呼ばれる） ● （用途例）レビューの感情分析、SNS、マーケティング、施策に役立てる
文章の要約 （Summarization）	● 与えられた文書やテキストの主要なポイントを抽出し、それを短い要約にまとめる ● （用途例）記事の内容からタイトルの自動生成、原文の意味を忠実に保持しつつ簡潔にする
テキスト分類 （Text Classification）	● 文章を一つまたは複数のカテゴリに分類し、検索可能にする ● （用途例）スパムメールの振り分け、ウェブニュース記事のカテゴリ化やレコメンド
固有表現抽出 （NER; Named Entity Recognition）	● 文章から、人名、組織名、地名、日時表現、金銭表現などの固有表現を特定する ● （用途例）プライバシー保護のために、データから個人情報にあたる文字列を識別しその情報を適切に処理する
質問応答 （Question Answering）	● 特定の質問に対する正確な答えを出力する選択問題や、文章から問題文の答えを抜き出す機械読解（Reading Comprehension）、対話形式の質問応答などがある ● （用途例）チャット型サービスなど
意味的類似度 （Semantic Similarity）	2つの文が同じ意味かどうかを判定する
自然言語推論 （Natural Language Inference, NLI）	2つの文の間の論理的な関係を推論する、2つの文の内容に矛盾があるのか、一方が他方を含意するのかなどを判定する モデルが文の内容を理解し、それらの間の複雑な関係性を捉える能力を評価するのに有用

表 4.10.1：自然言語処理のベンチマークに用いる言語タスクの例

GLUE（**General Language Understanding Evaluation**）[19] は、代表的な言語タスクのベンチマークの１つです。新しい言語モデルを論文で発表する際には、「GLUE スコア」を掲載することが暗黙の了解になるほどです。2022 年には日本語版の JGLUE も開発されています。

公式の GLUE データセット：https://gluebenchmark.com/tasks

GLUE は９つの公開されている言語理解タスクから構成されています。それぞれに対する性能を評価し、それらの総合値によってモデルの「一般的な性能」が表現されます。その中には、「意味類似度の判断」、「ネガポジ判定」、「質問応答」など、表 4.10.1 に含まれるタスクと共通のものが多いです。

GLUE のタスクに使われるデータセットの例をいくつか挙げておきます。

- CoLA（The Corpus of Linguistic Acceptability）：文が英語文法として正しいかどうか（言語学的許容性）を判定。二値分類に該当。データは 23 の書籍や雑誌記事を元にしています。
- SST-2 (The Stanford Sentiment Treebank)：映画レビューの感情解析（文章分類）
- QNLI(Question Natural Language Inference)：質問とその答えのペアが与えられ、答えが質問から論理的に導かれるかどうかを判断する（テキスト分類）
- MRPC（Microsoft Research Paraphrase Corpus）：オンラインニュースからの２つの文のペアが同じ意味かどうかを判定（意味的類似度のための文章分類）
- SQuAD（Stanford Question Answering Dataset）：ウィキペディアから質問の答えとなるテキストを見つける（質問応答）

ところで、言語モデルの急速な発達により、GLUE ではやや物足りない場合が出てきているくらいです。今はさらに難易度の高い **SuperGLUE** が導入されています。WiC（Words in Context）や ROPES（Reasoning Over Paragraph Effects in Situations）など、文脈に基づいた理解や、文の間の論理的な関係を推論するなど、より高度な言語理解能力を必要とするタスクが追加されています。

機械翻訳、次文予測、自然言語推論など複数の技術を同時に実現する汎用的な言語モデルは、**マルチタスク言語モデル**とも呼ばれます。複数のタスクを同時に学習することによって、タスク間で共通する抽象的な特徴を捉えやすくなり、マルチタスクモデル全体としての精度を向上させる効果があります。

ココが試験に出ます！

- **事前学習モデル**：大規模なコーパスを用いて**教師なし学習**を行い、汎用的な特徴を学習し終えている学習済みモデル。**ファインチューニング**を通じて個別のタスクに利用する。

- **スケール則**：モデルのサイズ（パラメータ数）が増加するにつれて、モデルの性能もほぼ同じ割合で向上するという経験則。

- **BERT**：2018年にGoogleから提案された事前学習モデル。Transformerの**エンコーダ**を活用し、事前学習のために **Masked Language Model**（MLM）と **Next Sentence Prediction**（NSP）を実行する。パラメータ数は3億程度。2019年に軽量版である **ALBERT** や **DistilBERT** が公開された。

- **GPT**（Generative Pre-trained Transformer）：OpenAI が 開 発 し た、Transformerの**デコーダ**を利用した事前学習モデル。ランダムな位置で文章の後半を隠し、前半部分を頼りに後半の単語を当てる「穴埋め問題」を繰り返すことで、次の単語を予測し、文章を自動で確率的に生成できるようになる。パラメータ数はGPT-3 が1750億、GPT-4 が1兆以上。

- **GLUE**：文章要約、固有表現抽出、質問応答などを含む代表的な言語タスクのベンチマークの1つ。

CHAPTER
4.11

生成AI

機械学習は予測や自動化に活用されるイメージが強いでしょう。しかし近年のディープラーニングは、画像、映像、時系列データを新たに生み出す「生成タスク」にも応用できるようになりました。

4.11.1 生成AIと従来のAIは何が違う

生成AI（Generative AI）とは、これまでに学習したデータから習得した特徴に基づいて、指定された形式で新しいデータを生成するAIであると解釈できます。テキストデータ、画像データ、動画データ、音声データなど、生成するコンテンツの形態は様々です。

基本的には、ディープラーニングを導入することで性能を向上させているので、「**深層生成モデル**」と呼びます。

「生成AI」に対して、従来のAIをここで「**識別AI**」と一旦呼びます。識別AIは学習データから習得した特徴やパターンに基づいて、新しいデータに対しても同様な特徴やパターンを識別することによって、クラスや連続値を予測します。**識別AIの目的は予測値を出力すること**であり、新しい形でデータを作り出すことではありません。

生成AIも学習データにおける特徴やパターンを習得します。そして、GPTが次の単語を逐次的に予測しているように、生成AIも「値の予測」をしています。その出力は画像のピクセルの値だったり、ある単語が現れる確率だったりします。

以上により、「識別AI」と「生成AI」はともに「データから特徴を学習し、それに基づいて予測を行う」ということをしています。両者の違いがどこにあるかというと、その**最終的な目的**です。

一般的な AI	生成 AI ; Generative Artificial Intelligence
大量なデータから学習した特徴に基づいて、予測を行う 用途例：スパムメール判定、顔認識、売上予測	● 大量なデータから学習した特徴に基づいて、**新しいデータを生成**する能力を持つ ● 学習済みモデルは、人間が与える入力（プロンプト）に対して、それに関連する新しいデータを生成する ● データ分析、自然言語処理、画像処理、音声処理などマルチモーダルの技術を組み合わせていることが多い ● 用途例：文章生成、質疑応答、プログラミング支援、映像制作、音楽制作など

生成 AI は実質的には予測をしているが、主な目的は予測することではなく、新しいデータを生成することです。 逆にいうと、新しいデータを創造することを目的に、参考になりそうなデータの特徴を学習しているのです。次に来るデータの値を次々と予測しながら、そのプロセスによって新しいデータが生成されていきます。

以下では各分野の生成 AI の代表的なモデルやサービスを挙げています。

生成 AI

画像生成 AI

- Style-GAN（NDIVIA）
- DALL・E（OpenAI）
- Imagen（Google）
- Stable Diffusion（英国 Stability AI）
- Midjourney（米国 Midjourney）

入力されたテキストの特徴をニューラルネットが認識し、その情報を画素に落とし込む

音声生成 AI

- Jukebox（OpenAI）
- MusicLM（Google）

テキストだけでも音楽の生成が可能

大規模言語処理 AI

- GPT-n、ChatGPT（OpenAI）
- PaLM 2、Bard（Google）
- LLaMA（Meta AI）

※これらは一例のみ

この後、4.12 節では文章生成 AI について、4.13 節では画像生成 AI について紹介していきます。4.14 節で学ぶ音声生成モデルの WaveNet も、既存のデータを元に次に

来る値を予測し続けることで、新しいデータをどんどん生成していくやり方です。

その前に、生成 AI に共通する用語を解説します。

4.11.2 生成AIに与える命令の形式

生成 AI に、知りたいことを質問する、または文章要約などのタスクを実行させるために、**プロンプト（Prompt）**と呼ばれる命令文を生成 AI に入力します。

生成 AI の使用目的によってプロンプトの形式と複雑さが異なります。

プロンプトエンジニアリング（Prompt Engineering）とは、「目的別に最適な命令文」を見つけるまたは設計するための研究・技術です。生成 AI からできるだけ望ましい回答が得られるように、その応答の形式と品質を制御する手法です。生成 AI を生活や業務に取り入れる動きが加速化している中で、プロンプトエンジニアリングとその技術を持つ人材の需要が拡大することが予想されています。

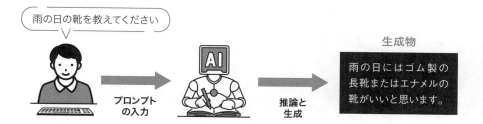

図4.11.1：ユーザーが入力するプロンプトに応じた出力を生成するイメージ

プロンプトの構造と形式を意識することで、苦もなく効果的なプロンプトを書きやすくなります。以下は、ChatGPT などの文章生成 AI を想定した、プロンプトを構成する基本要素です。必ずしも全ての要素が必要ではなく、命令だけの時もあれば、この中から複数組み合わせる時もあります。

● **命令（instruction）**：質問 or 特定のタスクに関する指示
● **文脈（context）**：望む返答に導くための背景情報や文脈情報
● **出力指示子**：出力形式の指定
● **入力データ**：正確な応答を行うために必要なデータ、実行して欲しいことに関する入力データ

次に、効果的なプロンプト、つまり、**期待する出力を生成 AI から引き出す**ためのプロンプトを書く上での、基本的なポイントを挙げておきます。

① 最初はシンプルに（慣れている方以外）

- 最適な応答を得るためには試行錯誤が必要
- まずシンプルなプロンプトから始め、よりよい結果を求めて段階的に改善していく

② 要求を明確かつ具体的に記述する

- 望む回答の形式や情報の範囲を限定する
- 曖昧な表現を使わずに、できれば定量的な表現を使う

  （例）× 「以下の質問に答えてください」
  　　　△ 「以下の質問に短く答えてください」
  　　　◎ 「以下の質問に 30 字以内で答えてください」

③ タスクから逸脱しないようにプロンプトを構造化する

④ 複雑なタスクはいくつかのタスクに分割する

⑤ 事例を交えながら指示する（Few-shot prompting）

（例）白いシャツ / 悪い　　　洗濯できない服 / 悪い　　　ジャージ / よい

　現在の大規模言語モデルはよく学習されていて汎用性が高いので、命令だけ、つまり Zero-shot だけでもよい出力が得られることも多いです。一方で、複雑なタスクを指示したい場合に、Zero-shot では意図する応答をもらえないことがあります。その時は複数の比較的高度なテクニックを組み合わせると、有効な出力が得られる確率が上がります。

　以下にて代表的なプロンプトのテクニックを数個挙げておきます。

- **Zero-shot prompting**：回答例を一切含めず、命令（質問）だけのプロンプト
- **Few-shot prompting**：1 つ以上の正解例を与えた上で命令する
- **Chain-of-Thought（CoT）prompting**：回答に至るまでの中間の思考プロセスを与える
- **知識生成 prompting**：プロンプトの一部に、知識や情報を組み込む
- **方向性刺激 prompting**：正しい方向に誘導するためのヒントを与える

　この中でよく使われるのは、「いくつかの正解例」を与える **Few-shot** prompting
です（※ Few shot＝いくつかの例）。これらの正解例で「文脈」をAIに伝え、**文脈の
中で追加学習させる**ことで適切な結果を導き出す手法です。1つの例（one shot）だ
けで十分な時もあれば、難しい要求の時は例の数を増やすことでタスクを正確に実行で
きます。

　もちろんFew-shot promptingにも限界があり、より複雑な推論タスクの実行や個
人独自や会社特有のタスクには、Chain-of-Thought（CoT）などのより高度なプロン
プトが必要です。下図に、Few-shot プロンプティングの例を示します。

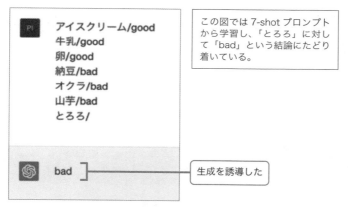

図4.11.2：いくつかの事例を与えて生成を誘導する Few-shot prompting の例

　このようにプロンプトの例として、記号「/」や「//」などを使って「ポジティブ or
ネガティブ」「よい or 悪い」といった区別の手がかりとなる状態を入力します。

　生成AIが日常に浸透してきている中で、プロンプト記法の基礎（用件を明確に伝える、
命令と入力データを切り分けるなど）を身につけることは有用になっていくでしょう。
一方で、最近、数多くのユーザーによって発掘され、効果的だと紹介されている**高度な
プロンプトのテクニックを暗記する努力は不要**です。なぜなら、それらの多くは**GPT
の進化によって不要になるからです**。代わりに、自分自身にとって生活や仕事に使いや
すい「プロンプトの定型」を何パターンか見つけ、それを常にアップデートし、業務に
LLMをどう活用できるかについて考えることが重要です。

　最後に、業務の中でプロンプトを実践する例を示したいと思います。

4　ディープラーニングの研究分野

文章の校正

　文章の校正は、誰かに「全て」を「満遍なく」読んでもらうことを必要とします。その辛い作業を ChatGPT などの生成 AI に任せられたら便利ですね。

注意点

- **どこに着目して校正するのかを明確に指定すること**（表現が自然かどうか、誤字脱字、漢字・送り仮名の間違いなど）
- 口調を指定しないと、文末は「です・ます」に全て直されてしまうことがある

命令書
以下の文章をチェックし、間違いがあれば指摘してください。

条件
- 漢字の間違いを直してください。
- より自然な表現に変更できる場合も提案してください。
- 不適切な句読点の使い方があれば直してください。

入力
今日はおじかんを頂きありがとうございました。
表だいの件は週明けに上司に確認しご連絡します。

---

❷実際の出力

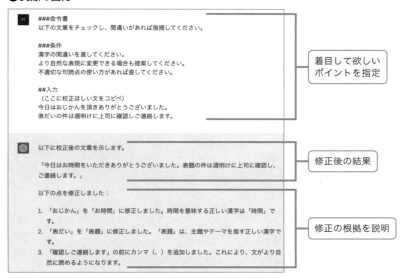

図 4.11.3：文章の校正を ChatGPT にさせるための効果的なプロンプト例

例 #2 **ダミーデータの作成**

> # 命令文
> 決定木など分析モデルを作るために、データには特徴量となりそうな列が必要です。予測の手がかりとなりそうな特徴量の列を何個か入れた上で、売り上げデータを 10 行作ってください。

❤実際の出力

行番号	月	商品カテゴリ	価格	広告費	季節	売り上げ
1	1	電子機器	30000	5000	冬	200
2	2	家具	20000	7000	冬	180
3	3	電子機器	30000	3000	春	150
4	4	書籍	1500	2000	春	300
5	5	家具	20000	5000	春	220
6	6	電子機器	30000	7000	夏	210
7	7	書籍	1500	3000	夏	350
8	8	家具	20000	4000	夏	240
9	9	電子機器	30000	6000	秋	200
10	10	書籍	1500	2500	秋	320

了解しました。以下に売り上げデータのサンプルを作成します。特徴量としては、"月"、"商品カテゴリ"、"価格"、"広告費"、"季節"の5つを考えてみました。

行番号	月	商品カテゴリ	価格	広告費	季節	売り上げ
1	1	電子機器	30000	5000	冬	200
2	2	家具	20000	7000	冬	180
3	3	電子機器	30000	3000	春	150
4	4	書籍	1500	2000	春	300
5	5	家具	20000	5000	春	220
6	6	電子機器	30000	7000	夏	210
7	7	書籍	1500	3000	夏	350
8	8	家具	20000	4000	夏	240
9	9	電子機器	30000	6000	秋	200
10	10	書籍	1500	2500	秋	320

この表において、「月」、「商品カテゴリ」、「価格」、「広告費」、「季節」は特徴量（説明変数）で、「売り上げ」は目的変数となります。

これらのデータを使って、たとえば決定木モデルなどを作成すると、各特徴量が売り上げにどのような影響を与えるのかを理解し、売り上げ予測の精度を向上させることができます。

なお、ここでは簡単化のために数値データとカテゴリデータを混在させていますが、実際に分析モデルを作成する際には、カテゴリデータは適切な形にエンコーディングする必要があります（例えば、one-hotエンコーディングなど）。

> どの列を特徴量として使用するかのアドバイスも

図 4.11.4：ChatGPT を用いて、ダミーデータを生成する際の出力例

この節の内容から、皆さんが ChatGPT などの生成 AI を仕事や生活に活用するためのアイデアが得られること、皆さんご自身のひらめきが促進されることを願っております。

> ちなみに、生成 AI は常に新しいデータで微小なアップデートが行われており、確率的な出力をしているため、同じプロンプトを入れても毎回同じ出力が得られるわけではありません。

文章生成AI

本節では、ChatGPT を中心とする、文章生成 AI モデルのチューニングを解説します。

4.12.1 文章生成AI

近年、各社から大規模言語モデルを用いた対話型 AI が次々と開発されています。これらのモデルは今までになく「汎用 AI」に近づいています。少なくとも文章を用いたタスクに関してはあらゆるタスクに対応できそうです。

OpenAI 社から 2022 年 11 月に **ChatGPT**（GPT-3.5 ベースの対話型 AI）が発表されました。2023 年 3 月に GPT-4 が公開され、それを用いた **ChatGPT Plus**（GPT-4 ベースの対話型 AI）の有償提供が開始されました。この後も、基盤モデル GPT のアップデートに伴い、ChatGPT もバージョンアップしていくことが見込まれます。

同じく 2023 年 3 月に Google が **Bard** を提供開始しました。これには同社の大規模言語モデルの **PaLM 2** が使われています。同社のメールやドキュメントに回答を簡単に連携できるなどが特徴的です。その後 2023 年 12 月にマルチモーダルの生成 AI モデル「**Gemini**」も Google 社から発表されています。テキストのやりとりにとどまらず、テキスト、画像、音声、動画を入力として受け取り、テキストと画像を生成する能力を有します。

また、同じ時期の 2023 年 2 月に Meta から大規模言語モデル **LLaMA**（**Large Language Model Meta AI**）、7 月に **LLaMA-2** が発表されました。高性能でありながら、OpenAI の GPT や Google の PaLM に比べてモデルサイズが圧倒的に小さい（パラメータが少ない）ことが特徴的です。LLaMA は、最初は研究者向けに非営利目的でのみ公開されていましたが、後にオープンソース化されました。

LLaMA のコンパクトな設計およびオープンソース化のおかげで、大規模なインフラにアクセスできない施設も LLaMA を用いた研究が可能になります。「AI の民主主義」の観点から評価すべきですね。

以下では、ChatGPT を中心に、対話型 AI の構築、特性、注意点について解説します。

ChatGPT のベースとなる GPT は **Transformer** を応用したモデルです。復習となりますが、従来の Seq2Seq モデルでは少しでも離れた単語の場合はその単語の関係性や文脈をうまく把握できなかったのに対し、Transformer（とその裏で活躍する Attention）を導入することで長文であっても解析の精度が大きく改善されました。そうすることで、より広い文脈を考慮して、適切な文章を生成しやすくなりました。

ChatGPT が動作する仕組みの本質は GPT とほぼ同じです。ユーザーが入力するプロンプトに対する応答を生成するために、単語を逐次的に予測し文章を生成します。しかし、GPT をそのまま対話型 AI サービスとして使用するのは不適切であり、私たちが知っている ChatGPT に「仕上げる」必要があると考えられています。その理由について見ていきましょう。

GPT はウェブから収集した大量なテキストデータを用いて**教師なし学習**を行い、**「自然言語の一般的な知識」**を学習します。基本的に学習用データを差別化しません。GPT は対話型 AI に特化していないため、**「質問に答える」「指示にしたがう」といったタスクに対して必ずしも最適な出力ができるとは限りません**。例えば、質問の表現が少し変わるだけで、同じ内容に対する適切な回答を生成できなくなることもあります。

さらに、GPT の事前学習用のデータはリアルな社会の状況を反映するため、その中には**偏見や差別的な表現**が含まれています。そのようなデータがそのまま応答に使用されると、深刻なトラブルを引き起こす可能性があります。

言語モデルはただ単に大きくしても、人の要求にうまく応答することができないということが研究でわかっています。上記の問題に対策し、GPT から ChatGPT へと進化させるために、事前学習の後に GPT モデルの**ファインチューニング**（微調整）を行います。これには、**人間が手を加えて作成したデータと人間によるフィードバックを使用**します。その結果として、幅広いタスクにおいて言語モデルをユーザーの意図に合わせることができます。多様な質問や表現に対して、自然で正確な応答を生成することが可能になり、また差別的な表現を生成する可能性も低減します。

ChatGPT のファインチューニングの仕組みは意外とシンプルです。「**教師あり学習**」、「**報酬モデルの学習**」、「**強化学習**」の 3 つのステップで行われます。全体のプロセスには、人間が関わっており、人間からのフィードバックに基づいてモデルが訓練されます。これにより、言語モデルをユーザーの意図により合わせることができます。このような手法を **Reinforcement Learning from Human Feedback（RLHF）**[20] と呼びます。

上記の 3 つのステップでチューニングされたモデルは、GPT 単体あるいは強化学習なしのモデルに比べて、**指示に適切にしたがい、制約条件を満たし、捏造が少なく、適切な言葉遣い**をしていることが研究結果で示されています。

　上記で開発に関わっている「人間」は「ラベラー」とも呼ばれます。ラベラーの選択にも注意が必要です。全てのラベラーを一つの請負会社に委託する場合、その会社のバイアスが学習に影響を及ぼす可能性があります。また、人々の意見が一致しない場合、多数派の意見に合わせるのが必ずしも正しいとは限りません。

Step 1　教師あり学習；Supervised Fine-Tuning（SFT）

　人間（開発者 / ラベラー）が作成した**プロンプト**とそれに対する**正しい回答**のセットを学習データとして、GPT に対して**教師あり学習**を行います。この過程の中で GPT が**事前学習で十分に学習できていないことを学ぶ**ことができます。例えば質問に対するわかりやすい答え方、不適切な表現、文章の要約、物語のポジネガ感情などです。
　上記のプロンプトには、文章生成、質問、会話、要約、情報抽出など多様多種なタスクが含まれています。

質問	正解
湿度は気温と関係がありますか？	同じ水分量でも気温が高ければ湿度が低くなる
寝る前にスマホを見るのはなぜ良くない？	ブルーライトがメラトニンの分泌を抑制するからです

人間（開発者）	質問と正解をセットにした学習データ	 GPT を学習させる

図 4.12.1：ChatGPT のファインチューニングの Step1 である教師あり学習

事前学習は教師なし学習であるのに対し、ここでは人が「こういう質問が出た時はこう答えるといいよ」と GPT に教える教師あり学習を行います。

Step 2 報酬モデルの学習

　この後説明する Step3 で行う強化学習に必要な**報酬モデル**の学習を、人間のフィードバックを用いて行います。報酬モデルとは、強化学習において GPT を定量的に評価する関数のことです。ここでは、まず人間が GPT に対して質問を行い、複数個の回答を出力させます。それらの回答を人間が**「適切であると思われる順」に並べ替え**ます。この時、正しい情報か、差別的な表現になっていないか、求められたタスクを解決できているか、回答がわかりやすいか、などを並べ替えの基準とします。上記の**人間が並べ替えた順位をデータセットとして、報酬モデルに学習**させます。これにより、報酬モデルが様々な質問に対して「よい回答かどうか」を判断できるようになります。

> 後から教師役を担当する報酬モデルをまず教育してあげて、いい先生になってもらうイメージです。

「良い先生」になれるように人間が報酬モデルを訓練する

図 4.12.2：ChatGPT のファインチューニングの Step2 である、報酬モデルの学習

Step 3 報酬関数を使った強化学習

　Step2 で学習済みの報酬モデルを用いて**強化学習**を行い、GPT の出力を最適化するための**方策（ポリシー）**を最適化します。**GPT に質問を与えて回答を出力させ、その出力を報酬モデルが評価します。この評価をさらに GPT にフィードバックします。**この繰り返しによって、GPT は与えられたプロンプトに対し、より期待に近い文章を生成できるようになります。

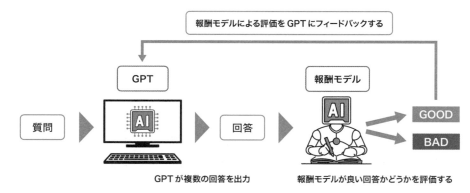

図 **4.12.3**：ChatGPT のファインチューニングの Step3 である強化学習（Step2 からの学習済みの報酬モデルを使用）

GPT は「言語の一般化」を学習しているため、学習データの95% 以上が英語であるにもかかわらず、学習データにはない他言語のプロンプトに対しても対応できています。それでも、英語で質問した方が他言語よりよい応答が得られることもあります。

■ GPT、ChatGPTの活用に関する課題

先述の通り、GPT（ChatGPT）は驚異的な文章能力を示しますが、その使用に関してはいくつもの問題が報告されています。

学習データにはない内容を質問された際に、間違った回答が返ってくることがあります。テキストを「確率的」に生成しているため、学習データに根拠がなくても、相対的に確率が高いと計算された単語を返してしまいます。この「わからないときにしれっと嘘をつく」というのは**ハルシネーション（幻覚）**と呼ばれます。

GPT は入力された言葉に続く言葉を高い精度で推測できるため、あたかも人間が書いたような文章を自動生成できます。文法的に正しく高品質な文章を生成できるものの、推論問題など高度なタスクに関しては内容に違和感や矛盾が現れることがあります。

他に、法律、倫理に関する問題もあります。例えば、生成物の著作権の帰属の問題、差別的なコンテンツの出力が挙げられます。これらに関しては Chapter6 で述べます。

現状ではこれらの課題がありますが、GPT の継続的なチューニングで進化を遂げていくうちに、不適切な出力の確率が減ることが期待されています。

画像生成AI

人間から与えられたプロンプトにしたがい、ユニークな画像を生成
できる画像生成AIの仕組みと技術動向について学びます。

画像生成AIは、ウェブ上にある大量の画像の特徴を学習し、ユーザーが入力した「X
がYをしている」といったプロンプト（指示文）に合うように画像を再構成し出力します。

スケッチなどの画像を入力として、完成度の高い油絵風または写真風画像などのスタ
イル変更が施された画像を生成する **image to image 型**（図4.13.1 左）や、出力さ
せたい画像を描写する文章を入力することで画像を生成する **text to image 型** もあり
ます（図4.13.1 右）。

画像生成AIは、基本的に大量の学習用画像データからそれらの潜在空間を学習し、
それに基づいて新しい画像を生成します。ここでいう潜在空間は、**学習用画像の特徴量
が分布している空間**とみなします。

モデルによって特色があるものの、text to image 型の画像生成AIは一般的に、以
下のような役割を果たすニューラルネットワークを組み合わせています。

- 画像の内容とそれを表すテキストを関連づける
- テキストに対応する画像を生成する

そして、ユーザーが入力した指示のテキストを言語モデルで分析します。テキストエ
ンコーダを用いて、テキストから埋め込みベクトル表現に変換します。これらのベクト
ルを画像生成器によって、ベクトルから画像に変換します。これまで学習した大量の画
像の特徴をもとに目当ての画像の特徴を探し、入力テキストに合う画像を再構成します。

以下では、主に3種類の画像生成モデルを紹介します。まずは、画像生成AIのパイ
オニアと言われており、顕著な成果を残している以下の2つを見ていきます。

- **変分オートエンコーダ**　　Variational Auto-Encoder（VAE）
- **敵対的生成ネットワーク**　Generative Adversarial Network（GAN）

その次に、拡散モデルを用いた最新の画像生成モデルについても見ていきたいと思い
ます。

図 4.13.1：（左）NVIDIA 社の GauGAN を用いて、簡単なスケッチから写真を生成する[21]
（右）Stable Diffusion を用いて生成された「バレーボールをしているパンダ」の画像

ChatGPT などの文章生成 AI と同様に、画像生成 AI に関しても、個人情報や著作権、差別的な出力などの問題があります。後続の章で詳しく解説します。

4.13.1 変分オートエンコーダ（VAE）

変分オートエンコーダ（Variational Auto-Encoder; VAE）[22] は、**オートエンコーダ**を活用した生成モデルです。

3.6 節で学んだ通り、オートエンコーダは、**隠れ層で入力データの特徴量を抽出し、出力層で元のデータに復元**するように学習を行うニューラルネットワークの一種です。

VAE は、オートエンコーダで抽出した特徴量を**確率分布**で表現することにより、**未知のデータを確率的に生成できる**ようにしたモデルです。「画像の特徴量がどういう分布に基づいているか」を見出すようにモデルが学習し、その特徴量の分布に基づいて新しいデータを生成します。以下が具体的な流れになります。

① 入力画像から抽出した特徴量を**確率統計分布**に変換する
② 統計分布から、データ点を**ランダムサンプリング**する
③ サンプリングした点をデコーダによって復元することで新しい画像データを生成する

この場合、確率分布が潜在空間であり、そこから取り出した**統計量**（平均や分散）が、画像生成に必要な潜在変数です。

4.13.2 敵対的生成ネットワーク(GAN)

敵対的生成ネットワーク（Generative Adversarial Network; GAN）[23] は、イアン・グッドフェローの研究チームによって提案された画像生成手法で、本物の写真と区別がつかないような実在しない人物の顔画像を生成したことなどによって、社会に大きな反響を及ぼしました。

ジェネレータ（Generator）とディスクリミネータ（Discriminator）の2つのネットワークから構成されています。

ジェネレータ（Generator; 生成器）
ディスクリミネータを騙せるような偽物画像を作るように学習します。学習用画像の潜在空間のベクトルを入力とし、それにしたがい類似画像を生成します。

ディスクリミネータ（Discriminator; 識別器）
ジェネレータが生成した偽物を識別できるように学習します。偽物データと本物データを入力として受け取り、真偽を予測して出力します。この予測結果はジェネレータにフィードバックされます。

上記のように、**ジェネレータとディスクリミネータを競合させる**ことによって、それぞれの性能がどんどん強くなっていき、**本物と見分けられないような「偽物データ」（新しい画像）**を生成できるようになります。GAN の模式図は図 4.13.2 に示されています。

わかりやすい例えをすると、お札の偽造者（ジェネレータ役）は本物っぽい偽札を作り、警察（ディスクリミネータ役）はそれを見抜く「いたちごっこ」を繰り返すうちに、偽札製造技術が進化し、本物に極めて近い偽札を生成できるようになっていくのと似ています。

ジェネレータとディスクリミネータは、共通の損失関数を用いて訓練されます。GAN は、このように**2 つのネットワークが相反する目的のために競い合うことで、生成する画像の精度を上げていく**モデルです。よって、片方の損失が小さくなれば、当然もう一方の損失が大きくなります。実際、ジェネレータは損失関数の値を小さくすることを目的に、ディスクリミネータは損失関数の値を大きくすることを目的に学習します。

　GAN の発展版である**DCGAN（Deep Convolutional GAN）**は、ジェネレータとディスクリミネータの各々に **CNN** を採用した設計になっており、更に高度な特徴量を持つ画像を生成することができます。

　ここで、ジェネレータによる画像生成について補足します。ジェネレータには、**ランダムノイズ**を入力し、それを**本物のデータに近づけるように写像するようにして新たなデータを生成**しています。入力値にランダム性を持たせることで、多様性のある画像を生成できるわけです。また、画像データを生成する際に、潜在空間上の座標点に演算を施すことで、画像の特徴量を変換することができます。例えば、人の顔を徐々に笑顔に変化させていく画像を生成することを想像するとわかりやすいです。

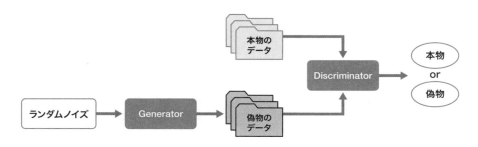

図 4.13.2：GAN の仕組みを表す模式図

　GAN をベースにいくつかの画像生成モデルが派生しています。

　Pix2Pix は、**入力画像と目標画像の関係性や変換**を学習するツールです。新たな入力画像に対して、学習した関係性に基づいてスタイル変更後の画像を生成します。ベクトル変換は行わず、**画像のピクセルに直接作用**して画像を変換することが特徴的です。「部屋」の実際の写真と、その中の「窓」や「机」などをセグメンテーションした画像からなるデータセットを用いて学習します。また、データセットには同じ風景で昼と夜など変換前と変換後の直接的に対応する画像のペアが必要です。

　CycleGAN は、先行する Pix2Pix よりも柔軟性が高い画像スタイル変換のモデルです。Pix2Pix では教師あり学習を使い、２つの画像の輪郭や位置が揃う訓練データを用意する必要がありましたが、CycleGAN では教師なし学習を使うため学習データの準備コストが軽減されます。また、変換前後の２枚の画像の対応するピクセルの関係を学習するのではなく、**画像データセット同士の分野、領域などのドメインの関係を学習**することで画像変換を実現する手法です。両方向の画像変換のために２つの生成ネットワークを同時に訓練しています。

　StyleGAN/StyleGAN2 は通常の GAN とは異なり、CNN による畳み込み処理の後に特有のスタイル調整を行い、ノイズから高解像度かつ自然な画像を生成します。

4.13.3 拡散モデルを用いた画像生成AIモデル

　上記で説明した VAE と GAN とは別のタイプの画像生成で、拡散モデルを用いたものについて紹介します。

　拡散モデル（Diffusion Model） では、元データに徐々に*ノイズ*を加えて、完全なノイズになるまでのプロセスを逆転し、**ノイズを徐々に除去**することによってデータを復元することを学習します。このプロセスを利用して、新しいデータを生成します。

　拡散モデルを取り入れた最新の画像生成モデルは、その学習のしやすさと**生成された画像の品質の高さ**で注目されています。拡散モデルを用いた画像生成モデルのうち、本書の刊行時点での代表的な例をいくつか挙げます。

- **DALL・E2、DALL・E3**（OpenAI）
- **Stable Diffusion**（英国 Stability AI）
- **Midjourney**（英国 Midjourney）
- **Imagen**（Google）

> G 検定のためには、個別の画像生成 AI の名称を暗記するよりも、拡散モデルを用いた画像生成の仕組みを理解することが重要です。ここでは DALL·E2 を用いて、拡散モデルを解説したいと思います。

DALL·E2 [24] は、2022 年 4 月に OpenAI から発表された**拡散モデルを使用した画像生成 AI** です。

初代の **DALL·E** は、学習用の画像データを VAE の一種の **VQ-VAE** で特徴量に圧縮し、これをキャプション（画像の説明文）とペアにして、GPT-3 を用いて機械学習を行います。画像生成時には、テキストデータを GPT-3 に与えてその意味を把握すると、VQ-VAE を用いて該当する画像データの特徴量を生成し、画像を復元します。

その後に登場した DALL·E2 は、**CLIP** [25] という画像分類モデルと、**拡散モデル**を組み合わせた 2 段階のモデルです。

■ CLIP(Contrastive Language-Image Pre-training)

CLIP は OpenAI から 2021 年（初代 DALL·E と同時期）に発表された、画像分類モデルであると同時に、画像と文章の間の双方向の関係を捉えるマルチモーダルのモデルです。

CLIP モデルは DALL·E2 だけでなく、他の多くの生成 AI、例えば Stable Diffusion などで応用されています。

具体的に説明すると、CLIP は Transformer を利用した**テキストエンコーダ**と**画像エンコーダ**から構成されています。これらを 4 億ほどの、**画像とキャプションのペア** (WebImageText) を用いて事前学習します。

図 4.13.3 のように、テキストに対する画像の類似度を測ることによって画像データを分類します。テキストと画像の間の**コサイン類似度**を計算します。**コサイン類似度が正しいペアに関して大きくなり、間違ったペアに関して小さくなるように**、テキストとそれに対応する画像を近づける学習をします（図 4.13.5）。

事前学習を行った CLIP は、画像とテキストが対応する表現を習得してある状態です。この学習済みモデルに**画像を入力すると被写体を認識し、それを描写するキャプションを自動生成**します。逆に**テキストを与えると、それに合った画像の特徴量を判断し、適切な画像を選び出す**能力も持っています（図 4.13.4）。

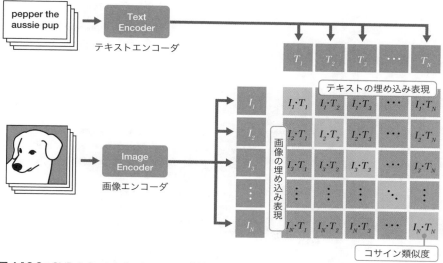

図4.13.3：CLIP の Contrastive Learning（対照学習）

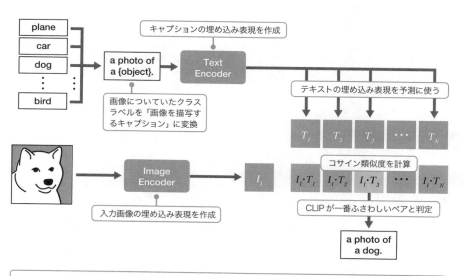

分類したい画像を画像エンコーダに入力し、画像とテキスト（の埋め込み表現）のコサイン類似度が一番高い値をとるクラスを選択することで、画像分類を行います。

図4.13.4：学習済み CLIP を用いた Zero-shot 画像分類

4

ディープラーニングの研究分野

以上の仕組みにより、事前学習された CLIP は、従来の画像分類手法とは違い、Zero-shot で分類器として使用できます。つまり、様々な対象物の画像に対して、ファインチューニング（微調整 / 追加学習）なしに、画像とテキストの類似度を測ることで正しく画像を分類できます。

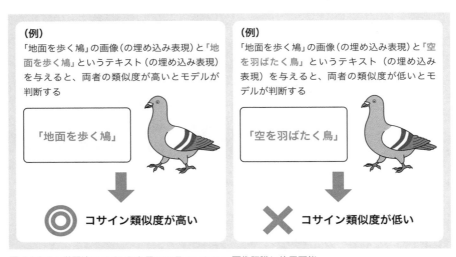

図 4.13.5：学習済みの CLIP を用いて Zero-shot で画像認識に使用可能

■ 拡散モデル

　拡散モデル（Diffusion Model）（正式にはノイズ除去拡散確率モデル）は、画像にノイズを追加し画像を劣化させる関数と、それを除去して元の画像を復元するネットワークを持っています（図 4.13.6）。

学習 画像に徐々にノイズを加えて画像を劣化させた（拡散過程）後に、ノイズを少しずつ除去することで元画像を復元することを学習する（拡散過程の逆過程）

生成 純粋なノイズに覆われたダミー画像を用意し、そのノイズを少しずつ取り除きながら目標とする画像に近づけていくようにして画像を生成する

拡散モデルは、画像の穴埋め問題をたくさん解くことで、目的と
する画像を生成する性能が高まります。

　さらに、この拡散モデルを、特定のテキスト（クラスラベルなど）で条件づけながら
より本物らしい画像を生成するという**誘導拡散（Guided Diffusion）**の手法も導入
されています。DALL·E2に実際に使用されているのは、このように拡散モデルをさら
に改良した**GLIDE**です。

　拡散モデル自体はもともと画像を生成するモデルですが、それを「テキストの条件」
に合った画像を生成するように改良したものがGLIDEです。

　改良に伴い、GANより高い成果が得られ、論文「Diffusion Models Beat GANs on
Image Synthesis」といった論文を発表しました。

図4.13.6：きれいな画像にガウスノイズを追加するイメージ
　　　　　　これによって、復元ネットワークの訓練データを作成

4

ディープラーニングの研究分野

CHAPTER
4.14

音声処理

本節の前半では、音声データを機械で扱うための処理、および音声認識について、後半では**ディープラーニングを用いて自然な音声を生成**する仕組みについて学びます。

音声処理には音声認識と音声生成の2種のタスクがあります。それぞれは下表の通りです。

音声認識	入力された音声波形からスペクトル（波形を短時間で切った周波数成分）を作成し、数理モデルを使って内容を推定する
音声生成	人間の音声を人工的に合成すること。声の高さと音色（共振特性）の特徴を推定する必要がある

4.14.1 音声認識とは

　画像、自然言語と並び、ディープラーニングは「音声」にも応用されています。音声は、空気が波動として振動している物理現象です。この空気振動の特徴やパターンを機械を用いて処理し、そこに表現されている単語列の意味を抽出するための技術が「音声認識」です。

　聴覚情報は視覚情報と並んで、人と機械の間を取り持つインターフェイスとして広範囲での応用が実現されています。代表例は Apple 社の「Siri」、Amazon 社の「Alexa」などのスマートスピーカーです。自然言語処理と音声処理の両分野の技術を組み合わせることで、大まかに以下の流れでサービスを提供しています。

ユーザーの音声を認識してテキスト化する（音声認識、自然言語処理）

適切な応答を推測し、それに対応するテキストを生成する（自然言語処理）

応答の音声を合成する（音声生成）

　他にも、点字を音声に起こすような視覚障害者援助システム、家電のハンズフリー操作など、数多くの音声認識技術の応用例が挙げられます。

4.14.2 音声データの処理と音声認識

音声認識の手順は、一般的に以下の通りです。

---

① 音声波形から周波数や時間変化の特徴を抽出する
② 言葉の最小単位である音素を特定する
③ 辞書と照合することで音素列を単語に変換する
④ 単語間の繋がりを解析して、文章を生成する

まずは①の「音声波形から周波数や時間変化の特徴を抽出する」
に着目し、そのための前処理について話しますね。

音声は、時間に対し連続的に変化するアナログデータですので、まずはコンピュータで処理可能な**離散的な数値データに変換**する必要があります。

連続な波動を離散的な値に変換

A-D 変換

図 4.14.1：A-D 変換の模式図

この変換を **A-D 変換（Analog to Digital Conversion）** と呼び、それによく用いられるのは、**パルス符号変調（Pulse Code Modulation ; PCM）** という手法です。以下の流れで音声信号を準備します。

① 標本化（サンプリング）：連続的な音波を一定の時間間隔ごとに切り出す
② 量子化：波の強さを離散的な値に近似する
③ 符号化：量子化された値をビット列で表現する

音声処理に使用する音声信号は、様々な周波数の波動に対して、**周波数ごとに重み**を掛けて足し合わせたような合成信号です。よって、「**どの周波数成分がどのくらいの強さで音声に含まれているのか**」を解析する必要があります。時系列データから観測される周波数成分は常時変動しているため、周波数解析を非常に短時間で実行しなければいけません。**高速フーリエ変換（Fast Fourier Transform ; FFT）**とは、様々な周波数成分の重なりである時間ごとの**音声信号を周波数スペクトルに高速に変換**する手法です。

　FFT で求めた**音声スペクトル**は、音声の周波数成分の強さ（振幅）を時間の関数として表した波形データです。**音響モデル**は、この音声スペクトルを解析して音声認識を行うための特徴量を得ます。

　物理現象としての音は、**「強さ」「高さ」「音色」**といった基本属性を持っています。このうち、**音を区別する上で特に重要なのは「音色」**です。他の属性が全て同じでも「音色」が異なるだけで「違う音」と認識されてしまいます。この「音色」に関する情報は、音声スペクトルに含まれており、音声認識において重要な特徴量の 1 つです。

　では、音色とは何か、そして音色の違いをもたらしているのは何でしょうか？

　音色の違いを表しているのは、スペクトル上の穏やかな変動（共振特性）である**スペクトル包絡**です。よって、音を区別するためには、スペクトル包絡を特徴付ける係数列を求める必要があります。この係数はしばしば、**メル周波数ケプストラム係数（Mel Frequency Cepstrum Coefficients ; MFCC）**の形式で計算されます。この係数列がまさに、機械学習で音声処理を行うために使う「特徴量」となります。

　スペクトル包絡に観察される、ピークが立っている複数の周波数を「**フォルマント周波数**」と呼びます。言語に依存せずに人の発声を区別できる音の要素が**音韻**です。その音韻が近ければフォルマント周波数も近い値をとります。

　以上のように、音声データを処理した後に、いよいよ**音響モデル**を用いて音声認識を行います。従来から音声認識によく用いられてきたのは、隠れマルコフモデル（Hidden Markov Model ; HMM）という確率的な状態遷移モデルです[1]。HMM は**音素（母**

---

memo ※1　HMM は確率的な状態遷移モデルで、観測不可能な内部状態（隠れ状態）とそれが生成する可視な出力（観測）の間の関係を表現します。任意の状態は前の状態だけに依存する「マルコフ性」、及び、各状態が生成する出力はその状態だけに依存する「出力独立性」という仮定を置いています。

音や子音などの最小単位）の音響的なパターンをモデリングし、**観測された音声データがどの音素から生じた確率が高いかを推定**します。音素列がどの単語に対応するかを判断することで文章を生成します。あらかじめ用意された「音素辞書」を使ってパターンマッチングを行います。

音色は、基本周波数とそれに伴う高次の周波数成分（倍音）の強度パターンによって決定されます。同じ音階であっても異なる楽器や人間の声は異なるスペクトルパターンを持ち、それにより音色が違って聞こえるのです。

4.14.3 音声生成の技術

まずは、音声生成の技術的課題を中心に解説していきます。

文章から自然な音声に変換することを Text-to-Speech（TTS）と呼びます。従来から、**波形接続 TTS** と**パラメトリック TTS** の２種類が使われていました。

波形接続 TTS （Concatenative TTS）	話す者による**短い音節の集合体から必要なものを結合**して音声を合成する。声を変えること、抑揚や感情を加えることが難しい傾向にある
パラメトリック TTS （Parametric TTS）	話す内容や特徴（声、抑揚など）を入力によって操作できる技術。文法、口の動き、高さ、抑揚などの特徴に関する**パラメータを使用**して音声を生成する

パラメトリック TTS は音を連結する必要性がないので、波形接続 TTS よりも**低コストかつ高速**に処理が可能です。その反面、生成された音声の**自然さ（人間らしさ）**の観点から、波形接続 TTS に劣ることがあります。

従来の音声合成では声の高さと音色の２つの特徴を推定するために、発声メカニズムに基づいた数理モデルが使われていました。この時、「**いかに精度よく音波のゆらぎを再現できるか**」が大きな課題でした。「ゆらぎ」成分の違いにより、同じ人が同じ発声を２回行っているつもりでも、実際は微妙な音声波形の違いが存在します。従来の音声合成モデルに用いられていた確率的なアプローチは、ゆらぎ成分を十分に再現できませんでした。

1990 年代からニューラルネットワークを音声処理に応用する研究が開始されました。しかしながら、2010 年代までは相変わらず、**統計学に基づいた確率モデル**が音声

合成モデルの主流でした。以下の2つ（特に後者）が代表的なモデルです。

- **混合正規分布モデル**（Gaussian Mixture Model ; GMM）
- **隠れマルコフモデル**（Hidden Markov Model ; HMM）

2010年以降、従来の手法にDNN（Deep Neural Network）を組み合わせたモデルが普及しました。Microsoft社が発表した **DNN-HMM** がその先駆者です。従来の確率計算をDNNで置き換えています。

その後、ディープラーニングを用いた音声合成にブレークスルーをもたらしたのは **WaveNet**（ウェーブネット）[26] です。2016年に **DeepMind** 社により発表され、計算効率などの改良を経て **2017年に実用化** に到達しました。その主な特徴は次の通りです。

- 既存手法よりも人間に近い自然な音声の生成が可能
- 声のトーンや抑揚、会話のスピード、文節の連結といった細かい特徴を考慮できる
- 実時間の20倍以上の速さで音声を生成可能（例：2秒の音声を0.1秒で生成）

■ WaveNetはなぜ自然な発音ができるのか？

従来の数理モデルが実際の物理現象に対して行う「**単純化**」や「**近似**」が、「**機械っぽい**」音声になる要因でした。これらのような音が劣化する調整作業がWaveNetにはないことが重要なポイントです。

■ WaveNet技術は何がすごいのか？

WaveNetが成功した背景には、インフラの改善（データ量と計算リソース）の他に、アルゴリズムの改善がありました。音声処理特有の難点の1つは、**時系列の依存関係が長い**ことです。WaveNetでは音声を「**数多くの点からなる非常に長くて細かい時系列**」として捉えています。この長い系列を高精度に処理できるニューラルネットワークを採用したアプローチが効果的でした。

具体的には、1つひとつの「点」を直接 CNN を用いて生成することで音声波形を形成しています。この仕組みのおかげで、従来の数理モデルの近似過程が必要でなくなり、

自然な音声を合成できるようになります。また、**Dilated Causal Convolution** という仕組みを CNN の構造に取り入れることによって、長い時間依存関係に対応可能になっています。

> WaveNet が扱う音声データはどれくらい長いかというと、1 秒間だけでも 1 万 6000 個の点くらいの巨大な時系列データになります。

"Dilated Causal Convolution" の "Dilate" には「拡張」や「離す」という意味があります。図 4.14.2 は Dilated Causal Convolution を取り入れた上で、WaveNet が時系列の各点に対し CNN による畳み込み演算をかけている模式図です。長い時間依存性に対処できるために、層が深くなるにつれて、**多くのユニットの間をスキップ（離す="dilate"）** する工夫を行っています。この工夫は、受容野（過去のデータをどの程度参考にするか）を広げた状態で畳み込み演算をすることと等しいです。

WaveNet は時系列データの各点に対し、畳み込み演算をかけている

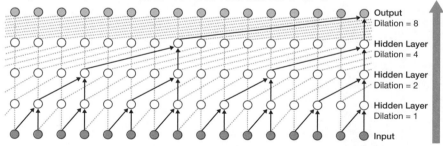

長い時間依存に対処できるために、ユニットをスキップする仕組みを採用
ここでは、入力層から順に 0、1、3、7 個ずつスキップ

図 4.14.2：時系列データに Dilated Casual Convolution を適用している模式図 [27]

■ WaveNetの成果

WaveNet で合成された音声を人間の聴者が評価した結果が、図 4.14.3 に示されています。従来モデルに比べて、明らかに WaveNet で合成した音声の方が人間らしく感じられます。

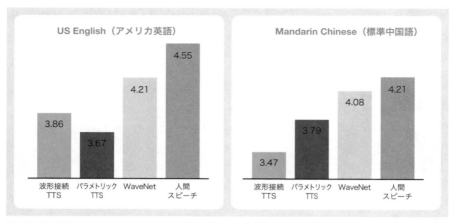

図 4.14.3：WaveNet による発声は、従来手法と比べて、かなり人間のスピーチの自然さに近づいている[28]

ココが試験に出ます!

- **A-D 変換**：アナログデータを機械で処理可能な離散的なデジタルデータに変換。
  ① **標本化（サンプリング）**：連続的な音波を一定の時間間隔ごとに切り出す。
  ② **量子化**：波の強さを離散的な値に近似する。
  ③ **符号化**：量子化された値をビット列で表現する。

- **サンプリング定理（標本化定理）**：A-D 変換でデジタル化後のデータから元のアナログ信号の波形を正確に再現できるためには、「元の信号に含まれる最も高い周波数の2倍を超えるサンプリング周波数で標本化をすればよい」

- 音の基本属性のうち、音を区別する上で一番重要なのは**音色**であり、**音響モデル**で使用される特徴量の1つでもある。

- **スペクトル包絡**：音声を変換した周波数スペクトル上の穏やかな変動で、**メル周波数ケプストラム係数（MFCC）**を用いて計算される。

- **フォルマント周波数**：音韻を区別する特徴となるスペクトル包絡上の周波数ピーク。

- **音韻**：言語に依存せずに人の発声を区別できる音の要素。音韻が近ければフォルマント周波数も近い値をとる。

- **高速フーリエ変換**：複数の周波数成分の重なりである時間ごとの音声信号を、**周波数スペクトル**に高速に変換する手法です。

- **隠れマルコフモデル（Hidden Markov Model; HMM）**：音声処理のための統計学に基づいた確率モデル。辞書を使って音素列と単語をマッチングする。

- **WaveNet（ウェーブネット）**：DeepMind 社により発表された音声生成モデル。既存手法よりも人間に近い自然な音声を高速に生成できる。音声を多数の点からなる系列として捉え、1つ1つの点を CNN を用いて生成することで音声波形を形成。

- **Dilated Causal Convolution**：層が深くなるにつれて畳み込むユニットをスキップする仕組み。

深層強化学習のアルゴリズムの発展

本節では深層強化学習の代表的な手法である DQN の派生アルゴリズム、深層強化学習の応用事例について学びます。

 まず、復習しましょう。強化学習では、試行錯誤や探索を通じて、「最終的に環境から最大の報酬をもらうために、ある時刻の状態においてどんな行動をとるべきか」を学習します。従来の強化学習では、「状態」を表現すること、状態の 1 つひとつに価値関数（Q 値）を割り当てることは困難でした。例えば、囲碁を対戦する AI の場合、状態が碁盤の画像として与えられますが、画像のピクセル値がわずかに変動しただけでも、別の状態として認識されてしまいます。また、ロボット制御においては環境の状態に対して様々な応答ができるように訓練する必要があり、状態の組み合わせが膨大に膨らんでしまいます。

 これに対して、深層強化学習では、価値や方策を推定する過程をディープラーニングで置き換えることで、状態と行動の組み合わせの計算が実用的になり、学習の効率が上がっています。

4.15.1 深層強化学習の技術の進歩

 深層強化学習の代表的な「価値ベース」のアルゴリズムは **DQN**（Deep Q-Network）です。これに深く関連する用語は **Q 値**（状態行動価値）であり、各状態において**エージェントがある行動を実行することで得られる報酬の期待値**と解釈することができます。1 つの状態と行動の組み合わせに対して 1 つの Q 値が割り当てられます。新しい状態に遷移し別の行動を選択するたびに Q 値が更新されます。その Q 値を最大にするように学習する手法が **Q 学習**です。

 DQN には価値の推定や学習を安定化させるためのテクニックが導入されています。**経験再生**（**Experience Replay**）は、環境を探索する中で得られる経験データを「リプレイバッファー」に保存し、そこから適切なタイミングでランダムに抜き出して学習に利用します。**ターゲットネットワーク**（**Target Network**）は、現在学習中のネットワークと、過去に遡ったネットワークの「**TD 誤差**」を教師データのように使う仕組みです。

　上記のような工夫を取り入れることで、DQN をベースに複数の改良版モデルが提案され、深層強化学習は AI の主要な研究分野の 1 つとして進歩を遂げてきました。代表的なものとして、**ダブル DQN（Double DQN；DDQN）**、**デュエリングネットワーク（Dueling Network）**、**ノイジーネットワーク（Noisy Network）** などが挙げられます。これらのアルゴリズムのよい特徴を組み合わせた「全部乗せ」モデルが **Rainbow** です。図 4.15.1 にあるように、Atari ゲームを用いた試験においては、Rainbow は他の全ての手法に勝るパフォーマンスを示しました。

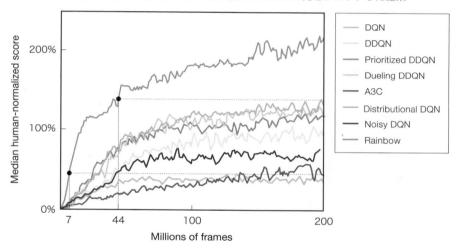

図 4.15.1：Rainbow モデルが他の全ての手法の性能を圧倒している [29]

4.15.2　深層強化学習のゲームへの応用

　深層強化学習以前のゲーム AI は、Chapter1 に登場した探索木、あるいは、「相手がこう打ったら、こう打つべきだ」にしたがうルールベース AI、もしくは、従来の強化学習を使ったものが主流でした。深層強化学習の実用化に伴い、ディープラーニングを従来の探索木手法や画像認識技術と組み合わせることによって、強化学習の応用の幅を広げています。2013 年に **Atari** 社が開発したゲームにおける攻略スコアが人間を超えました。他にも、囲碁 AI で著しい成果を残しています。

囲碁 AI の最初の成果は、2015 年に、DeepMind 社が開発した **AlphaGo（アルファ碁）** が、世界トップの棋士（イ・セドル九段）を打ち倒したことです。AlphaGo では、**打つ手の探索にモンテカルロ木探索法を使用し、碁盤の状況認識に CNN を使用**します。勝率は、盤面情報を符号化したデータを入力として計算されています。**人間がプレイした棋譜データを学習データに使用**し、教師あり学習を行っています。

　強化学習アルゴリズムの改善を経て、2017 年 10 月に、AlphaGo の強化版 **AlphaGo Zero（アルファ碁ゼロ）** が同じ DeepMind 社から発表されました。AlphaGo Zero の最大の特徴は、**完全自己対局（Self-play）** で学習していることです。つまり、過去の棋譜を学習することなく、最初から**自分自身と戦う**ことで得られたデータのみ使って深層強化学習を行います。初期状態ではランダムな動きしかとれないけれど、場数を踏んでいくうちに「勝てる行動パターン」を習得し、どんどん「賢く」なっていきます。

　完全自己対局が可能になったことが、AI 分野に大きなインパクトを与えました。なぜなら、伝統的な知識の蓄積やそのバイアスに依存することなく、**完全にゼロベースから学習を進めた方がよい場合もある**、ということを思い知らせられたからです。

　自己対戦のみで学習できるもう 1 つの AlphaGo の発展版として、**Alpha Zero（アルファ・ゼロ）** が 2017 年 12 月に発表されました。こちらは、囲碁に限らず、将棋やチェスなどの分野でも、過去に開発された人間を超えるゲーム AI に勝てる性能を示しています。

　さらに、2019 年に **Alpha Star（アルファ・スター）** が開発されました。名前の由来は、「スタークラフト」というゲームにおいてトップマスターを打倒できたことから来ています。Alpha Star は、ResNet、LSTM、トランスフォーマーなど、本来は画像認識や自然言語処理のために開発された手法を組み合わせて学習を行います。

4.15.3 方策ベースと価値ベース

強化学習の手法は、「行動を決定するための方策」を直接的に改善する**方策ベース**の手法と、間接的に改善する**価値ベース**の手法に分類することができます。

3.12.2 で学んだことを少し復習しましょう。

方策ベースの手法の代表は**方策勾配法**であり、累積報酬の期待値が最大となるように、方策関数のパラメータを**勾配降下法**を用いて直接的に最適化します。具体的なアルゴリズムとして、UNREAL や REINFORCE などが挙げられます。

価値ベースの手法では、価値（累積報酬の期待値）が最大となるような行動を導き出すことで、最適な行動を選択する方策が間接的に得られます。代表的な手法は**価値反復法**であり、ある状態から「平均的に期待できる未来の累積報酬」を計算しながら、「TD誤差」を最小化するように学習を行います。具体的なアルゴリズムとして、Q 学習や SARSA などが挙げられます。

> 強化学習の本質は、状態価値や行動価値ではなく、それらを用いて改善する「方策」にあります。

ロボット制御のような、連続的な行動空間を持つ場合には方策ベースの手法がよく使われます。しかし、DQN をはじめとする価値ベース手法の方が効率よく計算できるので、深層強化学習分野での立場が強いです。

また、後ほど紹介する Actor-Critic は、方策ベースと価値ベースを組み合わせた手法です。

4.15.4 モデルベースとモデルフリー

先ほどは、強化学習のアルゴリズムを「方策を直接的に評価するのか、間接的に評価するのか」という分類をしました。他方で、「モデルベース」と「モデルフリー」という分類も可能です。ちなみに、強化学習において「モデル」とは「環境」・「状態遷移確率」・「価値関数」などを表現するパラメータ群を指しています。

4

ディープラーニングの研究分野

環境についての情報が必要な強化学習を**モデルベース**強化学習と呼びます。状態遷移確率やマルコフ決定過程に関する**環境パラメータが既知であり、明示的に推定できる**ことが条件です。パラメータを推定しモデルを構築した後に、価値関数や方策を改善していきます。動的計画法（価値反復法、方策反復法）が代表例です。

　一方、環境についての情報が不要な強化学習を**モデルフリー**強化学習と呼びます。**環境に関するパラメータを明示的に推定せずに、経験から価値を推定**します。方策ベースの方策勾配法（例えば、方策勾配法の基本的なアルゴリズムである REINFORCE）、価値ベースの Q 学習や SARSA が代表的です。

　環境をモデル化することは困難であることが多いため、現在実用化されている深層強化学習のアルゴリズムの大部分がモデルフリーです。

下表で挙げている手法の例のように、強化学習のアルゴリズムを「方策を直接的に評価するのか、間接的に評価するのか」という分類もできますし、「モデルベース」と「モデルフリー」という分類もできますね。

	モデルベース	モデルフリー
方策ベース	方策反復法	方策勾配法、Actor-Critic
価値ベース	価値反復法	Q 学習、SARSA

表 4.15.1：強化学習アルゴリズムの種別を整理

4.15.5　Actor-Critic

　Actor-Critic は、**行動を決める Actor（行動器）を直接改善しながら、方策を評価する Critic（評価器）を同時に学習させる**アプローチです（図 4.15.2）。方策ベースと価値ベースを組み合わせた手法となります。Actor-Critic を用いると報酬の揺らぎから影響を受けにくくなり、学習を安定化および高速化できる、などのメリットがあります。

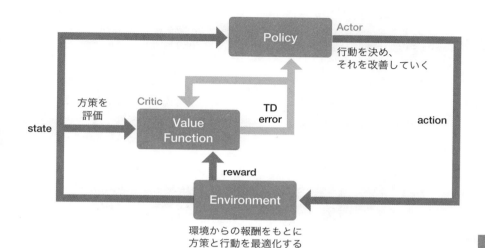

図 4.15.2：Actor-Critic の仕組み

4.15.6 強化学習アルゴリズムの具体例：A3C

Actor-Critic を用いたアルゴリズムとして、2016 年に DeepMind 社によって提案された **A3C（Asynchronous Advantage Actor-Critic）**[30] を理解していきましょう。

A3C の特徴は、**複数のエージェントが同じ環境で非同期かつ並列に学習する**ことです。名称にある３つの "A" は「Asynchronous」「Advantage」と「Actor」を表し、"C" は「Critic」を表しています。「Asynchronous」（非同期）は、**複数のエージェントによる非同期な並列学習**を行うこと、「Advantage」は、**複数ステップ先を考慮して更新する**ことを指しています。そして、Actor-Critic の説明にあったように、Actor は**方策によって行動を選択**し、Critic はその結果で得られる**状態価値関数に応じて方策を評価・修正**する役割です。

■ A3Cによる非同期学習の詳細

複数のエージェントが並列に自律的に Rollout（ゲームプレイ）を実行し、勾配計算を行います。その勾配情報をもって、各々が「好き勝手なタイミング」で共有ネットワーク（Global Network）を更新します。そして、各エージェントは定期的に自分のネットワーク（Local Network）の重みを共有ネットワークの重みと同期します。図 4.15.3 に A3C の並列学習の仕組みが表されています。

このように、ネットワーク全体と重みを共有しつつ、並列分散的に学習しているため学習の効率がよくなり、結果として学習が**高速化**します。

もう 1 つの利点は、**学習を安定化**できることです。経験の自己相関が引き起こす学習の不安定性は、強化学習分野の長年の課題でした。4.15.1 で学んだように、DQN では**経験再生（Experience Replay）**を用いて学習の安定化を実現しています。しかし、経験再生は DQN のような「方策オフ手法」にのみ使用可能であり、A3C は「方策オン手法」であるため対象外です。そこで、A3C は、**経験の自己相関を低減するために、エージェントを並列化する**という工夫をとっています。

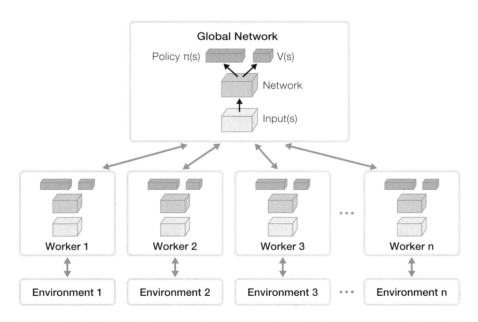

図 4.15.3：A3C の学習の仕組み：各エージェントが並列的に学習し、他のエージェントと共有する [31]

4.15.7 ロボットの訓練への強化学習の使用

ヒトや動物は、幅広い行動を少ない学習回数で習得し、それらを臨機応変的に実行することができます。それゆえ、「身体性」を持たない AI・ロボットに同程度の行動をさせるためには、明確かつ複雑なルールを決めてプログラミングする必要があります。

実世界における深層強化学習の有用な用途として、ロボットの訓練が盛んに行われています。ロボットに関する複雑な行動や環境が常に変動し表現しにくいことから、行動の1歩ずつを誘導する教師ラベルを作ることが不可能です。しかし、複雑な動きにおいて、正解データを定義し用意するのが難しい場合でも、**深層強化学習のアルゴリズムを用いて行動の試行錯誤をしながら「何が正しいのか、何が誤っているのか」を学習**することが有効です。

この場合、教師あり学習の正解ラベルの代わりに、ゲームのスコアに例えられる「報酬」を設定することで行動の選択を最適化することができます。

例えば、歩行ロボットでは、「ふらついたら減点、転んだら大きく減点、一歩前に歩けたら加点」のように設定できます。「どうやって上手に歩けるようになるか」という明確な学習課題を認識してはじめて、「賢く」なるように訓練することができます。一方で、このような学習過程を可能にする適切な報酬を設定することは、簡単なことではありません。

私たちは行動を学習するために、「できる人の模倣」から出発し、成功と失敗を繰り返しながら少しずつ上手に行動できるようになります。同様に、強化学習をロボティクスに応用する上でも模倣と試行錯誤が重要です。成功と失敗を繰り返しながら、少しずつ上手に、「自然な動きで」行動できるようになるというアプローチは、動物の動作を真似ようとするロボットの訓練にとって相性がよいのです。

実際に、ロボットの運動訓練を行うためには様々なモーション（速歩、転回、スキップ、サイドステップなど）を実行している動物の動画を収集します。動画に映っている各時刻でのポーズを追跡しながら、その動きを再現する制御ポリシーを用いて深層強化学習を行っています（図4.15.4）。ポリシー設計には、ロボットの質量や摩擦など物理量のシミュレーションが反映されています。

4

ディープラーニングの研究分野

図 4.15.4：Google 社のロボティクス開発の様子 [32]

　こうして、かつて応用がゲーム領域に限定されていた強化学習は、他産業でも活躍するようになってきました。例えば、自動運転では、ロボット制御と共通の技術が使われています。ここでも行動選択に対し報酬を与えられ、センサーで取得したデータの種類だけ（自動運転中に直面する状況の数だけ）の Q 関数を学習させます。身近なところでは、エレベータ制御にも深層強化学習が活用され始めました。目指すのは、カゴ数と定員は同じまま「待ち時間」を短縮できるような制御システムです。日常の運行の中で得られた学習データをシステムに追加しながら随時学習を行っています。また、建物揺れ制御のための「制御系 AI」も、強化学習のゲーム以外への先進的な応用事例の 1 つです。

4.15.8 シミュレーションとオフライン学習

　深層強化学習のモデルを、シミュレーションを用いて訓練することがあります。モデルの訓練に必要なデータを現実世界で収集しようとすると、時間と労力のコストがかかるだけではなく、物理的な危険を伴う場合は安全にデータを集められないことがあります。そのとき、現実世界をシミュレーションした環境上でデータ収集する手段が取られます。

　sim2real とは、**シミュレーションを用いてあらかじめ方策（policy）を学習し、その学習した方策を実世界に適用**するための手法です。

　sim2real の課題は、シミュレーションを用いて訓練したロボットを実環境（のデータ）に適用した場合に、性能が低下しやすいことです。シミュレーション上で収集されたデータは実世界の全ての側面を正確に代表しきれないため、それらを学習データや検証データとして使う場合、**パフォーマンスギャップ**（現実世界とのギャップ）が問題視さ

れます。

　この問題に対応すべく、シミュレーションを現実世界の環境に近づけるための工夫が取られます。**ドメインランダマイゼーション**（**Domain Randomization; 環境乱択化**）は、モデルの**シミュレーション環境への過学習を防止**することを目指した手法です。具体的に、環境パラメータをランダムに変更させた（ばらつきを与えた）パターンを大量に用意し、多様な環境において性能を発揮できるようにモデルを学習します。

　例えば、歩行ロボットのシミュレーション環境における地形形状を表すパラメータのランダム化を適用します。

　一方で、リアルなデータを用いて訓練を行うケースもあります。

　従来の強化学習では、**実際に環境と作用しながら学習**しており、これを**オンライン強化学習**と呼びます。この場合、最適な意思決定を獲得できるまでに、最適ではない選択を実環境で繰り返し行って学習する必要がありますが、これはしばしば困難です。例えば、広告配信の最適化を行う場合、売上の損失が発生しうるため大胆に試行錯誤を行うことが難しいのです。医療関連のケースでは、人の命と健康が関わるため、最適ではない投薬や施術を通じて最適化を行うことは不可能です。

　これに対して、**オフライン強化学習**は、**あらかじめ事前に集めたデータのみを使って強化学習を行う**手法です。モデルを実環境にデプロイ（適用）する前に、実環境から集めた過去のデータを使って性能評価を行います。直接環境で実験を行うことに何らかの懸念がある場合、センサーログなど大量のデータが事前に入手可能な場合に用いられます。危険な実験環境や膨大な費用を伴う医療、自動運転、ロボティクス等への応用で期待を集めています。

4.15.9　その他の強化学習の重要概念

　マルチエージェント強化学習：複数の主体（エージェント）が同時に協調して、あるいは、競争的に学習する強化学習です。

　マルコフ性：強化学習モデルの構築において、「**将来の状態が現在の状態のみに依存し、過去の状態に依存しない**」という条件を満たす場合、そうでない場合に比べてモデルが簡素化できるという性質です。これを満たす確率過程を**マルコフ決定過程**といいます。

OpenAI Gym：**強化学習の開発を手軽に行うためのツールキット**（ライブラリの集まり）です。強化学習では、シミュレーションの環境を構築する工程が一般的に大変な部分ですが、OpenAI Gym を活用することで、手軽に環境を準備し強化学習のシミュレーションを行えます。目的に沿って、バランスゲーム（CartPole）やドライブゲーム（MountainCar）などの題材を扱います。

一気通貫学習（**end-to-end 学習**）：個々の動作の細かいプロセスの組み合わせとして行動や動作を学習するのではなく、**1 つのディープニューラルネットワークを用いて一連のプロセスとして学習**することを指します。

Mini-max（**ミニマックス**）**法：自分のターンの時にスコアが高く、また相手のターンの時にスコアが最小になるような打ち手を探索**するためのアルゴリズムとして使われます。強化学習をボードゲームに用いるときに、自分にとっての最善手と同時に相手にとっての最悪手を探索するためのアルゴリズムです。一般的に、「オセロ」「将棋」「囲碁」のようなゲームの探索アルゴリズムには Mini-max 法が向いています。

- **Sim2real**：シミュレーションを用いてあらかじめ**方策（policy）を学習した後に、実世界の環境に適用**する手法。過学習して実環境で使用したときに性能が劣ることが問題視される。

- **ドメインランダマイゼーション**：パフォーマンスギャップを解消するために、シミュレーション環境を現実世界の環境に近づける。**環境パラメータをランダムに変更させ、多様な環境で性能を発揮するモデルを訓練**する。

- **オフライン強化学習**：シミュレーションのデータを学習や性能評価に用いず、**実環境から集めた過去のデータのみ使って強化学習を行う**手法。

- **オンライン強化学習**：実際に**環境と作用**しながら行う強化学習。

- **Actor-Critic**：方策にしたがって行動を選択する **Actor**（**行動器**）を直接改善しながら、行動価値関数に応じて方策を評価・修正する **Critic**（**評価器**）を同時に学習させる。

- **A3C**（**Asynchronous Advantage Actor-Critic**）：**複数のエージェントが同じ環境で非同期に学習**させることで安定化、高速化を実現。

- **DQN の拡張版モデルの代表例**：**ダブル DQN**（**Double DQN; DDQN**）、**デュエリングネットワーク**（**Dueling Network**）、**ノイジーネットワーク**（**Noisy Network**）
  これらのよい特徴を組み合わせた「全部載せ」モデルが **Rainbow**。

- **ターゲットネットワーク**：DQN のテクニックで、現在学習中のネットワークと、過去に遡ったネットワークの「**TD 誤差**」を教師データのように使う。価値の推定を安定にする効果がある。

- **経験再生**（**Experience Replay**）：DQN のテクニックで、環境を探索中に得られる経験データを「リプレイバッファー」に保存し、適切なタイミングでランダムに抜き出して学習に利用する。学習を安定化させる効果がある。

- **方策ベース**アルゴリズム：数理モデルを用いて直接的に方策のよさを推定する。

- **価値ベース**アルゴリズム：価値を推定することで間接的に方策を最適化する。

- **モデルベース**アルゴリズム：環境をパラメータで明示的に表現し、パラメータを最適化することで、直接的に方策を学習する。

- **モデルフリー**アルゴリズム：環境パラメータを推定せずに、Q 学習のように方策を求める。

マルチモーダル技術

この節では、AIをさらに汎用化し、人間に近づけるために、複数分野の技術を組み合わせたマルチモーダル技術について解説します。

しばらく前まで、人間にしかできなかったことが、いまではAIによって高速かつ高精度で実行できるものが多くなっています。人間の視覚、聴覚、思考力、文章処理能力などを機械で再現するための人工知能（AI）の技術が数多く開発されてきました。最も早くから成功し技術が進んでいるのは「画像認識」分野であり、その次はおそらく「音声処理」と「自然言語処理」でしょう。

ところが、人間が発揮できる学習の効率と応用の柔軟性までは、AIで完全に再現できていません。これには、Chapter1で紹介した「身体性」や「シンボル・グラウンディング問題」などの概念が関係しています。現在のAIは例外なく、特定のタスク（画像認識や囲碁対戦など）のみ担える「**弱いAI**」です。すなわち、現実世界の複雑な現象に対して臨機応変に動作することは、まだできません。

では AI を「少しでも」人間に近づけるためにはどうしたらよいのでしょうか？

私たち人間は、どのようなプロセスを経て、無力な赤ん坊から出発した「世界モデル」を脳内で獲得してきたのかについて考察すると、ヒントが得られるかもしれません。

人間は幼い頃から、周囲とのやり取りから**五感を経由して得られる複合的な情報を活用**しています。AIをさらに人に近づけたいならば、同じように**多面的な情報を組み合わせて処理する機能を実装**する必要がありそうですね。

複数タイプの入力情報を同時に利用する技術を、**マルチモーダル技術**と呼びます。ロボティクスへの応用も含めて、複数モーダルの情報の扱い方に関する研究が進行しています。現実に、「**マルチモーダル AI**」が少しずつ実現されてきています。表4.16.1に身近なマルチモーダル技術の例を挙げてみました。

アプリケーション	組み合わせている技術
スマートスピーカー	音声認識、音声生成、自然言語処理
自動画像脚注付け	物体検出・物体認識（CNN）、自然言語処理（RNN、LSTM）
手話や唇の動きから、テキストや音声に変換する障害者支援アプリケーション	画像認識、音声合成、自然言語処理、その他の時系列データ処理技術

表 4.16.1：身近なマルチモーダル技術の例

専門用語で「五感」とは、5つの「**モダリティ**」を持つことです。「モダリティ」や「モーダル」という言葉は「入力情報の種類」（例えば、画像、音声、文章など）を意味します。人間には誕生時から自然とマルチモーダルなシステムが備わっています。

少し想像するだけでも、マルチモーダル AI の可能性は実に広いですね。例えば、ビジュアル・香り・味を総合的に評価できる料理 AI、顔色とカルテデータから患者の状態を判断できる医療 AIが挙げられますね。

そもそもの AI の開発目的は、人間の情報処理能力をコンピュータで模倣し人間の補助をすることですね。マルチモーダル AI はより「人間らしい」知能と行動を実現してくれるので、非常に注目を浴びています。

マルチモーダル技術の代表例の１つは**ニューラル画像脚注付け（Neural Image Captioning ; NIC）**であり、与えられた画像に対して、画像に写っている物体を説明する自然言語（脚注／キャプション）を生成する技術です。画像識別と自然言語処理を融合させた技術であり、両分野の精度がともに向上したことで実現されています。

NIC では、**画像を認識するネットワーク（CNN など）と文章を生成するネットワーク（RNN または Transformer）を同時に学習**することによって、与えられた画像を自然言語で描写することを実現しています。学習データとして、画像とキャプションがペアになったものを使います。直感的に１つの画像について複数のキャプションが考え

られますよね。訓練データも複数パターンのキャプションが振られることが多いです。

　図 4.16.1 に NIC の仕組みを示します。実は、NIC の構造は、お馴染みのエンコーダ・デコーダモデルそのものです。エンコーダとデコーダのそれぞれに用いられる「パーツ」が機械翻訳などと違うだけですね。エンコーダには CNN ベースのモデルが用いられ、画像に写っている物体の検出と認識を担当します。デコーダには RNN または Transformer で構成される文章生成ネットワークが用いられ、画像認識の結果を自然な言葉で表現するテキストを生成します。CNN で画像認識を行った後、物体の分類結果を出力する出力層の代わりに、最後の畳み込み層からの活性化値をデコーダに送り込み、それを文章にデコードします。

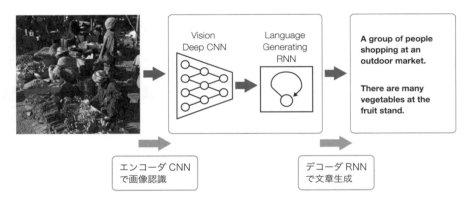

図 4.16.1：（左）ニューラル画像脚注付けの例（右）仕組みの模式図 [33]

モデルの解釈性とその対応

機械学習にとって、精度だけではなくモデルの解釈性も重要です。
本節ではモデルの予測結果を説明するための手法を学びます。

そもそもなぜ機械学習モデルの「解釈性」が重要なのかについて考えましょう。

判断の根拠、つまり**「なぜそのような予測・判断をしたのか」**を説明できていないと、モデルをアプリケーションとして実社会に実装した際に、その利用者が不安を感じてしまいます。例えば、「AI による医療診断の結果、腫瘍は悪性ですが、AI がそう判断した根拠は解明できません」と言われたらどんな気持ちになるかを想像してみてください。

機械学習モデルによる判断の解釈が重要となる場面は、他にも色々考えられます。

- 大学側が機械学習を用いて、奨学金の審査をしようとする際に、拒否を下した奨学金申請に関して、法律上その判断の根拠を説明する必要がある
- 機械学習を用いて患者が病気であると判断するだけではなく、患者の病気を悪化させている要因を特定できれば、より早めに医療処置で対処できるようになる

ディープラーニングのような複雑なモデルは高い識別能力を持つものの、モデルの判断の根拠が解釈しにくいことが課題です。この問題がディープラーニングの活用を難しくしている要因の 1 つです。

そこで、最近では**機械学習モデルの解釈性に注目し、「ブラックボックス問題」の解消**を目指した研究が進められています。本節では、以下の代表的なツールを紹介します。

- **LIME と SHAP**：モデル全体の傾向ではなく、特定のデータサンプルに着目し、単純なモデルで近似することで予測に寄与する因子を推定する**「局所的な説明ツール」**
- **Grad-CAM**：勾配情報を活用することで、ディープラーニングモデルそのものに判断根拠を持たせる

その他にも、機械学習の解釈をサポートする機能があり、その一部は本書で既に登場しています。例えば、ランダムフォレストの Feature Importance は特徴量の重要度を可視化し、Attention はニューラルネットワークにおける時刻ごとの情報の重みを考慮する機能が備わっています。

なお、解釈性を求める社会の動きについては、Chapter5 で学びます。

4.17.1 LIME

LIME（Local Interpretable Model-agnostic Explanations）は、特定の入力データに対する予測について、判断根拠を解釈・可視化する局所的（ローカル）なモデル解釈ツールです。 表形式データ（例：どの変数が売上予測に効いたのか）にも、画像のような非構造化データ（例：画像のどの画素に着目して画像分類しているのか）にも使用することが可能です。

図 4.17.1 に LIME を用いた要因解析の流れが示されています。LIME では、**単純で解釈しやすい線形回帰モデルを用いて、複雑なモデルを近似**することで解釈を行っています。LIME を用いて一度に解釈するのはモデル全体ではなく、**1 つの特定のサンプルに対する予測結果**であることがポイントです。

> ここでいう「複雑なモデル」は「人間による解釈が困難なアルゴリズムで作った予測モデル」のことを指しています。例えば、画像データなどに使うニューラルネットワークなど、ですね。

以下の手順で、モデルの解釈を行っています。

① 解釈しようとしている予測モデルに、1 つのデータを入力し、1 つの予測結果を得る
② 予測結果に対してのみ局所的に近似するような単純な予測モデル（線形回帰モデルなど）を作る
③ 単純なモデルから予測に強く効いた特徴量を選ぶなどの解釈を行うことで、難解なモデルの方を解釈したことと見なす

上記の②では、モデルが受け取るデータの周辺のデータ空間に対して、サンプリングを繰り返し行うことで集められたデータセットを教師データとして、近似用の線形回帰モデルを学習しています。このプロセスによって、対象サンプルの周囲のデータ空間でのみ有効な近似モデルを獲得します。局所的に留めることで、近似の誤差を許容範囲内に収めていると解釈することができます。

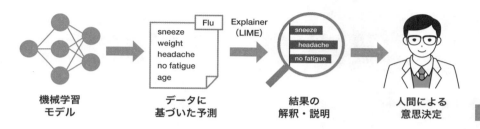

図4.17.1：LIME を用いた学習済みモデルの要因解析の流れ

| 元の画像 | エレキギター
の場合の解釈 | アコースティックギター
の場合の解釈 | ラブラドールレトリバー
の場合の解釈 |

図4.17.2：LIME を用いて、Google のインセプションモジュールによる画像認識を解釈している様子 [34]

4.17.2 SHAP

SHAP（SHapley Additive exPlanations） [35] は、2016 年に Lundberg と Lee により発表された**局所的**なモデル解釈ツールです。LIME と同様に、**個別の予想結果**に対して、各特徴量の寄与スコアや予測値との関連性を明らかにすることが目的です。

名前の由来は、**協力ゲーム理論における Shapley 値**を応用していることから来ています。Shapley 値（シャープレイ値）を利用し各変数の寄与を説明しています。この場合、ゲームの「報酬」は「モデルの予測値」、「プレイヤー」は「各特徴量」に相当します。

4.17.3 Grad-CAM

LIME と SHAP は個別のサンプルに対して、その結果を別の単純なモデルで近似しているのに対して、Grad-CAM は、**モデル全体に対する予測根拠を解明するための手法**です。主に **CNN による画像認識**を対象としており、「**画像のどこに注目してクラス分類しているのか**」を可視化します。

Grad-CAM の名前にある Grad は "Gradient" の略で、「勾配」を意味します。文字どおり、ニューラルネットワークの学習に用いられる勾配の情報を可視化に使っています。Grad-CAM の発想としては、**勾配が大きいピクセルは予測クラスの出力に大きく影響する重要な場所である**と判断し、そのピクセルの重みを大きく設定します。勾配に関しては、最後の畳み込み層の予測クラス出力値に対する勾配が採用されています。

CNN が分類のために**注視していると推定される範囲を、ヒートマップで表示**することができます。図 4.17.3 の中央が Grad-CAM を適用し可視化している例です。これによって、画像のどの部分を見て猫と予測しているのか、そして、モデルが正しく猫を認識していることを目視で確認できます。

一方で、Grad-CAM の問題点は、解釈過程の中で画像の解像度が下がってしまうことです。この問題点を解決するために、入力値の勾配情報も合わせて利用する **Guided Grad-CAM** という改良版が開発されています[※1]。Guided Grad-CAM は、分類モデルが着目している特徴量をさらに詳細に可視化してくれます。例えば図 4.17.3 の一番右では、具体的に猫の特徴を抽出することが可能になります。

original	Grad-CAM	Guided Grad-CAM

図 4.17.3：CNN による画像分類に Grad-CAM を適用した例[36]
（左）元画像、（中央）Grad-CAM によるアウトプットで分類において注目している猫の特徴をヒートマップで表示、（右）Guided Grad-CAM によるアウトプットで、注目されている猫の特徴がさらに際立つ

memo　※1　Guided Grad-CAM は Grad-CAM と Guided Back Propagation という技術を組み合わせた手法。基本となる発想は、最後の畳み込み層に対する入力の勾配の大きいところを表示すれば、クラス分類に有意な情報を可視化できる。

4 Generalist Exam
[clear explanations and quality exercises]
Powerful textbook leading you to success!

章末問題
End-of-chapter problems

問 1　BoW（Bag-of-Words）に関する説明として、最も適切な選択肢を1つ選べ。

1. 形態素解析によって文章を単語などに分解した後、各単語の出現回数に基づいて、文章を数値ベクトルとして表現する手法である。
2. 各文章における特定の単語の重要性を算出するための手法である。
3. テキストデータに現れる単語をまるでバッグ（Bag）のようにクラスタリングした後に、そこから潜在的なトピックを抽出する手法である。
4. テキスト同士のコサイン類似度を測定するための手法である。

解答・解説　正解 1

選択肢 **1** が正しい解答である。
Bag-of-Words（BoW）は一般的に、形態素解析とデータクレンジングの後に、文章における単語の**出現頻度**に基づいて、**テキストを数値ベクトルに変換**するための手法です。

- 選択肢 2：単語の重要度を測定することは、**TF-IDF** に関する説明です。
- 選択肢 3：クラスタリング後に潜在的なトピックを抽出することは、**トピックモデル**に関する記述です。
- 選択肢 4：**コサイン類似度**とは、単語のベクトル空間モデルにおいて、単語間または文書間の類似性を表現するために用いられる指標です。BOW を通じて計算することも可能ですが、BOW の主要な目的ではありません。

....

問 2　以下の言語の中で、自然言語処理における分かち書きの考え方が他の言語と異なるものを1つ選べ。

1. 英語
2. ラテン語
3. フランス語
4. 中国語

解答・解説　正解 4

選択肢 **4** が正しい解答である。
テキスト解析の初段階では形態素解析が行われます。形態素解析は、文章を**「意味を持つ表現要素の最小単位」（形態素）に分割**し、さらに辞書を参照しながら各形態素の品詞を推定するこ

とです。このうち、文章を最小単位で区切って記す部分を**分かち書き**と呼びます。

英語、ラテン語、フランス語をはじめとする多くの欧米の言語では、文章中で単語がすでに空白でわかれています。この場合、空白の箇所に区切りを入れて分かち書きを行います。一方で、日本語や中国語では普段、空白で単語を区切らないため、分かち書きの考え方が異なります。そのため、品詞を考慮しながら、形態素という最小単位に分かち書きを行います。

問 3　自然言語処理分野における「構文解析」の説明として、最も適切な選択肢を 1 つ選べ。

1. 複数の文の間の関係性を捉える。
2. 形態素ごとに品詞を推定する。
3. ストップワードを特定し、取り除く。
4. 文章の係り受け構造を捉える。

解答・解説　正解 4

選択肢 4 が正しい解答である。

構文解析の役割は、形態素解析を行った後に、形態素間の関係性を解析し、例えば、**主部や述部などの係り受け構造を推定**することです。

- 選択肢 1：複数の文の関係性を捉えることで「文脈」を解析するため、**文脈解析**に関する記述です。文脈解析は、構文解析と意味解析の後に行われることが多いです。
- 選択肢 2：形態素ごとに品詞を推定することは、形態素解析の一環として行う内容です。
- 選択肢 3：**ストップワード**とは、情報量が少ない単語、出現頻度が少ない単語、解析に関係のない単語などを指します。例えば、日本語では「は」「の」「です」、英語では a, the, of などが該当します。ストップワードを取り除くことはデータクレンジングの一部です。

問 4　TF-IDF の説明として、最も適切な選択肢を 1 つ選べ。

1. 文章の各単語について計算した TF と IDF の和をもって、単語の重要度を評価する。
2. TF は、コーパス全体における「特定の単語」が現れる頻度を表す指標である。
3. IDF は「あらゆる文書によく出現する単語」ほど、高い値をとる。
4. TF-IDF の値が大きい単語ほど、その文書中での重要度が高いと推定できる。

解答・解説　正解 4

選択肢 **4** が正しい解答である。

TF-IDF は**「ある文章」**の中の**「特定の単語」**の重要度を定量化するための尺度です。文章ごとに TF-IDF が計算されます。TF-IDF の値が**大きい**ほど該当する単語の重要度が高いと推定できます。コーパス全体で滅多に出ない珍しい単語が、「ある文章」に出現した場合、その単語は「ある文章」の特徴をうまく代表し重要度が高い、という考え方に基づいています。

- 選択肢 1：TF-IDF は、**TF（Term Frequency; 単語の出現頻度）** と **IDF（Inverse Document Frequency; 逆文書頻度）** の 2 つの数量を乗算した量です。

- 選択肢 2：TF は、コーパス全体ではなく、「ある 1 つの文章」における「特定の単語」が現れる頻度を表す指標です。

- 選択肢 3：IDF は「あらゆる文書に出現する珍しくない単語」ほど、小さい値をとります。

問 5　**以下の文章を読み、（ア）（イ）の組み合わせとして、最も適切な選択肢を 1 つ選べ。**

物体検出において、（ア）を用いて、画像の被写体の（イ）を切り出した後に、（イ）を画像分類器に入力してクラスを推定する。

1.（ア）バウンディングボックス　　（イ）候補領域
2.（ア）完全畳み込みネットワーク　（イ）画素パターン
3.（ア）バウンディングボックス　　（イ）物体輪郭
4.（ア）完全畳み込みネットワーク　（イ）勾配情報

解答・解説　正解 1

選択肢 **1** が正しい組み合わせである。

一般物体認識の一手法である「物体検出」では、**バウンディングボックス（矩形 / 長方形）**を用いて、画像のなかで物体が存在すると思われる**候補領域**を検出後、その領域内の物体の**クラス**を推定します。

これに対して、物体検出とは異なりますが、同じく一般物体認識の手法である**セマンティックセグメンテーション**では、物体の輪郭を画素単位で精密に切り出し、各画素にクラスを割り当てます。**完全畳み込みネットワーク（FCN）**とは、全ての層が畳み込み層から成り立つ、セマンティックセグメンテーションのモデルです。

4
ディープラーニングの研究分野

インスタンスセグメンテーションの手法として、最も適切な選択肢を1つ選べ。

1. Faster R-CNN　　　　　　　2. SegNet
3. Mask R-CNN　　　　　　　4. U-Net

解答・解説　正解 3

選択肢 **3** が正しい解答である。

インスタンスセグメンテーションとは、先に**物体検出**を行い、続いて**セマンティックセグメンテーション**を行う手法です。**重なった物体や同一クラスに属する物体の境界・形状の判別が強み**です。代表的なモデルに YOLACT や MASK R-CNN が挙げられます。

- 選択肢 1：Faster R-CNN は**物体検出**の手法です。他に、R-CNN、Fast R-CNN、SSD、YOLO などが挙げられます。
- 選択肢 2、4：SegNet、U-Net、他に FCN などは、**セマンティックセグメンテーション**の手法です。

（補足）SegNet は、エンコーダを用いて入力画像から特徴マップを抽出し、デコーダを用いて特徴マップと元の画像の画素位置の対応関係をマッピングします。メモリ効率がFCNより高いと言われています。

. . . .

問 7 DeepMind 社から発表され、複数のエージェントが非同期に学習することを特徴とする強化学習のアルゴリズムとして、最も適切な選択肢を1つ選べ。

1. DQN
2. Atari
3. A3C
4. VGG

解答・解説　正解 3

選択肢 **3** が正しい解答である。

A3C（Asynchronous Advantage Actor-Critic）は、2016 年に DeepMind 社によって提案された、**Actor-Critic** を用いたアルゴリズムであり、**複数のエージェントが同じ環境で非同期に学習**するのが特徴です。**Actor** は方策によって行動を選択する役割、**Critic** は状態価値関数に応じて方策を修正する役割があります。名称にある "A3" は「Asynchronous」と「Advantage」と「Actor」を表し、"C" は「Critic」を表しています。「Asynchronous」（非同期）とは、「**複数のエージェントによる非同期な並列学習を行う**」こと、「Advantage」とは、「**複数ステップ先を考慮して更新する**」ことを指しています。

| 問 8 | ロボット制御のために、教師あり学習ではなく強化学習を利用する理由として、最も適切な選択肢を 1 つ選べ。 |

1. 複雑な一連の動きに対して、教師あり学習では、正解データを定義するのが難しい。
2. 強化学習は、教師あり学習よりも圧倒的に学習が高速であり、計算コストも節約できる。
3. 強化学習は、ロボットの動作の異常を早めに検知できるため故障のリスクを低減できる。
4. 強化学習は教師あり学習よりも、学習の結果を明確な基準で評価できる。

解答・解説　　正解 1

選択肢 1 が正しい解答である。

ロボットの制御の研究には、強化学習が使われることが多いです。強化学習では、教師あり学習の正解ラベルの代わりに、ゲームのスコアに似ている「**報酬**」を設定し、一連の行動の最後にもらえる報酬を最大にするように、行動を選択する「**方策**」を改善していきます。「成功と失敗を繰り返しながら少しずつ上手に行動できるようになる」というアプローチは、動物の動作を真似ようとするロボットの訓練にとって相性がよいです。

....

| 問 9 | 以下の文章を読み、（ア）（イ）の組み合わせとして、最も適切な選択肢を 1 つ選べ。 |

Grad-CAM は、画像認識において、（ア）を用いて推論の根拠を可視化する（イ）なモデル解釈手法である。

1.（ア）勾配情報　（イ）大域的
2.（ア）勾配情報　（イ）局所的
3.（ア）カーネル　（イ）大域的
4.（ア）カーネル　（イ）局所的

解答・解説　　正解 1

選択肢 1 が正しい組み合わせである。

Grad-CAM は、画像認識を行う CNN に対して**「画像のどこに注目してクラス分類しているのか」という予測根拠をヒートマップなどで可視化**するための手法です。その名称は「**勾配情報（Gradient）**」に由来します。モデル解釈と可視化に用いられるのは、最後の畳み込み層の予測クラスの出力値に対する勾配です。**勾配が大きいピクセルは予測出力への寄与が大きいと解釈され、そのピクセルに大きい重みをつけます。**

モデルの解釈に用いられる手法は「**局所的な説明**」（Local Explanation）と「**大域的な説明**」（Global Explanation）に分けることができます。前者は LIME を代表とし、個別のデータサンプルの結果を別の単純なモデルで近似することで特徴量の寄与度を可視化します。これに対して、**Grad-CAM は大域的な手法であり、CNN モデル全体の解釈を行う**ことが目的です。

以下の文章を読み、（ア）に入るものとして、最も適切な選択肢を 1 つ選べ。

音声認識において、（ア）は発話者の声質や発音の特徴の識別に重要である。

1. 音色
2. 音の強さ
3. 音声スペクトルの振幅
4. 音の高さ

解答・解説 正解 1

選択肢 1 が正しい解答である。
物理現象としての音は、「強さ」、「高さ」、「音色」（音質）の 3 つの基本属性を持っています。
このうち、言葉を表現したり認識したりする際に、**音を区別するのに一番重要なのは音色**です。
他の属性が全て同じでも、「音色」が異なるだけで「違う音」と認識されます。この「音色」が、
音響モデルで使用される有効な特徴量の 1 つです。

⋯⋯

問 11 以下の文章を読み、（ア）（イ）の組み合わせとして、最も適切な選択肢を 1 つ選べ。

音韻は人の発声を区別できる音の要素である。音韻が近ければ、（ア）の上で観察される（イ）で
表されるピーク値も近い値をとる。

1.（ア）周波数スペクトル 　（イ）メル周波数ケプストラム係数
2.（ア）スペクトル包絡 　　（イ）フォルマント周波数
3.（ア）周波数スペクトル 　（イ）フォルマント周波数
4.（ア）スペクトル包絡 　　（イ）メル周波数ケプストラム係数

解答・解説 正解 2

選択肢 2 が正しい組み合わせである。
スペクトル包絡とは、**音声スペクトル上の穏やかな変動（共振特性）**です。**フォルマント周波
数**とは、スペクトル包絡に観察される複数のピークです。
言語に依存せずに、人の発声を区別できる音の要素が**音韻**です。**音韻が近ければフォルマント
周波数も近い値**をとります。

● 選択肢 1、4：一般的に、**メル周波数ケプストラム係数**を用いて、スペクトル包絡を求めます。

問 12 時系列データの解析に使用される手法に関して、最も不適切な選択肢を
1つ選べ。

1. ニューラル機械翻訳にはエンコーダ・デコーダモデルが使われており、エンコーダが翻訳元のテキストを符号化し、それをデコーダが復元することで翻訳後のテキストを生成する。
2. Sequence-to-Sequence（Seq2Seq）では、入力される系列を事前に同じ長さに揃える必要がある。
3. Bidirectional RNN は、過去から未来の時系列と未来から過去の時系列を利用した双方向の解析が可能である。
4. RNN は長い系列を解析する際に精度が下がるのに対し、Attention は離れた単語の関係性を捉える性能を示す。

解答・解説 正解 2

選択肢 **2** が誤った内容である。
Sequence-to-Sequence（Seq2Seq）とは、入力された時系列（sequence）から新しい時系列へ変換し出力するモデルです。Seq2Seq に**入力する時系列の長さと出力する時系列の長さが一致する必要はありません**。

- 選択肢 1：エンコーダ・デコーダ（Encoder-Decoder）モデルでは、エンコーダが入力データを**符号化（エンコード）**することで固定長のベクトルに変換し、それをデコーダで**復元（デコード）**することで出力を生成します。
- 選択肢 3：**Bidirectional RNN** とは、RNN を 2 つ組み合わせることで、過去から未来だけではなく、未来から過去の情報も利用可能にしたモデルです。
- 選択肢 4：**Attention（注意）**機構は、単語間の関係性の重みを反映できる仕組みを取り入れ、必要な情報に注意を向けて学習することで、従来の RNN を用いたモデルに比べて長文の解析精度を向上させました。

. . . .

問 13 以下の文章を読み、（ア）に入るものとして、最も適切な選択肢を 1 つ
選べ。

Transformer では（ア）を採用することによって、単語の順序に関する情報を入力に加味している。

1. Source-Target Attention
2. 位置エンコーディング
3. Decoder
4. BPTT

正解 2

選択肢 **2** が正しい解答である。

Self-Attention は単語の関係性と文脈を高速に計算できるといった長所がある一方、**語順に関する情報を直接考慮できない**という弱点があります。対策として、Transformer では**位置エンコーディング（Positional Encoding）**を用いて、単語の順序に関する情報を入力に加味します。具体的には、各単語が「系列中の何番目の位置にあるか」を一意に区別するための位置情報をベクトルとして表現し、これらの位置ベクトルを単語の埋め込みベクトルに追加します。

- 選択肢 1：**Source-Target Attention** は、**入力系列（Source 文）の各部分に対する出力系列（Target 文）の各単語の関連性**を解析する仕組みです。
- 選択肢 4：**Back Propagation Through Time（BPTT）**とは、再帰的なネットワークである RNN における誤差逆伝播法を指します。

問 14　以下の文章を読み、（ア）に入る用語として、最も適切な選択肢を 1 つ選べ。

大規模自然言語モデルでは、汎用的な性能を持たせるために（ア）を行った後に、個別の言語タスクに特化した学習を行う。

1. 転移学習　　　　　　　　　　　　　2. 事前学習
3. 強化学習　　　　　　　　　　　　　4. 教師あり学習

正解 2

選択肢 **2** が正しい解答である。

大規模自然言語モデルの**事前学習（Pre-Training）**とは、インターネット上の大量なテキストデータ（コーパス）を学習し、自然言語処理に関する「一般的な知識や情報」を獲得することです。事前学習を終えた**学習済みモデル（基盤モデル）**は既に、多くの文章に共通する汎用的な特徴量を、あらかじめ隠れ層で「習得」してあります。**ファインチューニング**を経て、新しい言語タスクに使用することができます。

問 15　GPT の事前学習に使われる学習法として、最も適切な選択肢を 1 つ選べ。

1. 自己教師学習　　　　　　　　　　　2. 半教師あり学習
3. 深層強化学習　　　　　　　　　　　4. オンライン学習

解答・解説　正解 1

選択肢 **1** が正しい解答である。

GPT は、大量のテキストデータを用いて、各時刻ステップで「ある単語列の後に来る単語」を予測し、文章を自動完成できるように学習します。このような GPT の事前学習には、**教師なし学習（自己教師学習）**が用いられています。すなわち、ラベル付けされたデータセットは必要とせず、インターネットから取得した大量のテキストデータを無差別的に学習します。そこから、**自動的に自然言語の統計的なパターンや意味を抽出し、それに基づいて新たなテキストを生成する能力を獲得**します。

問 16　**GPT およびそれを用いた文章生成 AI について、最も不適切な説明を 1 つ選べ。**

1. 事前学習された文章生成 AI には、Few-shot という少量の参考情報を与えるだけで、後に続く文章などを生成できる能力が期待されている。
2. 事前学習のみされた GPT モデルは、そのままでは対話型 AI として用いることが不適切であり、ファインチューニングが必要と考えられている。
3. Few-shot prompting（プロンプティング）を用いていくつかの事例を出すことで、文章生成 AI の出力をより正しい方向へ誘導できる可能性がある。
4. プロンプトエンジニアリングとは、GPT が不適切な出力をしないようにモデルのパラメータを調整することである。

解答・解説　正解 4

選択肢 **4** が誤った内容である。

プロンプトエンジニアリング（Prompt Engineering）とは、「目的別に最適な命令文」を見つけるまたは設計するための研究・技術です。生成 AI からできるだけ望ましい回答を得るため、また、その解答の形式と品質を制御するために効果的です。

● 選択肢 1、3：「いくつかの正解例」を与える **Few-shot prompting** は、**文脈の中で追加学習させる**ことで適切な結果を導き出そうとします。1 つの例（**One shot**）だけで十分な時もあれば、難しい要求の時は例の数を増やすことでタスクを正確に実行できます。

● 選択肢 2：GPT は対話型 AI に特化していないため、「質問に答える」「指示にしたがう」といったタスクに対して必ずしも最適な出力ができるとは限りません。また、GPT の出力には偏見や差別的な表現が含まれることがあり、これらを人間によるフィードバックを用いて改善する必要があります。

敵対的生成ネットワーク（GAN）の仕組みについて、最も適切な選択肢を1つ選べ。

1. ジェネレータとディスクリミネータがそれぞれ生成する画像データを区別できるかによって、生成モデルの性能を評価する。
2. 元のデータに近いデータを生成するためには、訓練データからランダムノイズを取り除く必要がある。
3. ジェネレータとディスクリミネータの学習には、共通の損失関数が用いられている。
4. ジェネレータで入力画像の特徴量を統計分布に変換し、その分布からサンプリングしたデータをディスクリミネータによって復元することで偽物データを生成する。

解答・解説　正解 3

選択肢 3 が正しい解答である。
敵対的生成ネットワーク（GAN）では、**ジェネレータ**は偽データを生成し、**ディスクリミネータ**はそれを本物のデータと識別しようとします。相反する役割を持つジェネレータとディスクリミネータの競合関係は**共通の損失関数**で表現されます。ジェネレータは損失関数の値を小さくするように、ディスクリミネータは損失関数の値を大きくするように学習を行います。

● 選択肢 2：**ランダムノイズ**をジェネレータに入力することで、本物データに近づくようにマッピングを行い、画像を生成します。

● 選択肢 4：入力画像の特徴量を統計分布に変換しその統計量を学習するのは、**変分オートエンコーダ（VAE）**であり、GAN とは別の種類の画像生成モデルです。

問 18 Diffusion Model に関する説明として、最も適切な選択肢を1つ選べ。

1. 画像に徐々にノイズを加えた後に、ノイズを除きながら元の画像を復元することを学習する。
2. スタイル変換の代表的な手法の1つである Pix2Pix に導入されている。
3. 初代の GAN には使用されていなかったが、その派生モデル DCGAN に導入されている。
4. Diffusion Model を用いた画像生成モデルの学習は不安定になりやすいことが指摘されている。

解答・解説　正解 1

選択肢 1 が正しい解答である。
Diffusion Model（拡散モデル）は、**元データに徐々にノイズを加えていき、完全なノイズになるまで続けた後、そのプロセスを逆転し、ノイズを徐々に除去することによってデータを復元**するプロセスを用いた、新しいデータ生成モデルです。DALL・E2 や Stable Diffusion など拡散モデルを取り入れた最新の画像生成モデルは、その**学習の安定さと生成された画像の品質の高さ**で注目されています。

CHAPTER 5

AIプロジェクトに
必要な知識

Knowledge Necessary for AI Projects

DX（デジタルトランスフォーメーション）時代のニーズに応じる
べく、AIプロジェクトを計画・推進する上で重要となる、実践的
な内容がG検定に多く出題されるようになりました。AI分野特有
の契約の形式、プロジェクトの進め方、開発の環境など、この章で
はジェネラリストを目指すビジネスパーソンが持つべき知識を多く
学びます。暗記が必要な用語が比較的少なく、先行する章で学んだ、
AI・機械学習のプロセスを思い出しながら学習をすると、理解が深
まります。

Generalist Exam
[clear explanations and quality exercises]
Powerful textbook leading you to success!

AIプロジェクトの進め方と契約種別

この節では AI の開発・データ利活用に必要な人員と契約、独特な開発様式などの観点から、ジェネラリストとして考慮すべきことを学びます。

　現在、人工知能（AI）を含むデータサイエンス分野は、人間社会にメリットをもたらすことが明確になっています。AI を社会に実装するために多方面に渡る要素を考慮しなければいけません。ビジネスにおける価値、事業や経営へのインパクト、社会に及ぼしうる影響、リスク回避など、実に数多く挙げられます。

　内閣府が定めた用語の 1 つに「**Society 5.0**」があります。公表されている定義は以下です [01] ※1。

Society 5.0

「サイバー空間とフィジカル空間を高度に融合させたシステムにより、経済発展と社会的課題の解決を両立する人間中心の社会」

社会に有益な AI システムを開発し、社会と融合することを実現するためには、技術者だけではなく、ビジネス、法律、倫理など、総合的な見解を持つ必要があります。AI 技術を受け入れるための「新しい社会」を全ての関係者で作り出していかなければなりません。

　AI プロジェクトの進め方は、他のソフトウェアやシステムの開発にはない特徴がいくつもあります。この章では AI プロジェクトを推進する上で、契約、開発様式、インフラやツールに関する知識を身につけます。そして、次の章では、法律・倫理の知識を解説します。

---

memo ※1 ［00］表記で注釈を入れている番号は P.474-476 に参考文献があり。なお、番号は章ごとに設定し直している。

5.1.1 AIプロジェクトの方向性と体制

適用場面に応じてプロジェクトの方向性を正しく判断するために
は、AIの各手法の特性、長所・短所を理解する必要があります。

■ 機械学習を使わなくてもいい場合もある？

AIプロジェクトを発足したい時に、一度は「そもそも高度な機械学習手法を利活用
する必要があるのか、それとも従来の手法で十分なのか」を判断する必要があります。

Chapter1では、AIには機械学習とルールベース手法の2種類がある、ということを
学びました。実はデータを利活用する上で必ずしも機械学習が必要ではなく、要件次第
ではより設計しやすく、「透明性の高い」（仕組みがわかりやすい）ルールベースのシス
テムで十分である場合もあります。

また、Chapter2で学んだ「ノーフリーランチの定理」も思い出してください。機械
学習には様々な個別の手法があり、ケースバイケースで使い分ける必要があります。機
械学習手法の1つであるディープラーニングは人間が扱いにくい非構造化データ（例え
ば画像や音声）の分析で高い精度を出せることで注目されています。

一方で、ディープラーニングは複雑なモデルで過学習もしやすく解釈が難しくもあり
ます。そのため、決定木といったよりシンプルな機械学習手法の方が適していることも
あります。

■ コストと性能とのバランス

仮に機械学習を使う必要性が認められた場合、次は「具体的にどの部分に実装するの
か」を検討します。AIプロジェクトを成功させるためには、利益計画を作成し、利益
計画に基づいた投資判断を行うことが重要です。AIシステムを構築して運用開始直後
にすぐに明確な利益が得られるとは限らず、数年以上かかることがあります。まず初期
の目標を設定し、「どれほどのコストをかければ、いつまでにシステムがどのくらいの
精度を出せるのか」を見積もって投資判断に反映させる必要があります。

現在人間がアナログ形式で実行している業務を、AIに置き換える際に、**BPR**
（**Business Process Re-engineering**）というプロセスが発生します。現在のコ
ストと、AI適用後のコスト（これにはAIシステムへの変更作業自体のコストも含む）

を推定し、後者の方が大きい場合は、AIを適用する判断や適用する箇所、使用する技術などを再検討する必要があるでしょう。

■ AIプロジェクトの体制

　データ活用プロジェクト（データ分析、AI開発など）は多種多様の役割があり、人員リソースの確保も重大な課題です。

　これまでに学んだように、AIシステムを構築するためには、データの収集、データの加工、特徴量づくり、モデルの学習、システムの実装、性能評価テストなど様々な過程があります。また、AIシステムは実装して終わりではありません。システムの性能を担保するために、新たにデータを収集し、AIモデルの改善を続けるための運用・保守という比較的長期的な体制も整備することが必要です。

　上記の過程を担うデータサイエンス人材だけではなく、プロジェクトメンバーを統括し、プロジェクト全体の意思決定および進行の管理を行う**プロジェクトマネージャー**が必要です。さらに、システムの使いやすさ・わかりやすさの観点から、**UI**（**User Interface**）や**UX**（**User Experience**）を考案する**デザイナー**、設計の段階から法的・倫理的な課題を検討する**法務担当者**も必要です。

　ビジネスのためのAIである場合、プロジェクトのコアメンバー以外に、成果物を社会に送り出すために、営業、企画、マーケティングの担当、経営層もそれぞれ大切な役割を持ちます。

5.1.2 AI開発・データ利活用の進め方

　AI開発に関して、「**AI・データの利用に関する契約ガイドライン**」（経済産業省）では、**探索的段階型**のソフトウェア開発方式が推奨されています。

一般的なシステム開発の案件では、成果物のゴールが明確であり、それに向かって直線的に開発を進める。	AI開発では、最終的に出来上がる成果物を保証できないこともあり、最終的に必ず目標精度を達成できるとは限らない。

また、探索的段階型の方式では、開発のプロセスを以下の4つの段階に分けています。

AI開発と通常のシステム開発が大きく異なるところは、PoC（**概念実装**；Proof of Concept）が導入されていることです。PoCの段階では、開発者が小規模の生データから学習用データセットを作成し、試行錯誤しながら、**発注側が求めている機能や精度を満たすような学習済みモデルを生成できるかを検証**します。

PoCでは、開発側は本番で使用する予定の手法をテストし、発注側が望む精度を満たす見込みがあるかどうかを示します。発注側はその精度に納得できるかどうかを判断する、ということです。

AI分野で用いられる**探索的段階型**の開発では、初期段階においてプロジェクト全体のコストを把握できない場合があります。また、最終的な成果物の精度を一般的に約束することが困難です。新規の技術を開発する際は、一度に膨大なコストをかける代わりに、**比較的小規模なPoCのフェーズから開始することで、リスクを抑える**ことができます。PoCを通過できない場合、次の段階（本番開発）に進まないことを選択する、もしくは、精度を向上するための工夫を考案することもあります。

5.1.3 AIシステム開発の様式

ここでは、2種類のシステム開発の様式の違いや使い分けを理解しましょう。

ウォーターフォール開発様式では、開発工程を「企画 ➡ 設計 ➡ 開発 ➡ テスト ➡ 運用」と分けます。**最初に全体の機能の設計と計画を決定**し、それにしたがってシステムの要件となる全ての機能を開発・実装します。一般的なシステム開発では、最初から成果物の仕様と要件が明確に決まっていることが多いため、ウォーターフォール開発がよく選択されます。

アジャイル開発では、**小さい単位や機能ごとに工程を分割**し、イテレーション（反復）と呼ばれるサイクルを実施します。AI 開発プロジェクトではアジャイル開発が多いです。その主な特徴として以下の点が挙げられます。

- 早期に問題を発見し改善ができる
- 開発期間を大幅に短縮でき、素早くプロダクトや機能を提供できる
- 仕様変更に柔軟に対応しやすい

　上記の特徴により、**アジャイル開発は、AI 開発のような、日々技術や仕組みが進化する分野のプロジェクトに向いている**といえます。

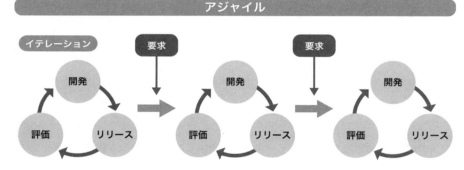

図 5.1.1：アジャイル開発の模式図。小さい単位で機能ごとに開発を進める

5.1.4　AIプロジェクトの契約

■ 秘密保持契約

　開発を開始する前の段階で、既に機密性の高い情報をやり取りしていることがあります。これには、顧客情報、業績データ、研究・実験の記録などが含まれます。

開発を行う前なのに、どうして機密データを入手するのでしょうか？

例えば、一部だけのデータサンプルを受領し調査することで、その後の開発の方針を検討する材料にすることがあります。
クライアントへのヒアリングを行う際にも、技術に関する機密情報を入手する可能性があります。

そのため、開発を開始してから、あるいは成果物を納品する前ではなく、**プロジェクトを開始する前に、第三者への情報の漏洩または不正利用を防止するための契約を結ぶ**必要があります。このような契約を **NDA（Non-Disclosure Agreement）**といい、**機密保持契約**または**秘密保持契約**と呼ぶこともあります。

また、NDA の締結は、クライアントから直接的に受注する側だけではなく、当該 AI プロジェクトを社外（パートナー企業、業務委託のスタッフ）と共同で進める際にも、具体的なプロジェクトの内容やデータを共有する前に締結すべきです。

■ 受注側と発注側の間で交わされる契約

データ分析または AI 開発業務の一部を外部に委託する際に、受注側と発注側の間で交わされる契約は大きく 2 つに分類することができます。

準委任契約では、受注側が「**指定の業務を実施**」することを確約することが目的です。言い換えると、受注側に生じる義務は、「業務を行う行為」そのものであり、その業務を定められた期間で行った後に請求する権利が生じます。**成果物に対する必要条件が設けられない**ため、成果物に不備があったとしても、修正や保証を要請することができない場合があります。

請負契約では、受注側が「**条件を満たす成果物を納品**」することを確約することが目的です。受注側に生じる義務は、**仕事を完成し成果物を納品する**ことであり、納品の時点で請求する権利が生じます。

AI 開発において、当初目指す成果（学習済みモデルの精度など）を保証することが難しいため、「**AI・データの利用に関する契約ガイドライン**」[02] では、準委任契約類型が推奨されています。

準委任契約の AI 開発の流れの一例を以下に挙げます。このように、開発の各段階で委託先が契約で定められた業務に携わりますが、成果物としての学習済みモデルが満たすべき精度に関する条件は一般的にありません。

発注側が委託先（開発者）に生データを提供する → 委託先が学習用データセットを作成する → 委託先が学習用プログラムを設計する → 委託先が学習用プログラムに学習用データセットを入力し、学習済みモデルを生成する → 委託先が学習済みモデルの評価を実施する → 発注側と委託先が打ち合わせを行う、次のアクションに関する議論を行う

ココが試験に出ます！

- **Society 5.0**：「**サイバー空間**と**フィジカル空間**を高度に融合させたシステムにより、経済発展と社会的課題の解決を両立する人間中心の社会」と内閣府により定義された用語。

- **「AI・データの利用に関する契約ガイドライン」**：経済産業省によるガイドラインで、**探索的段階型**のソフトウェア開発方式が推奨されている。開発のプロセスを以下の4つの段階に分けている。**アセスメント → PoC → 開発 → 追加学習**

- **PoC（概念実装；Proof of Concept）**：新しい仕組みやアイデアの**実現可能性や期待された精度を達成できるかを検証**するためのプロジェクト・フェーズ。

- **NDA（Non-Disclosure Agreement）/ 機密保持契約 / 秘密保持契約**：プロジェクトを開始する前に、**第三者への情報の漏洩または不正利用を防止**するための契約。

- **準委任契約**：特定の**業務を遂行**することを定めた契約。成果物の完成の義務を負わない。

- **請負契約**：委託された**業務を完成し、成果物を納品**することを定めた契約。

- **ウォーターフォール開発**：はじめに**システム全体の設計と計画を固めて**、それにしたがって**全ての要件・機能を一気に上流から下流に向けて実装**する開発様式。

- **アジャイル開発**：**開発工程を小さい機能単位に分割し、機能単位ごとにサイクル（イテレーション）で繰り返す**開発様式。AIプロジェクトに適している。

AIを提供する方法

本節ではクラウド、API、エッジといった、AI サービスの開発・運用・提供の方式について学びます。それぞれの長所や注意点に着目してください。

AI を開発する際に、サービスやシステムをどのような形で提供し、その後どのように運用するのかを事前に決める必要があります。クラウド上でウェブサービスとして提供する、API を介して提供する、エッジデバイスにモデルを組み込む等、様々な方式があります。

■ クラウド

AI との関連で「クラウド」や「クラウド・コンピューティング」という言葉を近年よく聞くようになりました。一言で説明すると、クラウドサービスとは、手元にインフラやソフトウェアを用意しなくても、**インターネットを経由して、リソースを必要な時に必要な量だけ利用**する仕組みといえます。クラウド上で利用できるサービスには、データベース、サーバー、ストレージ、オフィス用ソフト、機械学習を用いたアプリケーションなど様々あります。

クラウドを利用するメリットとしては、インフラを整備・運用するコストが削減できること、データの貯蓄やモデル構築が楽にできること、基盤モデルやソフトウェアを手軽に利用できることなどが挙げられます。ソフトウェアはサービス提供者によって常に最新のバージョンにアップデートされ、バグも速やかに解消されることが多いです。一方で、ネットワーク由来の通信遅延やシステムの不具合の影響を受ける可能性があります。

クラウドで提供されるサービスの種別として、SaaS、PaaS、IaaS について簡単に解説します。G 検定のためには、各々のサービスの具体例や他の種別との違いを知っておくとよいでしょう。

SaaS（Software as a Service）とは、**ソフトウェアやアプリケーションの機能を、インターネット経由で提供**するクラウドサービスの形態です。オンラインストレージやオフィス用ソフトなど既に身近なサービスになっているものが多くあります。これらはパソコンなどにインストールすることなく、端末依存性がなく、インターネットに接続すればどこからでもアクセスできます。また、契約によってはチームなど複数のユーザーと同時利用ができて共同作業もできます。

PaaS（Platform as a Service）とは、**アプリケーションが稼動するプラットフォームを提供**するサービスです。「プラットフォーム」には、ネットワーク、サーバー、OS などが含まれます。これらは通常、大規模なデータセンターに用意されており、そこには多数のユーザーが接続して利用することができます。

IaaS（Infrastructure as a Service）とは、**ネットワーク、サーバー（CPU・GPU、メモリ・ストレージ）などのコンピューティングリソースを提供**するサービスです。

必要な時に必要なだけ利用でき、利用量にしたがって課金される制度がほとんどです。国内でよく知られている IaaS として、Amazon Web Services（AWS）、Google Cloud、Microsoft Azure、IBM Cloud、Oracle Cloud などがよく挙げられます。

クラウドの逆の概念である**オンプレミス**の形態では、必要な設備の購入、システムの構築と運用管理を全て自社で行う必要があります。これに対して、クラウドサービスを活用することで、上記のコストの他に、ハードウェアの保管施設、メンテナンスや稼働の費用（電気料金など）を削減することができます。

一方で、クラウドサービスはハードウェア面やソフトウェア面の仕様がサービス提供業者によって決められており、自社の業務にカスタマイズがしづらいです。とはいえ、近年は利用者が設計できる要素を増やすなどサービスの自由度が高まる傾向にあります。また、オンプレミス環境とクラウドサービスを併用したハイブリッド環境も珍しくありません。

AWS や Google などが提供する**クラウド AI** は、上記のサービスを組み合わせて使用しています。例えば、センサーから収集したデータをクラウド上のサーバーに保管し、クラウド上のコンピューティングリソースを利用してデータ処理やモデルの学習と予測を行います。

クラウドのコンピューティングリソース上にモデルを利用できるように「置く」ことを一般的に、モデルの**デプロイ**と呼びます。

クラウド AI を用いることで、通常のパソコンの中で構築した AI では扱いきれない膨大なデータも手軽に処理できるようになります。クラウドに接続するだけで高度な AI 技術を利用できるのは便利ですね。

■ APIとは

API（Application Programming Interface）とは、**ソフトウェアやプログラムの一部を公開し、他のコンピュータやソフトウェアと機能を共有**するためのインターフェイスです。

　API を用いて複数のアプリケーションを連携し各々の機能を組み合わせた AI システムを構成することができます。API の利点としては以下が挙げられます。

- AI サービスの開発の効率化
- 他社サービスまたはデータとの連携により自社サービスを拡張できる
- セキュリティレベルの向上（例：外部のアクセス制御機能と API 連携）
- 公開された API を介してリクエストを行うことで、他社から情報を取得できる（例：SNS の API を用いてデータの取得や更新、投稿ができ、チャット bot の作成もできる）

　クラウドサービスの機能を API（ウェブ API）として実装・公開することが多いです。例えば、クラウド型ソフトウェアの API を用いると情報の取得や共有がしやすくなります。また、IaaS で提供されるサーバーを作成、起動、停止するといった操作は、ウェブブラウザや自社サービスなど別のアプリケーションから API を介して呼び出して利用することができます。

■ エッジとは

　システムの末端に位置する**デバイスに直接搭載し、そのデバイスの上で実行**される AI は**エッジ AI** と呼ばれます。手元にインフラを用意せずにインターネットを経由してサービスを必要な時に必要な量のリソースだけ利用するクラウド技術とよく対比させられます。

「エッジ」という用語は、ネットワークの末端を意味し、利用現場に配置するリソースを用いてモデルを実行するやり方を指しています。例えば、手元にあるコンピュータを用いて、そこに搭載されたセンサーやカメラで取得したデータを処理し、AIモデルを構築することをエッジシステムといいます。

もちろんエッジを使用する場合でも、必要に応じてネットワーク環境を通しデータの蓄積やモデルの更新を行うことがあります。

エッジと関連して、エッジシステムを利用してデータの分散処理を行うことを「**エッジコンピューティング**」といいます。情報のリアルタイム性が重要視される場合、データを遠く離れたクラウドに送信せずに、デバイス本体またはそれに近い場所に位置するサーバーなどを使ってデータを処理します。これは負荷を分散し、通信の遅延を減らす効果があります。

以上により、エッジシステムはリアルタイムで機能するため、**通信量が少なく高速で**あること、**故障の影響範囲を最低限に抑えられる**ことが強みとして挙げられます。

クラウドを利用しない場合、手元のインフラを揃えることから始めます。データの保管と処理を行うためのハードウェアやソフトウェアを購入する必要があります。全体として高価になり、各部品を選んだり組み立てたりするには専門的な知識が必要となります。

DX（デジタルトランスフォーメーション）を支える技術

AI と切り離せない概念である「DX」、本節では IoT、RPA、MLOps、ブロックチェーンなど DX を支える様々な技術について学びます。

デジタルトランスフォーメーション（DX）は事業のあり方、ビジネスモデルやサービス形態の「**デジタルによる変容**」を目指す概念です。

「DX」と「IT 化」が同義であるように勘違いされやすいのですが、両者は意味が異なります。IT 化は既存業務の業務プロセスの効率化が主要な目標であるのに対し、DX はその名前にある「トランスフォーメーション」から窺えるように、より**根本的かつ大局的な変化**を目指します。

DX は、IoT、RPA、AI を用いたビッグデータの活用といった技術によって支えられています。このうち、IoT は、クラウド、ネットワーク、センサーなど他のデジタル技術から構成されます。とりわけクラウド技術のおかげで、専門性の高い技術や大規模なリソースや施設を持たなくても高度な開発を行うことができるようになり、新規参入の障壁が低くなりました。

事業の変化といえば、もう 1 つよく聞く概念は**オープンイノベーション**です。製品、サービス、技術の開発や組織改革などにおいて、**社外の組織から知識や技術を取得し社内に取り込むことで、自前主義からの脱却**を図ることです。

以下では、DX を支える技術をいくつか詳しく見ていきましょう。

● データの増量

ビッグデータは**生成速度と更新速度が非常に速い大規模なデータ**を指します。2000 年以降インターネットの普及によりデータが蓄積・取得されやすくなりました。ビッグデータを利用した機械学習が盛んになったことが、第 3 次 AI ブームの火付け役の 1 つとなりました。

大規模なデータの全体を人間が目視や手作業で把握することが困難であるため、データサイエンスの技術を使ってデータを利活用します。

ビッグデータの 3 つの "V" とは、一般的には Volume（量）、Variety（多様性）、Velocity（速度あるいは頻度）といった特徴を指します。

● インターネット経由で生じるデータ

IoT（**Internet of Things; モノのインターネット**）は、身の回りのもの（電気製品や乗り物など）がインターネットに接続されることから生じるデータを利用する技術を指しています。現在、IoT 技術は家電製品、家庭内のデバイスを繋ぎ合わせたスマートホーム、スマートスピーカー、自動車などの乗り物、工場の設備など、様々な「モノ」に活用されています。これらのモノには、**センサーやカメラ、無線通信**などが搭載されており、遠隔で操作可能です。これにより、**対象物の状態を検知し、データを取得**することが可能になります。

以下は IoT 技術を用いて実現したサービスの例です。

- お年寄りが一人で暮らす家の家電の使用状況を、離れて暮らす家族に知らせることで、健康状態、生活リズム、安否を見守ることができる
- 帰宅前に、家のエアコンの電源を遠隔から入れて、あらかじめ室温を調整しておく
- 留守の間にフードサーバーからペットにエサをあげる、植物に水やりする
- 冷蔵庫の中に残っている食品の写真を外出中に取得し、的確に買い物できるようになる
- 家畜の体調の変化を監視し、異常を感知した際に獣医が駆けつける

● 業務の自動化と効率化

RPA（**Robotics Process Automation**）とは、コンピュータやソフトウェアロボットを通じて、主に定型的な事務作業を自動化・効率化することを指しています。RPA を導入することによって、生産性の向上、工数の削減、ヒューマンエラーの防止などの効果があります。仮想知的労働者（digital labor）と呼ばれることもあります。

例えば、製造業における RPA の活用例として、発注データをシステム登録、テンプレートにしたがいデータを挿入するような発注書類の作成、メールの送付といった受発注管理が挙げられます。さらに商品ごとの在庫数を集計し、システムに登録するなどの在庫

管理も挙げられます。このように、データの収集や入力、集計、更新、メールの受送信などは RPA により自動化できる業務の代表例です。

● **開発と運用の体制**

MLOps（Machine Learning Operations; 機械学習オペレーション） とは、AI プロジェクトにおいて、機械学習の開発担当と運用担当が連携しながら、**モデルの開発**（データ準備・モデル学習・評価・本番実装など）**から運用までの一連を管理**する体制を目指す概念です。MLOps の**各プロセスを繰り返し回す**ことによって、安定したシステムを維持することが大切です。

実は、MLOps は、システムやソフトウェアの開発（Development）と運用（Operation）の協業を目指す **DevOps** という概念を機械学習の分野に適用したことから発祥しました。

● **データ活用の方法論**

CRISP-DM（CRoss-Industry Standard Process for Data Mining） とは様々な業種に適用可能なデータマイニングの方法論です。基本的に、対象とするビジネスおよび関連するデータを理解した上で、データの準備、モデル作成、評価、展開という流れです。

具体的には **Business Understanding（ビジネスの理解）、Data Understanding（データの理解）、Data Preparation（データの準備）、Modeling（手法の選択、モデルの作成）、Evaluation（結果の評価、プロセスの見直し、次のステップの計画）、Deployment（本番環境への展開）** の6つのフェーズから構成される標準プロセスです。

また、データ分析は効率よく試行錯誤を行うことが重要であり、CRISP-DM を1サイクルだけ回すのではなく、必要に応じて前のステップに戻り、あるいは6つのステップの間を行き来することがあります。

● **分散管理の技術**

ブロックチェーン（Blockchain） は分散的に管理された複数のコンピュータをネットワークに接続し、暗号化されたデータのコピーを全端末で共有している仕組みです。コンピュータを用いて簡単にデジタル空間で情報の処理を行うことができるようになった今、「見えないところで」データが編集されてしまう事態を防ぎ、データを保護する

有効な手段の1つです。

　ブロックチェーンは、中央管理者を必要としない**自律分散**システムです。取引記録を分散的に処理・記録し、多数の参加者が同一のデータを分散保持しています。そのため、ネットワークの一部に不都合が生じてもシステム全体がダウンすることなく運用を継続することができます。つまり、システムの「**可用性**」が保たれます。

　また、ハッシュや電子署名という暗号技術を用いることで、デジタル空間でのデータの改ざんを容易に監視し検出できます。つまりデータが知らない間に改ざんされない性質である「**完全性**」が満たされています。

　この自律分散システムの、不正や改ざんを許さず、公正な取引の履歴を担保する特性は、仮想通貨には欠かせないものです。ただし、仮想通貨以外の用途でも高い信用度を要する取引によく用いられています。

接続されている各分散デバイスはデータのコピーを保有しているため、データが勝手に消されたり改ざんされたりしないように監視する役割を果たします。

　また、ブロックチェーンとクラウド型データベースの主な違いは、ブロックチェーンの方が可用性と完全性が高いことです。クラウドのデータベースも複数のコンピュータに分散しており、バックアップを取ることで改ざんの修復は可能です。しかし、中央管理者が必要であり、管理者がサービスを停止すること、あるいは悪意をもってデータベースの中身を改ざんまたは削除することもできます。これに対して、ブロックチェーンは、サービスの提供者であっても記録されたデータの改ざんや削除はできません。

　BaaS（Blockchain as a Service）という用語も生まれており、例えば、Amazon Web Servicesではブロックチェーンの構築と管理を便利に行うためのプラットフォームを提供しています。

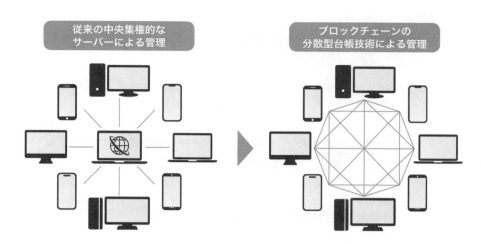

図 5.3.1：従来の中央管理者を必要とするシステムと、自律分散型のブロックチェーンの対比

■ 仮想環境の技術

　開発者やシステム管理者が「**コンテナ**」という単位でアプリケーションを構築、実行、共有するためのプラットフォームを **Docker** といいます。これには**コンテナ型仮想化**と呼ばれる技術が使用されています。OS の上に「コンテナ」と呼ばれる**仮想的なユーザー空間**（アプリケーションを実行するためのリソースが提供される空間）を設けます。通常の OS であれば 1 つのユーザー空間しかありません。これに対して、コンテナ型仮想化では 1 つの OS の上で、**複数の仮想的なユーザー空間（コンテナ）を提供**したり、仮想環境ごとにコンテナ化したりすることも可能です。

　コンテナ型仮想化により、例えば、MacOS の上で Linux ディストリビューションを実行するなど、複数の OS システムを 1 台の上で同時に実行することができます。また、物理的なサーバーの上に仮想的なサーバーを複数作り、これらをまるで本物のサーバーと同じように振る舞わせることもできます。

- **デジタルトランスフォーメーション（DX）**：事業のあり方、ビジネスモデルやサービス形態の根本的かつ大局的な「**デジタルによる変容**」を目指す概念。

- **オープンイノベーション**：製品、サービス、技術の開発や組織改革などにおいて、**社外の組織から知識や技術を取得し社内に取り込むことで、自前主義からの脱却**を図る。

- **ビッグデータ**：**生成速度と更新速度が非常に速い大規模なデータ**。ビッグデータの3つの "V" とは、Volume（量）、Variety（多様性）、Velocity（速度あるいは頻度）。

- **RPA（Robotics Process Automation）**：コンピュータやソフトウェアロボットを通じて**事務的な定型作業を自動化・効率化**する。

- **IoT = Internet of Things（モノのインターネット）**：身の回りのものがインターネットに接続されることで、データが生成され、そのデータを分析などに利用できる。

- **MLOps = Machine Learning Operations（機械学習オペレーション）**：機械学習の開発担当と運用担当が連携しながらモデルの**開発から運用までの一連を管理**する体制。

- **CRISP-DM（CRoss-Industry Standard Process for Data Mining）**：様々な業界で適用可能なデータマイニングの方法論。Business Understanding（ビジネスの理解）、Data Understanding（データの理解）、Data Preparation（データの準備）、Modeling（モデルの選択と作成）、Evaluation（評価、見直し、次のステップの計画）、Deployment（本番環境への展開）の6つのフェーズから構成される。

- **クラウド**サービス：手元にインフラを用意せずに**インターネットを経由してサービス（データベース、サーバー、ネットワーク、アプリケーションなど）を必要な時に必要な量だけ利用**する仕組み。

- **API（Application Programming Interface）**：**ソフトウェアやプログラムの一部を公開し、他のコンピュータやソフトウェアと機能を共有**するためのインターフェイス。

- **エッジ AI**：システムの末端に位置する**デバイスに直接搭載し、そのデバイスの上で実行**される AI。

- **オンプレミス**：システムを運用する上で必要な**ソフトウェアやハードウェアを自社内で保有し管理**する運用形態。

- **ブロックチェーン（Blockchain）**：中央管理者を必要としない**自律分散**システムで、分散的に管理された複数のコンピュータをネットワークに接続し、暗号化されたデータのコピーを全端末で共有している仕組み。システムの**可用性**と**完全性**が保たれやすい。

- **Docker**：開発者やシステム管理者が**コンテナ（仮想的なユーザー空間）**という単位でアプリケーションを構築、実行、共有するためのプラットフォーム。**コンテナ型仮想化**と呼ばれる技術が使用される。

開発環境を整える

この節では、AIの開発やデータ分析に不可欠なプログラミング言語や
ソフトウェア、システムを動かすプログラムを記述するインターフェイスについて学びます。

5.4.1 プログラミング言語

データの処理と分析、機械学習や自動化システムの開発などには、プログラミング言語を使用することが必要です。プログラミング言語とは、人間からコンピュータに指示を出すために使用する、特定のルールにしたがって記述する表現体です。

データサイエンスの分野では、Python、R言語、C言語、Java、MATLABなど色々なプログラミング言語が使われています。その中でも **Python は最も人気が高く、汎用性が高い**言語といわれています。データ分析、機械学習の実装、ウェブアプリケーションの開発など幅広く活用されています。例えば、以下のタスクは Python のプログラムだけで実現できます。

- Web ページからスクレイピングしてデータを抜き出す
- 抜き出したデータに対しディープラーニングを用いた画像認識を行う
- 分析した結果をウェブページで公開
- サーバーの環境を構築
- データベースから目的とするデータの抽出

Python が人気である理由として、以下が挙げられます。

■ 始めやすい！ 読み書きしやすい！ 学びやすい！

Python は**オープンソース**のプログラミング言語です。ゆえに、会社でも個人でも予算を気にせずに、商用目的であっても使用できます。また、Python は**文法や書式がシンプルでわかりやすい**ため、プログラミング初学者であっても比較的習得しやすい言語です。

実は、Python は、その発明者が周囲の人たちにプログラミング
の概念を教えるために開発された言語です。

■ **便利な機能を提供するライブラリが充実している**

　プログラミングにおける**ライブラリ**とは、**便利なデータ処理の機能を用途ごとにまとめた「ツール箱」**のような存在です。ライブラリを活用すると、**シンプルなコードを書くだけで驚くほど高度な機能を実装**できます。これは、複雑な処理がライブラリの「箱」の中に埋め込まれているからです。

　ライブラリを必要に応じて、通常コードの中に「呼び出して」その機能を利用してデータを処理します。Python には、**数値計算、データ解析、人工知能や機械学習の開発に特化した専門性の高いライブラリが豊富**であるため、応用の幅が広いわけです。例えば、AI モデルを学習するためのデータをウェブから収集することもあります。ウェブ上から自動的にデータを収集しそれを体系的に格納する技術を、「**クローリング**」や「**スクレイピング**」と呼びます。Python にはウェブからのデータ収集に必要なパッケージ、例えば、BeautifulSoup、Requests、Selenium などが提供されています。さらに、収集したデータを格納したデータベースとやり取りすることに特化した Python のライブラリもあります。

　また、実世界から収集してきた生データはそのままでは機械学習に適用できないことがほとんどです。欠損値の補填や文字列データの数値化など、煩雑なデータの前処理をサポートする機能が Python のライブラリによって提供されています。

ライブラリの使い方さえ慣れれば、一から自分で複雑なプログラムを書くよりもはるかに手軽に、データ加工、機械学習、画像処理などを行うことができます。コーディングに時間を費やす代わりに、企画立案やデータ探索などに時間を割くことができます。

■ アプリケーション開発のためのフレームワークが充実

Python は**ウェブアプリケーション**の開発にも使いやすい言語です。Python を用いて実装した成果物を、ウェブサービスとして公開・運用するためのフレームワークが充実しています。ここでいうフレームワークとは、ウェブアプリケーション開発に活用する便利なテンプレートコードの集合体のことです。ライブラリと同様に、既存のフレームワークを使うことで、最小限の労力で開発、運用、品質管理を効率よく行うことができきます。例えば、YouTube、Instagram、Dropbox などの Web アプリケーションは、Python のフレームワークを用いて開発されています。

■ ユーザー・コミュニティが広いので安心

Python は世界中に数多くの利用者がいます。ユーザーコミュニティがこれだけ大きいと、開発者には、Python のライブラリなどに関する多くの意見、指摘、問題提起が寄せられます。そうすると、開発者による機能の更新・改善も早く進みます。また、Python ユーザーが投稿する技術系ブログなどが、コーディングにおける問題対処のヒントとなります。Python で困ったことがあれば、誰かに質問するよりもウェブで検索したほうが早いぐらいです。

5.4.2 Pythonのライブラリにクローズアップ

Python が機械学習で使われるのは、Python というプログラミング言語そのものが向いているというよりも、前述のように**ライブラリが充実しており、機械学習の実装に有利な周辺技術が整備されている**からです。

Python は**スクリプト**言語であるため、高速な**コンパイル**言語に比べて処理速度が劣ります。ビッグデータの処理に向いていないのではないかと思う方もいるでしょう。しかし、実は Python のライブラリの多くは、C 言語や Fortran などの高速な言語で記述されていますので、データ処理速度の心配は無用です。ユーザーはそれらをシンプルな Python のコードを介して手軽に利用できます。よって、Python の書きやすさを損なわずに処理の高速化・効率化を図ることができます。

ライブラリは、単体では動作せず、目的に応じてメインプログラムの中へ呼び出して活用します。

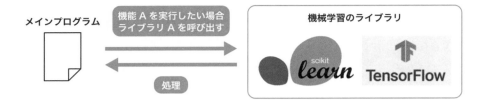

Python のライブラリには大きく分けて**「標準ライブラリ」**と**「外部ライブラリ」**があります。標準ライブラリは、Python に最初から付属しており、日付データ、ファイル操作などの汎用的な機能を提供しています。

外部ライブラリは、**AI、機械学習、ディープラーニング、画像処理などに特化した専門性の高い機能群**を提供するライブラリです。ウェブ上からダウンロード、インストールできます。以下では、データ処理やデータ分析で頻繁に利用される外部ライブラリを紹介します。

● **NumPy** [03] は、**多次元配列データを高速に演算**することを得意とするライブラリです。ビッグデータを処理する上で演算速度は重要です。画像処理や機械学習の高度なアルゴリズムの多くは仕様上、入力データを一旦 NumPy の配列に変換し、それを引数として受け取ることが前提となっています。

● **Pandas** [04] は、**表形式データの処理**に特化したライブラリです。データ分析でよく使われる表形式のデータ（構造化データ）を柔軟に処理するための機能が豊富に揃っています。以下は、その一例です。

  ● データの読み込み・書き出し
  ● 特定の条件を満たすデータを検索・抽出・置換
  ● データの結合や分割
  ● 様々な統計処理
  ● 欠損値の判定、処理

Matplotlib[05] は、データを**可視化**するためのライブラリです。分析プロセスの中で、データを効果的に「見える化」することによって、データの特徴、傾向、問題点などを把握でき、分析手法を的確に選ぶことができます。Matplotlib は、ヒストグラム、折れ線グラフ、円グラフ、散布図など多様な表現が可能で、書式設定に対する**カスタマイズ性も優れています**。

■ 機械学習の実装と直接関わるライブラリ

上記以外に、機械学習を実装するときに使う Python のオープンソースのライブラリもあります。代表的なものとして、機械学習モデルの実装の一連をサポートする **scikit-learn**[06]が挙げられます。scikit-learn を用いたサンプルコードやサンプルデータをウェブ上で数多く参考にすることができます。そのため、scikit-learn をインストールすれば、すぐに機械学習を行うことができます。様々な種類の機械学習の手法が存在する中で、どのアルゴリズムも似たような記述で利用可能であることも、scikit-learn の大きなメリットといえます。

機械学習の中でも、Python は他の言語に比べて、ディープラーニングの実装のためのフレームワークがよく整備されていることが特徴的です。有名なものとして、**TensorFlow** やそのラッパーである **Keras**、他に **PyTorch** や **Chainer** などが挙げられます。

5

AIプロジェクトに必要な知識

COLUMN | **ライブラリ、モジュール、パッケージ、どう違う？**

「ライブラリ」と意味が似ている「モジュール」と「パッケージ」、これらは厳密に使い分けがされておらず、強いて分類をすると以下になるでしょう。

- モジュールの中には、機能を直接提供するクラスや関数が含まれる
- モジュールは、Python のファイル（.py 形式）の集合体を指しています。長いコードで記述される機能は、「.py」形式のファイルで保存し、他のプログラムから呼び出して使うことを可能にします。
- パッケージは、モジュールの集まった「箱」
- ライブラリは複数のパッケージをまとめてインストールできるようにした集合体

開発環境

　ここでは、Python を用いて AI を実装するコーディングを行うための開発環境やコーディングインターフェイスについて説明します。

■ バージョン管理

　Python という言語そのものにも、Python のライブラリにも「**開発バージョン**」という概念があります。ライブラリのバージョンが異なると挙動が異なってくる可能性があるので、プロジェクトごとに Python や各ライブラリのバージョンを管理することが推奨されています。これらを総じて「**開発環境**」と呼びます。環境を管理し、切り替えるためのツールとして、pynev、virtualenv、pipenv などが挙げられます。

■ コーディングインターフェイス

　AI 開発や分析モデル構築の業務には、性格の異なる 2 つのフェーズがあると考えることができます。1 つは**構築フェーズ**で、もう 1 つは**実装フェーズ**です。構築フェーズでは、特徴量作りやモデルの最適化などの試行錯誤を繰り返します。実装フェーズでは、性能が十分である学習済みモデルを本番環境にローンチします。

　構築フェーズの試行錯誤の中で、何かを試す度に、コードを頭から再実行しなければいけないとすると、時間の無駄になります。また、試行錯誤の過程、出力結果、プロットなどを一括ドキュメントに残せる手段が望ましいです。これらを叶えてくれるコーディングインターフェイスの 1 つが **Jupyter Notebook** です。**ブラウザで動作するプログラムの対話型実行環境**であり、コードを「Notebook（ノートブック）」と呼ばれるファイル形式で記述します。この中では、プログラミング言語や文字だけでなく、画像や数式も表示できるため、試行錯誤のログを残すのに最適です。図 5.4.1 のように、Jupyter Notebook は**セル単位でコードを書いて、セル単位での実行が可能**です。この仕組みが**効率的な試行錯誤**を可能にしてくれています。

　Python でコードを記述するファイルの種類は大きく分けて 2 つあります。一般的な Python コードは、**テキストエディター**を用いて記述し、それを一気に実行することでコンピュータに「命令」を渡します。コーディングファイルの拡張子を「.py」にして保存します。テキストエディターとして様々な製品があります。従来から有名な製品として Vim や Emacs などが挙げられます。

これに対して、段階的に記述したコードを実装して結果を少しずつ確認したいときに利用するのは、上で紹介した Jupyter Notebook です。Jupyter Notebook は **Anaconda** や **Google Collaboratory** などの専用環境で記述することができ、そのファイル拡張子は「.ipynb」です。

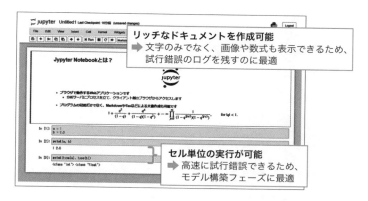

図 5.4.1：Jupyter Notebook のイメージ。セル単位でコードを記述し実行する

ココが試験に出ます！

- **ライブラリ**：データ処理など専門的な機能を用途ごとにまとめたソフトウェアパッケージ
  - **NumPy**：配列データと画像データの高速な処理
  - **Pandas**：表形式データの処理
  - **Matplotlib**：インタラクティブなデータ可視化
  - **scikit-learn**：機械学習を実装
  - **TensorFlow**、**Keras**、**PyTorch**、**Chainer**：ディープラーニングの実装
- Python は**スクリプト**言語であるが、そのライブラリの多くは、C 言語や Fortran などの高速な**コンパイル**言語で書かれている。
- **Jupyter Notebook**：**ブラウザで動作するプログラムの対話型実行環境**であり、コードをセルごとに実行可能。**Anaconda** や **Google Collaboratory** などの専用環境で記述する。

データの収集・加工・利用

この節では主に、AIのためのデータの種類と集め方、データのバイアスについて学びます。データを収集するためのコストをかける前に、データの利用条件をあらかじめ把握しておきましょう。

　ビジネス目的でデータを活用する場合、データの商用利用が許されているかをまず確認する必要があります。また、著作権、個人情報、営業秘密などの関連で利用が制限されているものがあります。さらに、取得そのものが禁止され規制が一段と厳しいデータもあります。データの扱い方によっては個人や社会に損害を与えるおそれがあります。安全な扱い方をするための法規制は Chapter6 で学びます。

5.5.1 学習データと予測精度

　学習データの量と質（バリエーション）は、機械学習モデルの精度を大きく左右する要素です。しかし、それなりの量のデータを収集できたからといって、初期からいきなり高精度を期待することも、精度100%を前提とした計画も現実的とは言えません。AIプロジェクトにおいては、現実的な目標を前提として、そこからどう改善していくかを計画することが肝心です。一般的に、**データを集める→データを加工する→データを用いてモデルを学習する→モデルの評価をする→必要に応じてデータの収集や加工の方法を見直す、またはモデルのチューニングをする**、といったイテレーションを実行します。

5.5.2 構造化データと非構造化データ

　構造化データとは、明確に**「列」と「行」の構造を持っている表型データ**です。以下のよく使うデータを思い浮かべるとイメージがつきやすいと思います。

- CSV, TSV データ
- Excel データ
- SQL 型データベースから取得してきたデータ

　「A行B列」を指定することで1つのデータ要素を確実に指定可能です。また、列構

造を通じて「どこに何があるか」が決まっているため、集計、演算、比較など様々な操作がしやすいのが特徴です。そのため、構造化データは扱いやすく、データ分析によく使われます。

　非構造化データの構造は**統一的な「列」と「行」で整理されていません**。例えば、フリーテキストのデータは決まった枠に収められていません。以下がいくつかの代表例です。

- 画像データ
- 音声データ
- テキストデータ
- XML データ

　コンピュータで非構造化データを取得しようとする際に、データの構造次第で取得しにくいものもあります。ただし HTML などは「規則性のある非構造化データ」であり、情報を登録する方法が決まっており、原理的には必ず全要素が取得可能です。

　近年はインターネットの普及により、文章、音声、画像が大量に発信されています。扱いが比較的困難な非構造化データを収集し利用する技術が、ますます重宝されてきています。

5.5.3 オープンデータ

　国、自治体、研究機関、独立行政法人、企業などが公開している、**無償で利用可能**なデータセットを**オープンデータ**と呼びます。一定の規則を守れば、誰でも取得、複製、再配布、加工、編集ができて、**営利（商用）・非営利を問わず利用可能**です。
　オープンデータは以下の性質を満たすとされています。

- **機械判読**に適したデータ形式で、**二次利用**が可能な利用ルールで公開されたデータ
- 人手を多くかけずにデータの二次利用（加工）を可能とするもの

　オープンデータの例として、以下が挙げられます。

気象データ、経済統計データ、人口動態データ、景気動向指数、自治体が実施する物価上昇に関するアンケート調査の結果、公共施設の所在地（地図・地形データ）、コンピュータビジョンの分野で使用される画像データベース ImageNet、自然言語処理に使うテキストデータベース WordNet

このように、データを社会に広く利用可能にする背景には、以下のような狙いがあるとされています。

- サービスの向上、新ビジネスの創出、経済の活性化
- 生活の利便性向上
- 行政の効率化
- 透明性と信頼性を保つ（政府や企業のデータ公開）

オープンデータがなければデータ分析に必要なデータを自ら集める必要があり、肝心の分析が開始する前にすでに大きなコストがかかってしまいます。対照的に、目的に合ったオープンデータセットが見つかり、かつ、それを利用するための知識と技術を有すれば、データを入手・加工するための収集の労力が大幅に削減されます。

オープンデータはボリュームが大きい場合が多いので、データ分析や AI 開発に利用しやすいです。機械学習の学習データに使用する際に、正解ラベルが付与されているものが多くみられるため、大変なアノテーション作業が省かれます。

オープンデータは、総務省統計のサイト、日経経済指標のサイト、政府の公共データベース（https://www.data.go.jp/）などのポータルサイトから得られます。

5.5.4 データを集める方法

以下では、代表的なデータとその取得法を挙げていきます。注意すべきこととして、目的と合致したデータを収集しなければ意味がなく、重大な欠陥のあるデータを分析に使っても信頼性のある結果が得られません。よって、データを収集する前に、データを使う目的とデータに期待する質を再確認しましょう。

■ 自社に蓄えられたデータ

売上明細、顧客管理データ、受注・発注・在庫・商品・店舗のマスター、自社サイトへのアクセス記録、営業活動記録、人事データ、メール・電話・チャットのログなど

■ 調査を実施・データ販売の企業から購入したデータ

アンケートデータ、ポイントカード利用履歴、小売店が保有する POS データなど

■ ウェブからクローリング・スクレイピングしたデータ

クローリングとは、ウェブ上で様々なサイトを巡回し、必要とするサイトの HTML を自動的にとってくることです。**スクレイピング**とは、特定のデータ構造（ウェブサイトの HTML）から重要な情報（見出し、商品名、評価点数など）を抽出することです。

一部の SNS や EC サイトなどに対し、クローリングとスクレイピングを用いて規則的にデータを取得することが可能です。ただし、スクレイピングに対する制限を課しているサイトがあるので、事前に規則と取得可能の範囲をご確認ください。

■ ウェブAPIを利用して収集したデータ

5.2 節で学んだ API を用いてデータを取得することがあります。Google、YouTube、楽天、ぐるなびなど様々な企業やサービスからはデータの取得に利用できる API が提供されています。例えば、YouTube が公開している API を利用して、動画の再生数や「いいね」の数、「再生数の推移」や「視聴者の年齢層の分布」などの「動画の統計情報」の取得が可能です。

上記のような、信頼できるソースから公式 API が提供されるということは、データ取得が一定範囲内で許可されているということです。一般的に API の提供がなければ、スクレイピングを行うコードを書いて目的のサイトからデータ収集する必要があります。状況次第でサイト側の規則にうっかり違反しトラブルになることもあります。

API は「機能とデータを公開しているアプリケーション」と「その機能とデータを使いたいアプリケーション」を繋ぐ窓口という描写ができます。

■ IoTデバイスやセンサーを用いて計測したデータ

　IoT技術（5.3節）を用いることで、カメラ画像、位置情報、機器稼働ログ、気温・湿度などの環境データ、インターネットに接続された家電が送信するデータなどを取得できます。以下にて、データ分析によく使われる代表例をいくつか挙げます。

● 画像・動画データ

　IoTデバイスのカメラが記録した画像や動画を、インターネットを経由して外部の分析システムに送ることで、遠隔で確認することができます。取得したデータを画像認識の技術と組み合わせることで、対象物のクラス、映っている人の性別や年代などを推定することができます。現状の把握や異常の検知、セキュリティ目的で活用されます。

● 在庫情報＋位置情報

　IoTを活用して店舗の在庫情報や物流を管理することがあります。在庫管理に関しては、商品コード、商品の種類、重量、期限など多くの項目があり、これらに関する情報をIoTデバイスで取得し、AIを用いて自動的に計算することで管理が効率的になります。さらに、GPS機能を搭載したIoTデバイスを使って、位置情報を取得できます。例えば、小型のタグを荷物に取り付けることにより、リアルタイムで配送状況をモニターできます。また、購入者側も、購入した商品の配送状況を確認できます。

● 生体情報

　人間の身体に、ウェアラブルデバイスとしてのIoTデバイスを取り付けることで、身体の状態や動きに関するデータを収集できます。例えば、フィットネスではトレーニングの質を分析することができ、心拍数や睡眠をモニターするデバイスは介護やヘルスケアで役立っています。

5.5.5 データの適性を判断する

　収集したデータの質を必ず事前に確認しましょう。問題のあるデータをそのまま分析や機械学習に使うと、無駄な工数が発生し、信頼性のある結果が得られません。

　データが適していないと判断された場合は、手段を変えて再度データを収集する、もしくは、データを適切な形に加工する必要があります。Chapter2ではデータの前処理について学びましたね。

例えば、学習用データにノイズ（測定したい事象とは関係ない値）が混じっていると、モデルは「混乱」してしまい、ノイズに引っ張られて偏った出力をすることが懸念されます。あらかじめデータクレンジングによってノイズを取り除くことが前提です。

この後の部分ではデータのバイアスと外れ値に注目します。大きく分けて「データバイアス」と「アルゴリズムバイアス」の2種類があります。2つが併存することもあります。

一般的にデータの**バイアス**（偏り）とは、**特定のクラス（範囲内）のデータの数が、他のクラス（範囲内）のデータ数よりも有意に多い**ような状態を指しています。**偏っているデータを用いてモデルを学習させると、学習結果にもバイアス**が生じてしまいます。

例えば分類問題の場合、データ量の多いクラスを優先して損失関数を最小化するように学習してしまう傾向にあるため、データ量の少ないクラスの予測精度が低く出てしまいます。

> データにバイアスがあると、効果があるものをないと判断してしまったり、効果がないものをあると判断してしまったり、分析結果およびそれが示唆するアクションが変わってしまいます。

5.5.6 データバイアス

データバイアスとは、データそのものが偏っていることです。データを入手したらまずデータの分布や内訳などをチェックし、偏りの有無を確認しましょう。

特に、母集団から標本抽出を行う段階で生じる統計的偏りは、**サンプリング・バイアス**と呼ばれます。「偶然ではない誤差」であるゆえに、統計学では「系統誤差」とも呼ばれます。それに気付かずいると、母集団を代表していない、偏ったサンプルから結論を導き出すことになります。

サンプリングバイアスは現実世界の偏見を反映しているとも言われています。地域性、収入、ジェンダー、文化、職業、年齢など母集団の属性に起因するバイアスが珍しくありません。いくつかの具体例を見てみましょう。

例1 ある地域の住民から一定数の世帯をサンプリングし、対象世帯に対して「給食費の無償化を希望しますか？」という意思調査を行ったとします。その際に、予想に反して「食事の充実度が少しでも下がる可能性があるなら、有償のままであってほしい」という声が半数を占めました。しかし、後になって抽出したサンプルは偏っていたことが判明しました。サンプルの 70%が世帯年収 800 万円を超える世帯からだったのに対し、地域全体の平均世帯年収は 450 万円でした。結局「富裕層の給食無償化への意見」に大きく偏っていたことになります。

例2 SNS の投稿文から「どのカレー商品が一番人気なのか」を自然言語処理で分析しようとします。この場合、分析対象とした SNS プラットフォームを全く使わない方々からは一切データを集めることができません。結局「SNSを利用している人に人気のカレー」の分析になりかねません。

例3 就職面接を担当する AI を制作するときに、過去の人事データに潜む、過去の評価者の（無意識な）偏見、そして社内の男女や年齢層の不均衡などはそのまま学習データと学習結果のバイアスに直結します。

データバイアスへの対策として以下が考えられます。

● 事前対策：サンプルデータを均等に集めるための工夫を使います。**層別抽出法 / 層化サンプリング（stratified sampling）** とは、図 5.5.1 にあるように、サンプリングバイアスを防止しながら、サンプルデータを集めるのに使われます。母集団をあらかじめ複数の層に分け、各層の中から必要な数だけ無作為抽出する手法です。

● 事後対策：**偏りを補正**する手段として、**アップサンプリング**（データ数の少ないクラスを水増し）や**ダウンサンプリング**（データ数の多いクラスを間引く）がありますが、さらなるバイアスを加えないように慎重に調整を行う必要があります。

　さらに、学習データセットが作成された場所・背景からも影響を受けます。例えば、日本と欧米では道路の風景や標識の記述などがかなり異なるため、自動運転のための学習用の画像データは必ず、その国に特化したものを中心に集める必要があります。
　教師あり学習のためのデータに正解ラベルを付与する**アノテーション**というプロセス

にも注意が必要です。差別的な意図がなくても、アノテーションを実行する人の考え方の違いなどによってデータにバイアスがかかることがあります。

ところで、必ずしも全ての偏りをなくす必要があるとは限りません。偏りが精度にどれだけ影響を与えるかは、データのボリュームにも依存します。例えば、ボリュームの大きいデータを使う場合、多少の偏りがあっても、各クラスの絶対的なボリュームが多いので精度への影響が軽くなります。データの全量が少なければ少ないほど偏りが結果に響きやすいです。

データをあらかじめ A と B のそれぞれの層に分け、A と B のそれぞれから適切な数を抽出します。
図 5.5.1：層化サンプリングの模式図

5.5.7 アルゴリズムバイアス

アルゴリズムバイアスとは、モデルに用いられている**アルゴリズムが特定の変数を強調して学習**してしまうため、予測結果にバイアスが生じてしまうことです。モデルに偏った学習データを与えてしまうことが原因であることもあり、つまりデータバイアスとの並存が起こることもあります。

性別、国籍、人種などの**センシティブ属性**に対して、アルゴリズムバイアスが起きることは、深刻な社会問題を引き起こします。有名な事例として、Amazon 社の採用 AI が男性に有利になるように学習をしてしまい、その予測が女性に不利益に働いてしまった事件が挙げられます。

アルゴリズムバイアスへの対策の 1 つは、**複数の種類のアルゴリズムでモデルを構築し、それらの結果に違いが生じていないかを確認**することです。

アルゴリズムバイアスが蔓延すると、AI サービスへの不信感が増します。保険やローンの審査、クレジットカードのスコアリングといった、生活や安全に直接関わる場合は特に心配ですね。

5.5.8 外れ値と異常値

観測値やデータを手に入れた際に、外れ値と異常値が存在するかどうかを確認しましょう。

外れ値（Outlier）とは、他のデータからみて、**極端に大きな値、または極端に小さな値**のことです。図 5.5.2 のようにデータの分布を観察するとわかりやすいです。

異常値（Abnormal Value）とは、**外れ値のうち、極端な値をとる原因がわかっているもの**と一般的に定義されます。例えば、健康な人の心拍数に関するデータを集めようとしたところ、何人かは測定場所まで走ってきたため、その人たちだけ心拍数が異常に高くなってしまったような場合、測定の異常値の「原因」がわかっています。

このように、両者の意味は完全に同じではなく、異常値は外れ値の一種、という位置付けです。

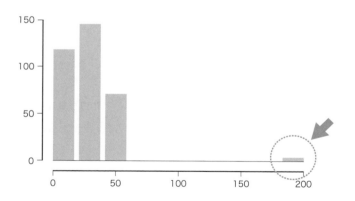

図 5.5.2：外れ値のイメージ：この図の場合は、他のデータからみて極端に大きな値

それでは、外れ値や異常値にどう対応すればよいのでしょうか。例えば、「測定ミス」だとはっきりわかっている場合は、「異常値」である確信があるので、データから除外します。しかし注意が必要なのは、値が他と比べて**極端に小さいまたは大きいからといって、必ずしも異常値であるとは言い切れない**ことです。合理的な原因のある異常ではない外れ値である可能性もあります。したがって、外れ値が発生した背景や原因を考察する必要があります。

平均値の計算は外れ値に影響されやすいので、代わりにトリム平均を計算することがあります。トリム平均とは、両端にある値（例えば、最低点と最高得点）を取り除いた

上で残りのデータで計算した平均値です。外れ値は新しい発見に繋がる価値のある事象である可能性もあるので、とりあえずトリム平均を計算すればいいというわけではありません。

　データの分布を観察し、データが取得された経緯を踏まえた上で外れ値の性質や原因を判断することが大切です。もし外れ値が異常値ではなく、意味のある外れ値であると判断された場合、データ全体に**対数変換**などを行うことで、外れ値を含んだ状態でも分析しやすくなることがあります。

5.5.9 　データの網羅性

　学習データが予測したい事象を網羅していることも重要です。モデルはデータからパターンを発見しているので、学習データに全く含まれていない事例に関しては、学習済みモデルが正しく予測することはできません。

　とはいえ、あらゆる事例を満遍なく集めることは実に大変です。以前学んだ「転移学習」を利用することで、そのコストを抑えることができます。復習となりますが、転移学習とは、膨大なデータセットで事前学習された汎用的な学習済みモデルを、ファインチューニングを経て新しいタスクに応用することです。この場合手元のデータ量が比較的少なくても楽に高精度な予測モデルを作ることができます。

　また、必要とされる学習データの量を少なくするために、モデルのパラメータ数を減らしたアルゴリズムの研究も注目されています。

5

AIプロジェクトに必要な知識

ココが試験に出ます！

- 構造化データ：行と列が定義されている**表型**データ（例：CSV、リレーショナルデータベース）

- 非構造化データ：**構造（行と列）や規則性が明確に定まっていない**データ（例：画像、音声、フリーテキスト）

- オープンデータ：**機械判読**に適したデータ形式で、**二次利用**が可能な利用ルールで公開されたデータ。営利（商用）・非営利を問わず利用可能。

- データバイアス：データそのものに含まれる偏り。このうち、**サンプリング・バイアス**は母集団から標本抽出を行う段階で生じる統計的偏り。

- 層別抽出法 / 層化サンプリング：母集団をあらかじめ複数の層に分け、各層の中から必要な数だけ無作為抽出する手法。サンプリングバイアスを防止しながら標本を抽出する。

- **偏りを補正**：アップサンプリング（データ数の少ないクラスを水増し）や**ダウンサンプリング**（データ数の多いクラスを間引く）がある。

- アルゴリズムバイアス：**アルゴリズムが特定の変数を強調して学習**してしまうため、予測結果にバイアスが生じる。性別、国籍、人種などの**センシティブ属性**に対して特に要注意。

- 外れ値：他のデータからみて、**極端に大きな値、または極端に小さな値**。

- 異常値：外れ値のうち、極端な値をとる原因がわかっているもの。

5 Generalist Exam
[clear explanations and quality exercises]
Powerful textbook leading you to success!

章末問題
End-of-chapter problems

問1 AI開発におけるNDA（Non-Disclosure Agreement：秘密保持契約）について、最も適切な選択肢を1つ選べ。

1. NDAとは、両者のうち一方が秘密情報を漏洩させた場合に、被害者の方が漏洩させた方を裁判所に報告することを可能にする契約である。
2. プロジェクトが正式に発足する前に、AI開発の方針の判断材料として、秘密情報を含むデータを発注側と受注側でやり取りする場合であっても、当該データの送付前にNDA契約を締結すべきである。
3. NDAを締結することにより、秘密情報を受領する側は当該情報の複製が禁じられることになる。
4. 探索的段階型の開発方式を採用する場合、PoCのフェーズを通過し、本番環境での開発が開始する前にNDAを締結すべきである。

解答・解説 正解 2

選択肢2が正しい解答である。
秘密保持契約（NDA）は、相手方に開示する自社の秘密情報について、**契約締結時に予定している用途以外での使用**、および、当該秘密情報の**第三者への開示**を禁止するために締結します。
例えば、ビジネスの商談などの開発の前段階で、自社の秘密情報を開示する場合があります。NDAは、発注側と受注側、あるいはビジネスパートナーの間で、秘密情報のやり取りが発生する前の段階で締結することが望ましいです。
これと関連する選択肢4の内容を先に説明します。**PoC（概念実装）**のフェーズでは、本開発で使用するデータの一部を用いて、性能の要求を満たす学習済みモデルなどを生成できるかどうかをテストするため、PoC終了後ではなく、開発プロジェクトの発足の時点で締結すべきです。

- 選択肢1：NDA（秘密保持契約）は情報の保護を目的とした契約であり、情報漏洩が発生した場合の手続きを規定していますが、それが必ずしも「裁判所に報告する」こととは限りません。情報の漏洩が発生した場合、NDAに記載されている条項（損害賠償請求などの法的措置など）にしたがって対応する必要があります。
- 選択肢3：例えば、開発業務の発注者と受注者の間でNDAを締結する場合、NDAを締結した上でデータを受領し、それを加工する前に複製することが可能です。

問 2　AI プロジェクトを進める体制として、最も不適切な選択肢を 1 つ選べ。

1. AI システムの基となるモデルの開発が終了し、運用・保守の段階に入る前に、デザイナーが User Interface の設計を行う。
2. AI システムを保守・運用するための人材を計画の段階で確保する必要がある。
3. 設計の段階から法的・倫理的な課題を法務担当が検討すべきである。
4. プロジェクトマネージャーは、ビジネスの観点から意思決定をし、進行の管理を行う。

解答・解説　正解 1

選択肢 1 が誤った内容である。

一般の利用者による使用が想定される AI システムの開発において、デザイナーは、システムの UI（User Interface）や UX（User Experience）の使いやすさ・わかりやすさを実現する設計を行います。これらはシステムの運用・保守の段階ではなく、その計画・設計の段階から検討が必要です。

他の選択肢は AI プロジェクトの進め方に関する正しい内容です。システムを開発して終わりではなく、長期的な運用・保守の体制、意思決定を行い、進行を管理するマネージャー、デザイナー、法的課題を検討する法務担当者など、様々な人材を確保する必要があります。

....

問 3　AI 開発の業務の一部を外部に委託する際に準委任契約を締結することがある。その内容について、最も適切な選択肢を 1 つ選べ。

1. 準委任契約では、業務を実行開始した時点で従事者が報酬を請求する権利を持つ。
2. 準委任契約は特定の業務を他方の当事者が実行することについて合意した契約形態である。
3. 準委任契約では、受注側が条件を満たす成果物を納品することを確約することが目的である。
4. 準委任契約において、受注側は発注者が定めた方法で業務を実行することが定められている。

解答・解説　正解 2

選択肢 2 が正しい解答である。

準委任契約において、受注側に生じる義務は、「**指定の業務を実施**」することです。定められた**期間で業務を遂行した後に報酬を請求**する権利が生じます。

- 選択肢 1：準委任契約において、報酬を請求するのは、定められた業務を終了した時点であり、開始時点ではありません。
- 選択肢 3：請負契約に関する内容です。
- 選択肢 4：準委任契約では一般的に、発注者は受注者が業務を行う方式（場所、ツールなど）に対して拘束力を持ちません。

問 4 「AI・データの利用に関する契約ガイドライン」（経済産業省作成）で
推奨されている探索的段階型の開発方式について、最も適切な選択肢を
1つ選べ。

1. 開発の初期段階においてプロジェクト全体のコスト把握ができない場合がある。
2. アセスメント、PoC、本番開発の3つの段階から成り立つ。
3. アセスメントの段階では準委任契約を締結することが多いが、学習済みモデルなど納品物が発生する場合は、請負契約を締結すべきである。
4. 開発の開始時点で、学習済みモデルの性能を保証するための性能指標と基準について、発注側と受注側の間で明確に合意すべきである。

解答・解説 正解 1

選択肢1が正しい解答である。

AI開発に推奨されている**探索的段階型の開発方式**は、学習済みモデルの生成を念頭に置いたAI開発契約の方式であり、システム開発の契約とは性質が大きく異なります。

初期段階においてプロジェクト全体のコストを把握できず、最終的な成果物の性能を約束できないことが特徴的です。そのため、新規の技術を開発する際は、一度に膨大なコストをかける代わりに、比較的小規模な**PoC**（概念実装；Proof of Concept）のフェーズから開始することで、リスクを抑えることができます。

- 選択肢2：探索的段階型の開発方式は、**アセスメント**、**PoC**、**本番開発**、**追加学習**の4つの段階から成り立ちます。

- 選択肢3：納品物の有無によらず、「AI・データの利用に関する契約ガイドライン」では、AI開発プロジェクトに**準委任契約**が推奨されています。

- 選択肢4：性能を保証することができない、という前提で探索的段階型の開発を進めます。

問 5 PoC（概念実装）について、最も不適切な選択肢を1つ選べ。

1. PoCフェーズは本開発フェーズと同じく、性能の保証が容易ではない。
2. PoCフェーズでは、本開発で使用する予定の手法をテストすることが目的なので、本開発と同程度の量のデータを使用する。
3. PoCフェーズでは、発注側が望む精度を満たす見込みがあるかどうかを示すことが目的である。
4. PoCを通過できない場合、次の段階に進まない選択をすることで、損失を最小限に抑えることができる。

選択肢 2 が誤った内容である。

PoC では一般的に、**本開発よりも小規模のデータを用いて、学習済みモデルのプロトタイプに相当するものを作成**し、それをもって本開発における性能の実現可能性を検討します。

他の選択肢は PoC に関する正しい内容です。詳細は問 4 の解説を参照してください。

問 6 **アジャイル型の開発様式の特徴として、最も不適切な選択肢を 1 つ選べ。**

1. 機能単位ごとに開発をし、頻繁にテストを行う必要がある。
2. 短期間でプロダクトや機能を提供できる。
3. 早期に問題を発見し改善できる。
4. 最初から成果物の仕様と要件を明確に決めることができるため、後戻りが少ない。

解答・解説 正解 4

選択肢 4 が誤った内容である。

アジャイル開発では、**小さい単位や機能ごとに開発工程を分割し、イテレーション（反復）と呼ばれるサイクルを実施**します。AI 開発プロジェクトではアジャイル開発様式が採用されることが多いです。その主な特徴として、**早期に問題を発見し改善**できること（選択肢 3）、開発期間が短縮でき、**素早くプロダクトや機能を提供**できること（選択肢 2）の他に、**仕様変更に柔軟に対応**しやすいことが挙げられます。

- 選択肢 4：最初から成果物の仕様と要件を固めるのは、一般的なシステム開発で使用されるウォーターフォール開発様式の特徴です。この場合、開発の途中での仕様変更に対応することが比較的難しいです。

問 7 **ビッグデータについて述べたものとして、最も不適切な選択肢を 1 つ選べ。**

1. ビッグデータの定義には、データ量が 1TB（1 テラバイト）以上であること、更新頻度が低いことが含まれる。
2. ビッグデータはデータ量が多いにもかかわらず、データの偏りが大きい可能性がある。
3. インターネットの普及により、ビッグデータの蓄積・取得が容易になったことが AI 技術の進歩に拍車をかけてきた。
4. ビッグデータのうち、非構造化データが占める割合は構造化データよりも多い。

解答・解説　　正解 1

選択肢 1 が誤った内容である。

ビッグデータとは、**生成される速度も更新される速度も非常に素早い大規模なデータ**を指しています。また、明確なデータ量の下限は特に定義されてはいません。

他の選択肢はビッグデータに関する正しい内容です。

問 8　　**AI のシステムやサービスを開発、運用、提供するための形態について、最も不適切な選択肢を 1 つ選べ。**

1. オンプレミス形態で AI を開発・提供する場合、必要な設備の購入、システムの構築と運用管理を全て自社で行う必要がある。
2. クラウド上の開発環境では、必要な時に必要なだけ利用でき、利用量にしたがって課金される制度が多い。
3. クラウド上で開発を行う場合、ネットワーク由来の通信遅延の影響を受ける可能性がある。
4. オンプレミス形態の開発は、クラウド上での開発に比べて、カスタマイズの自由度が低い。

解答・解説　　正解 4

選択肢 4 が誤った内容である。

オンプレミス（自社環境）の形態では、自社の中で、必要なソフトウェア、ハードウェアを購入し、システムを構築し、長期にわたって運用管理する必要があります。これに対して、IaaS などの**クラウド**サービスを活用することで、コストを削減することができます。

一方で、クラウドサービスは全ての利用者で共有して利用するため、オンプレミスに比べて、自社の業務に合わせたカスタマイズがしづらいです。

問 9　　**MLOps の考え方として、最も不適切な選択肢を 1 つ選べ。**

1. MLOps の考え方において、Machine Learning（機械学習）モデルの開発と Operation（運用）を必ずしも同じ担当者によって行う必要はない。
2. MLOps では、各プロセスを繰り返し回すことが重要とされている。
3. MLOps では、機械学習モデルを一度だけ訓練するのではなく、学習データの種類を変えながら同じモデル訓練を繰り返すことで、学習済みモデルの信頼性を高めることが推奨されている。
4. MLOps では、機械学習の開発担当と運用担当が連携しながら、モデルの開発から運用までの一連を管理する体制を目指す。

選択肢 3 が誤った内容である。

MLOps（Machine Learning Operations; 機械学習オペレーション）は、AI プロジェクトにおいて、**機械学習の開発担当と運用担当が連携しながら、モデルの開発から運用までの一連を管理する体制**を目指しています。**MLOps の各プロセスを繰り返し回す**ことによって、安定したシステムを維持することが大切です。

- 選択肢 3：機械学習における学習済みモデルの汎用性向上には関連する内容であるものの、MLOps の本質とは異なります。

CHAPTER 6

AIの社会実装に伴う
法律・論理

Legal and Ethical Issues Under Discussion

この章では、データや学習済みモデルの開発者と利用者の権利を保護し、公平な競争市場を維持するための法律について学びます。個人情報保護法、著作権法、特許法、不正競争防止法についてよく出題されます。倫理に関しては、透明性、説明責任、公平性などの観点からデータや AI 技術が社会に及ぼす影響について学びます。

「法律・倫理」の出題割合と難易度が上昇しており、AI の軍事利用や独占禁止法などの新しい項目も追加されています。この章をいかに満遍なく学習するかによって、合否の決め手になることもあります。

Generalist Exam
[clear explanations and quality exercises]
Powerful textbook leading you to success!

AI開発における法律・倫理の重要性

この節では、AIを社会に実装する上で法律・倫理を学ぶべき理由、そして事例を通じてAI技術がもたらしうるリスクを解説していきます。

最近では、人工知能（AI）やデータサイエンスの技術と共存する時代となっています。AI開発やデータ分析に携わる方に必要なのは技術の知識だけではありません。AIを社会・産業に応用する上で必要な法律・倫理についての様々な知識を持つことが重要です。

法律と倫理はともに社会の秩序と調和を保つ役割があります。法律の一部は、倫理を基本原理としていることがあります。「法律」は明確に定義されているのに対し、「倫理」は様々な価値観により、一意に定義が定まらない場合がよくあります。よく使われる表現は以下です。

- 社会の一員として行動する際に、よし悪しを判断するための根拠
- 社会の秩序を保つために、社会の一員として生活を営む上でのルール

倫理は、「社会規範」、「モラル」、「道徳」、「正義」といった用語と一緒に使われることが多いです。また、「AI倫理」とはAIそのものに特有の問題ではなく、AIを作る・使う人間の問題です。

法律の規制には強制力があり、違反した場合には、事前に定められた処罰が適用されます。これに対して、倫理にしたがわなくても（法律に違反しなければ）、一般的に罰せられることはありません。しかし、社会から非難を受け、社会的な「立場」が孤立してしまうことが考えられます。

6.1.1 なぜAI利活用のために法律と倫理を学ぶのか

このような法律と倫理を学ぶべき理由を一言でいうならば、**自分の権利を守るため**、そして、**他人の権利を侵害しないため**です。関係する状況として、以下のような例が挙げられます。

- 他社が開発したオリジナルのライブラリを無断で自社の開発に使用した際に、著作権の侵害になる可能性がある
- 生成 AI を用いて作成したイラストを自社ウェブサイトに掲載する前に、そのイラストがデザイナーなどの著作権を侵害していないかを警戒する
- 社外にモデルの開発を外注した際に、学習済みモデル、学習済みパラメータ、使用されたデータセットなどの使用権と所有権の帰属を契約で交渉する
- データに含まれる個人情報を法で定められた形に加工した上で利用する

※個人情報として、氏名、身分証明書番号などの「テキスト」だけではなく、カメラ画像にある顔画像、指紋や音声もある

法律については、自社の法務担当や外部の弁護士などの専門家に相談すればいいのでは？

相談するのも、アドバイスされた内容を理解するのも、最低限の知識がないと難しいです。また、多くの課題は開発の最中にやってくるので、その場での正しい判断が求められます。

以下では、いくつかの事例を通じて、企業・社会における AI 法律・倫理の課題をみていきましょう。

■ AIのバイアス問題は人間の差別問題を浮き彫りにする

AI が人種や性別を軸とする差別的な結果を出力した事例が過去にいくつもあります。以下の 2 つが有名な例です。

- Amazon の人材採用システムによる女性差別[01]
- Google フォトによる黒人の差別的な自動タグ付け[02]

上で挙げた例において、AI サービスを提供する企業の「**企業倫理**」が問われます。企業が信頼を保つためには、人権の保護や社会・環境に対する配慮を決して疎かにして

はいけません。

　知らずの間に AI によって差別されているかもしれないと思うと、「AI は怖い」と考える方もいますが、**怖いのは AI ではなく人間**です。AI（機械学習）は無から学習することはありません。現実の社会で生きる人間が生み出したデータを学習し、学習したパターンに基づいて将来予測を行います。したがって、これらのとんでもない差別的な結果は、むしろ**人間社会に潜むバイアスを反映し浮き彫りにしてくれます。**

　AI のバイアス問題を解決するために、まずは人間社会におけるバイアスや差別を解消しなければいけません。私たちへの警告と考えるべきではないでしょうか。

■ 顔認識システムの廃止

　顔認識は有益な使い道もありますが、同時に安全への脅威でもあります。学習データに含まれるバイアスにより、顔認識システムにおいて非白人の認識精度が相対的に低くなっていることが、人種差別の観点から問題視されることがあります。これを踏まえて、大手 IT 企業の Google、Amazon、米 IBM、Microsoft は汎用顔認識技術からの撤退を表明し、そして、警察など法執行機関への顔認識技術の提供を中止すると発表しました。企業だけではなく、米国の数々の自治体においても、警察での顔認識技術の利用を禁止しはじめています。

　今後、技術的に解決する見込みが出てきた際に事態が変わるかもしれませんが、少なくとも現時点では「顔認識技術は人種差別、性差別を助長するので社会に害を及ぼしうる」ことが、米国を中心に主流の考え方になりつつあります。

　顔認識技術はデジタルデバイスのパスワードの役割にもなりつつある一方、顔画像の悪用が問題を引き起こしています。

■ AIが事故を起こした際の責任体制

　現在は、AI 搭載システムが事故を起こした際に、誰が刑事責任を問われるのかに関して、法律の体制が十分に整備されていないことが問題となっています（2023 年 10 月現在）。

　例えば自動運転は、その自動化のレベルに応じてレベル 0 〜 5 の 6 段階に分類され

ています。「レベル3」の自動運転の時、「基本は自動車のシステムが運転を行うが、緊急時には運転者が操作をしなければならない」と定められているので、「運転者が注意を怠っていた」場合、責任は運転者にあるのではないかという主張もなされています。

　自律的に機能するAIの「責任体制」を語る上で「**トロッコ問題**」という有名な話がよく使われます。「ある人を助けるために他の人を犠牲にするのは許されるか？」という倫理にまつわる葛藤（ジレンマ）を提起しています。

　AIの技術が発展するとともに制約も増えてしまいますが、法律や倫理の本質は「縛る」ことというよりも、技術を開発する側にも利用する側にも安心と自由を与える体制をつくることと解釈することができます。なぜなら、法律と倫理ガイドラインが公表され、万が一の不具合に備えた責任体制とリスク管理が明確に定められると、そこではじめて技術が社会に受け入れられ普及するからです。また、開発者や企業が**リスクを回避しやすくなり、社会的信頼を保ち**やすくなります。例えば、機密情報や個人情報の漏えい事件を防止するための仕組みを構えている組織の方が、取引先や顧客から信頼されやすくなりますよね。

　開発段階からプライバシー侵害を予防する考え方として、**プライバシー・バイ・デザイン（Privacy by Design）**が提唱されています。これと同様に、セキュリティも考慮に入れている、**セキュリティ・バイ・デザイン（Security by Design）**や価値全般に配慮した**バリュー・センシティブ・デザイン（Value Sensitive Design）**などといった設計思想に関する用語も使われるようになりました。

自動運転車という魅力的な技術でも、設計したエンジニア、製造したメーカー、利用者のうち誰も責任をとってくれなかった場合、使うのが怖くなりますね。

AIの責任体制を明確に決めるのがなかなか難しいですよね。自動運転の他に、医療用AIによるミスの責任体制についての議論も急がれています。

6.1.2 ELSI

　新たに開発された技術が社会に受け入れられるように、技術的な課題以外に「**倫理的・法的・社会的な課題**」に対処する必要があります。**ELSI（Ethical, Legal and Social Implications）**とは、科学技術が及ぼす倫理的・法的・社会的な影響を一体化して検討する試みの1つです。

倫理的（Ethical）	AI 技術のもたらす結果に対する倫理的な側面や道徳性、価値
法的（Legal）	AI 技術の利活用に関する法律や契約、責任体制、個人情報保護
社会的（Social）	様々な人と AI 技術の関わり方、AI 技術の利活用によって副次的に生じる社会問題

　ELSI という言葉は 1980 年代に生命科学分野の「ヒトゲノム計画」[※1]から生まれました。現在は AI や情報通信技術の分野で ELSI が重視されています。

　ELSI の代表的な課題の1つは、**AI システムにおける責任体制**です。先述（6.1.1）の自動運転の自動車のケースなどが議論されています。他に、**情報セキュリティとデータの不正な扱い**も議題となっています。

　日本国内においても、研究開発の発展における ELSI の重要性を認識しており、ELSIを広める取り組みを行っています。2021 年 3 月に閣議決定された「第 6 期科学技術・イノベーション基本計画」には、「研究開発の初期段階からの ELSI 対応を促進する必要がある」という記述がありました。

※1　米国のプロジェクトである「ヒトゲノム計画」で解析されるヒト染色体の遺伝情報（＝ヒトゲノム）は重要な個人情報でもあるため、個人や社会に及ぼす影響が懸念の対象となっていました。

個人情報の保護と利用

データを利用する上で、個人情報の保護に配慮することが重要です。本節では、個人情報の種別およびその取り扱いを規定する国内外の法律を学びます。

6.2.1 個人情報の定義

個人情報とは、**特定の個人を識別**するのに使える情報のことです。**他の情報と容易に照合**することができて、**それによって個人を識別できる情報**も含まれます（例：住所、生年月日）（個人情報保護法の第2条第1項）。

事業者間で個人情報を含むデータを扱う場合、事前に、特定の個人を識別できないように加工を行わなければいけません。

身の回りには、個人を特定できる情報がかなり多いですね！ 氏名、メールアドレス、勤務先、社員番号…

そうですね。他に、本籍、人種、健康情報（病歴）、クレジットカードなどの信用履歴、購買履歴、機械の操作履歴なども個人情報として利用される可能性があります。

個人情報と一緒によく使われる「プライバシー」とは、「個人や家庭内の私事・私生活。個人の秘密。また、それが他人から干渉・侵害を受けない権利。」（出典：小学館『大辞泉』）を指します。個人情報保護法は直接的に「プライバシー」を保護の対象としていませんが、「個人情報」を適切に取り扱うことでプライバシーの尊重に繋がることが多いです。

個人情報のうち、**単独で特定の個人を識別可能**な文字・番号・符号を**個人識別符号**と呼び、以下のいずれかが該当します（個人情報保護法の第2条第2項）。

① 生存する個人の身体的な特徴に関する情報

例：生体情報を変換した符号（DNA、顔、声紋、歩行の態様、指紋）

② 個人に割り当てられる符号

例：公的な番号（パスポート番号、基礎年金番号、免許証番号、住民票コード、マイナンバー、各種保険証番号）

　個人情報の種類によって、個人情報保護法による規制に違いがあります。

　個人情報の一種である「**個人データ**」とは「**データベース化された個人情報**」のことです。さらに、個人データの中に「**保有個人データ**」があり、これは「**自社が保有し、開示などの権限を持つ個人データ**」として定義されています。本人からその情報の開示を請求された際には対応しなければいけません。

個人を特定できるような情報が個人情報です。例えばメモ帳に手書きで書かれた、ある一人の氏名と住所は個人情報に該当します。

これに対し、氏名と住所の一覧を表にまとめたものが個人データであり、さらにこの名簿を自社で権限をもって保有している場合は、保有個人データになります。

　個人情報の中でも、以下のように定義される**要配慮個人情報**は特に取り扱いの制限が多く、利用や公開はもちろん、その取得にも厳しい規制が課されています。

　「本人の人種、信条、社会的身分、病歴、犯罪の経歴、犯罪により害を被った事実その他本人に対する不当な差別、偏見その他の不利益が生じないようにその取扱いに特に配慮を要するものとして政令で定める記述等が含まれる個人情報」（個人情報保護法の第2条第3項）。

　また、**機微情報**は、金融分野ガイドラインにおいて、要配慮個人情報、及び「政治的見解、信教、労働組合への加盟、人種・民族、本籍地、保健医療及び性生活、犯罪経歴」と定義されています。

要配慮個人情報と機微情報に関しては、特定の条件にあてはまる場合 (例：法令にもとづく場合、生命、身体、財産の保護のために必要な場合) を除いて、**本人の同意がない限り、取得・利用・第三者への提供が原則禁止**されています。

6.2.2 個人情報保護法

個人情報保護法は、2005 年から全面施行された、**個人情報の保護に関する法律**です。企業や団体が**個人情報を正しく取り扱った上で有効に活用**できるようにするための規則を定めています。取り扱う個人情報の数とは無関係で適用されます。

本書では、個人情報の規定について、全て個人情報保護法に基づいて解説します。

紙や電子データ等の個人情報の名簿を事業に用いている事業者を、**個人情報取扱事業者**と呼びます。個人情報取扱事業者には営利目的の法人に限らず、NPO 法人、町内自治会のような非営利組織も該当します。個人情報取扱事業者が個人情報を取り扱う際に、本人の権利利益との関係で説明責任を果たしつつ、本人の予測可能な範囲内で適正に利用することが求められています。また、**個人情報保護委員会**という行政機関が設けられています。個人情報の有用性に配慮しながら、それが適正に取り扱われるように管理することがその任務です。個人情報保護法に違反する（おそれがある）場合、立入検査、指導、助言、勧告、命令などを行います。

以下にて、個人情報取扱事業者がしたがうべき基本的なルールをまとめておきます。G 検定ではこれらの細部まで問われることがあるので、しっかり覚えてください。

【個人情報の取得と利用目的】

- 個人情報を取り扱うに当たって、利用目的をできる限り特定しなければならない（個人情報保護法の第 17 条第 1 項（旧「第 15 条第 1 項」）[1]）
- 取得した個人情報は、特定した利用目的の範囲内で利用する必要がある
- 個人情報を取得する際に利用目的はあらかじめ公表しておくか、本人に通知する必要がある（個人情報保護法の第 21 条第 1 項（旧「第 18 条第 1 項」））

 ※1 2022 年 4 月 1 日施行の「デジタル社会の形成を図るための関係法律の整備に関する法律」に基づく改正。以降、この 2022 年の改正に基づいた条文番号を記載。「旧」は、その改正の前の時点での条文番号を記載。

- 利用目的を変更するときはあらかじめ本人に通知するか、又は公表しなければならない（個人情報保護法の第 21 条第 2 項（旧「第 18 条第 2 項」））
- 第三者から個人情報を含むデータを受領した際、以下を確認しなければならない（個人情報保護法の第 30 条第 1 項（旧「第 26 条第 1 項」））
  ①提供者が個人の場合は、その人の氏名と住所、法人である場合は代表者の氏名
  ②個人情報が取得された経緯

【個人データの安全管理措置】

- 個人データの安全管理のために必要かつ適切な措置を講じなければならない（個人情報保護法の第 23 条（旧「第 20 条」））
- 従業者の監督を行い、業者や委託先にも安全管理を徹底する必要がある（個人情報保護法の第 24 条、第 25 条（旧「第 21 条、第 22 条」））
- 個人データを正確かつ最新の内容に保つように努めなければならない
- 利用する必要がなくなったときは遅滞なく消去しなければならない（個人情報保護法の第 22 条（旧「第 19 条」））
- 個人データを第三者に提供する場合、個人情報取扱事業者は、原則としてあらかじめ本人の同意を得なければならない（個人情報保護法の第 27 条第 1 項（旧「第 23 条第 1 項」）） ※後ほど説明する「オプトアウト制度」を例外とする

【保有個人データの開示請求・苦情などへの対応】

- 個人情報取扱事業者は、本人から保有個人データの開示請求を受けた時は原則として開示しなければならない（個人情報保護法の第 33 条第 1 項（旧「第 28 条第 1 項」））
- 個人情報の取り扱いに関する苦情などには、適切・迅速に対応するよう努める必要がある（個人情報保護法の第 40 条（旧「第 35 条」））

6.2.3 匿名加工情報と仮名加工情報

個人情報の利用に伴い、匿名化が必要です。

匿名加工情報とは、**特定の個人を識別できないかつ復元できない**ように個人情報を加工したものです。この概念は、一定条件の下における、本人の同意なしでの事業者間におけるデータ取引・連携などの**パーソナルデータの利活用の促進**を目的として導入されました（個人情報保護法の第 43 条、第 44 条（旧「第 36 条、第 37 条」））。

匿名加工情報の作成法の基準は、個人情報保護委員会規則で定められています。また、匿名加工情報を作成した場合、その情報に含まれる、個人に関する情報の項目を公表する義務があります。

個人データを単にマスキングするだけでは、匿名加工情報にはなりません！ 法令にしたがった適切な加工を行わなければ、個人情報のままです。

仮名加工情報とは、個人情報から**個人を特定できる情報を削除し、単体では個人を特定できない**ように加工した情報として定義されています。仮名加工情報は、匿名加工情報よりもデータ加工の要件が緩和されており、**他の情報と照らし合わせると個人を特定**できる可能性が残ります（個人情報保護法の第 41 条（旧「第 35 条の 2」））。仮名加工情報は加工の要件が緩くなった分、匿名加工情報に比べてデータの扱いへの規制が強くなることがあります。

仮名加工情報は、企業による情報の利活用を促進することを目的に、改正個人情報保護法のもとで 2022 年 4 月 1 日から導入されました。

6.2.4 オプトアウト制度

個人データを第三者に提供する場合、個人情報取扱事業者は、原則としてあらかじめ本人の同意を得なければなりません。ただし、例外があります。個人情報取扱事業者は、**オプトアウト制度**を利用することにより、事前に本人の同意を得なくても、その個人データを第三者に提供可能です。

オプトアウト制度とは、個人情報を第三者提供するにあたって、**その個人情報を持つ本人が反対をしない限り、個人情報の第三者提供に同意したもの**とみなし、第三者提供を認めることです（個人情報保護法の第 27 条第 2 項（旧「第 23 条第 2 項」））。

オプトアウト制度を使って、第三者に個人データを提供した場合や第三者から個人データの提供を受けた場合、一定の事項（例：いつ・誰の・どんな情報を・誰に・誰から）を記録し、個人情報保護委員会に届け出る必要があります。

オプトアウト制度は本人から要求があった際に、直ちにその要求に応じ、その本人が識別される個人データの第三者への提供を停止することができるようにすることで、本人の同意を得ることなく第三者に個人データを提供できる仕組みです。

この制度を利用するために、サービスの利用者に「オプトイン」または「オプトアウト」の手続きをしてもらう必要があります。「オプトアウト」が選択された場合、その利用者の個人情報の第三者への提供を直ちにやめなければいけません。

> オプトアウトの「オプト」は英語の "opt"（希望する）に由来し、「オプトアウト」（"opt out"）は「第三者への提供から外れることを希望する」ことを意味します。

具体例を挙げましょう。ポイントカードのサービスに登録する際に、上記のような設定を登録者が行います。ポイントカードの利用者がオプトインを選択すると、自分自身の利用履歴データ（個人情報）が匿名加工された後に外部企業に販売される可能性があります。いかなる場合でも自分の利用履歴が第三者に利用されるのを拒否したい利用者は、サービスに登録する際に「オプトアウト」手続きを行う必要があります。

6.2.5 改正個人情報保護法

令和4年（2022年）4月1日に個人情報保護法の改正が施行されました。

個人情報保護委員会では、社会・経済情勢の変化を踏まえて、3年ごとに個人情報保護法の見直しを進めてきました。今回の改正は、個人情報の保護とともに、その情報の利用を巡る技術革新と経済成長等のバランスをとることが目的の1つでした。

以下にて、**「データ利活用の促進」**の観点から特に重要な項目を中心に、改正の内容を解説していきます。

■ 仮名加工情報の導入

従来は、事業者間で個人情報を含むデータを扱う場合、匿名加工情報に変換しなければいけませんでした。2022年4月1日の法改正に伴い、企業等による情報の利活用等のイノベーションを促進することを目的に、**仮名加工情報**という緩和された制度が導入されました。

仮名加工情報にあたる場合、個人情報取扱事業者に課された義務の一部（例：漏えい等の報告義務、開示請求、利用停止等請求）が免除されました（個人情報保護法の第41条第9項（旧「第35条の2第9項」））。

【復習】

仮名加工情報とは、個人情報から、個人を特定できる情報を削除し、**単体では個人を特定できないように加工した情報**として定義されています。ただし、**他の情報と照らし合わせると個人を特定できる可能性**が残ります。

より厳しい「**匿名加工情報**」は、**特定の個人を識別できないかつ復元できないように個人情報を加工した情報**と定義されています。両方の制度はともに、**本人の同意を得ることなく、事業者間におけるパーソナルデータの利活用を促進すること**を目的として導入されました。

■ 個人情報の利用目的の変更条件が緩和された

改正前の個人情報保護法では、「変更前の利用目的と相当の関連性を有すると合理的に認められる範囲」を超えて個人情報の利用目的を変更できませんでした。そこから「相当の」を取って、改正後は、**「変更前の利用目的と関連性を有すると合理的に認められる範囲」**であれば個人情報の利用目的を変更できるようになりました（個人情報保護法の第 17 条第 2 項（旧「第 15 条第 2 項」））。

別の言い方をすると、利用目的の変更の程度は、社会通念上、**客観的に合理的と認められる範囲内とみなされ、本人が予期できる範囲内**に限ります。

改正後においても、個人情報取扱事業者は、変更された利用目的について、**変更された利用目的は、本人に通知するか、又は公表しなければならない**、となっています。

逆にいうと、利用目的の変更に際して「必ず本人に連絡を取って同意を得なければいけない」というわけではありません！ この辺が G 検定の選択肢に出やすいです。

利用目的の変更の妥当性を例で見てみましょう。

例えば、EC サイトが保持する個人情報に、会員の住所とメールアドレスが含まれるとします。当初の利用目的が「新商品案内の葉書を会員自宅に郵送する」だったところを、事前に公表した上で、「新商品案内を電子ファイルで会員にメールで送付する」に変更することは許される可能性があります。

6

AIの社会実装に伴う法律・論理

上記の例は「商品・サービスに関する情報のお知らせ」という基礎的な目的が変わらず、会員が自ら登録したメールアドレスを用いるので、本人の予想範囲内にあるためです。

個人情報保護法において他に改定された規定の例として、例えば、保有個人データの開示請求のデジタル化、利用停止・消去請求権、第三者への提供禁止請求権の要件緩和などが挙げられます。

6.2.6 カメラ画像について

カメラ画像を取得した際に、そこに映り込んでいる顔画像を用いて個人を判別できる場合、そのカメラ画像が個人情報に該当します。

さらに、AIを利用してカメラ画像を解析する際に、**顔画像から、目、鼻、口などの形や位置関係といった特徴を抽出し数値化**することでデータセットを作成します。これらの特徴量は電子計算機のために変換した「符号」であり、個人識別符号に該当します。

一方で、カメラ画像から抽出した数値データが、**単体では個人と識別できず、かつ本人を判別可能な別の画像や個人識別符号と容易に照合できない場合、個人情報には該当しません。**

画像だけではなく、音声の場合はどうでしょうか。電話での通話音声に関して、その声や通話内容から個人を特定できる可能性がある場合、個人情報に該当します。

例えば、性別だけ、年齢だけ、通行人の数だけを取得した場合、その情報単体では個人は識別できないので、個人情報に該当しないということですね。

そうですね。しかし、顔の一部しか映り込んでいなくても、それを他の情報（例えば別の時に撮影された同じ人物の顔や生活の様子）と照らし合わせることで個人を特定できる場合は、個人情報に該当することがありますよ。

IoT 推進コンソーシアム（総務省・経産省）が公表している「**カメラ画像利活用ガイドブック ver3.0**」[03] において、プライバシー権や肖像権に配慮したカメラ画像の利活用について検討が進められています。一般的に、公開を伴わなくても、カメラ画像の撮影（取得）自体に、プライバシーや肖像権の侵害が問われる場合があります。合法性を満たすためには、撮影方法や利用目的が正当であること、といった点を考慮する必要があります。

逆に、不適切な例として以下が挙げられています。

- 必要な範囲外または期間外での撮影・データ取得
- あえて生活者がカメラで撮影されていると認識できないような方法で撮影（隠し撮りなど）
- 生活者の情報を目的外に容易に利用できてしまう状態で保管する

カメラの設置を公表する掲示物は、目につきやすい場所に掲示する必要があり、さらに必要に応じて日本語だけではなく、イラストや多言語化での表現が望まれます。

COLUMN | 防犯カメラの画像とプライバシー

防犯カメラには個人の顔や姿、行動や生活状況を推測できる私物が写っています。「防犯カメラ作動中」の札が店舗や公共施設の入り口などの設置場所に掲示され、防犯カメラによって個人情報が取得されていることを、通行人が容易に認識できるような措置が取られているのがほとんどです。したがって、一般的な防犯カメラの設置に関しては、「取得の状況から見て利用目的は明らか」であるため、原則として利用目的の通知・公表は不要とされます。

一方で、防犯カメラの画像の「公開」となると、データの流出などが十分に追跡されない可能性が浮上します。（第三者による）必要な期間外でのデータの保管、第三者への無断提供、生活者の情報の目的外での利用を可能にしてしまうため、原則として公開は不適切です。

6.2.7 EU一般データ保護規則（GDPR）

GDPR（General Data Protection Regulation; EU 一般データ保護規則）は、**EU における個人データやプライバシー保護に関する規則**です。2016 年 4 月に制定、2018 年 5 月に施行されました。

EU 域内に拠点を有する管理者、または域内のデータ主体に対して物品やサービスの提供または行動の監視を行う場合に適用されます。一般の消費者のみならず、従業員や企業担当者などを含む全ての個人についてのデータが対象になります。

なぜ EU の規制について学ぶのかを不思議に思う方もいるでしょう。実は EU 圏外の国に所在する企業でも、次の条件のいずれかを満たす場合に GDPR が適用されます。

① **EU 域内に拠点を有する**管理者、または処理者が、**EU 域内の拠点の活動の過程において取り扱う**場合
② EU 域内に拠点がなくても、**域内のデータ主体に対して物品・サービスの提供または行動の監視**を行う場合

以上のことを知ると、**日本国内にのみ拠点を持つ企業でも GDPR が適用される可能性がある**ことが納得できますね。

さらに、GDPR では、**無断で EU 域外へ個人データを移転することが禁止**されています。移転先の第三国が**十分なデータ保護の水準を確保**していると欧州委員会が判断する必要があるのです。そのため、個人データの持ち出しには「越境移転規制」というルールをクリアし、煩雑な手続きをする必要があります。一方で、欧州委員会から**十分性認定**を受けた国には、この越境移転規制が適用されません。つまり、EU 域内から個人データを持ち出すための規制が緩和され、当該国の企業は手続きの負担が大きく軽減されます。日本は 2019 年 1 月に欧州委員会から十分性認定を受けました。

GDPR では、個人の氏名、所在地、クレジットカード情報、メールアドレスの他に、クッキー情報などを個人情報とみなして厳しく統制しています。

GDPR は情報の保護に関する規制だけではなく、同時に EU 域内および域外におけるデータの利活用の促進を目指します。制定された背景には、急速な IT 技術の進展により、

ビッグデータをグローバル規模で分析し、商品開発やサービス改善などに活用する需要が高まったことがあります。

　これと関連して、GDPRに定められている「**データポータビリティ権**」とは、サービスのユーザーが**自身の個人データにアクセスできるとともに、持ち出しや移転が可能**になることです。より詳細に説明しますと次のことが行使可能である権利です。

> 「自身の個人データを、その管理者から一定のフォーマット（構造化され、一般的に利用され、機械により読み取れる形式）で受け取り、他の管理者に移転する権利、自身の個人データを、異なる管理者間で自ら直接移転させる権利」

　データポータビリティ権は、個人データについて、**ユーザーの管理権限を強化する**とともに、**新興企業による新規サービス創出を促す**という欧州委員会の狙いがあるとされています。

「データポータビリティ」と類似した「ポータブル」は「持ち運び可能」を意味します。あるサービスに対して、個人データ（そのユーザーが自らに関して収集・蓄積した利用履歴などのデータ）を他のサービスでも利用可能な形で移転できることを指します。

6.2.8 生成AIと個人情報保護

　以下に述べることは生成AI全般に関連することではありますが、ここではわかりやすさのために、最もよく使われている生成AIサービスの1つであるChatGPTを用いて、個人情報の取扱いを議論していきます。

　OpenAI社の利用規約[04]によると、APIを経由せず（一般的なUIから使用）にエンドユーザーとしてChatGPTに入力した情報は、基本的にサービスの改善に使われます（※ただし、オプトアウトの申請が可能）。したがって、個人情報を入力することは、**個人情報の提供に該当します**。入力した個人情報が学習に使われ、その生成AIが他人に提供される場合、個人情報の漏洩を招く可能性があります。

　現時点（2023年10月時点）では、OpenAI社は、API経由での利用の場合は入力した情報をモデルの学習に利用しないとしています（ただし、今後の規約改定に注意）。

では、APIを介しての利用であれば、ChatGPTに個人情報を入力することは個人情報の「提供」にあたらない、という考えは正しいでしょうか？

　答えはNOです。大前提として、いかなる場合でも、ChatGPTに個人情報を入力することは「個人情報の利用」や「個人情報の委託」に当たるため、個人情報保護法の規制にしたがわないといけません。

> この場合、OpenAI社（およびMicrosoft社など提携している企業）が「情報処理担当」であり、個人情報の委託先に該当します。「入力情報を学習に使用しない」＝「必ず機密情報として保管する」という意味ではないですよ！

　ChatGPTのAPIを利用して自社の独自サービスを開発し、そこに個人情報を入力した場合でも、情報の保護が100%保証されるとは限りません。なぜならば、APIを介して情報がOpenAI社に送られた後、悪用防止のために、OpenAI社がその個人情報にアクセスすることがあるからです。

　そのため、APIを用いてChatGPTの機能を自社サービスに組み込む際、個人情報を扱うサービスであれば、個人情報の開示元から許可が必要となります。また、自社サービスのポリシー、あるいは情報開示者との秘密保持契約に、**「例外事項」を追記**する必要があります。

　さらに、**個人情報に限らず、いかなる機密情報も、生成AIに入力すると意図せずに法律に違反する可能性があります。**生成AIの利用規約を必ず確認し、「入力した情報がどこでどのように使用されるか」を意識しましょう。秘密情報を含む「メールを要約さ

COLUMN ｜ APIを介して生成AIを使う利点

重要なデータを抱える企業では、ChatGPTをサービスに組み込む場合、通常はAPIを介してChatGPTを利用します。OpenAI社に申請してAPIキーを取得する必要があります。APIを利用することで、エンドユーザー（一般的なUIから使用する人）よりも高性能な機能にアクセスでき、AIの開発コストを下げることができます。また、カスタマイズ性が高く、ChatGPTの機能を自社のアプリケーションに統合して独自の対話システムを構築することができます。さらに、アクセス制限を組み込むことができ、セキュリティの強化に有効です。

せる」、「プログラムや資料に対する改善点を求める」目的などに使用しないことが重要です。実際、以下の事例のような機密情報の漏洩が、これまでに問題になっています。

- 営業秘密を含むプログラムのエラーを修正してもらうために、そのプログラムのソースコードを ChatGPT に入力 ➡ 秘密漏洩が発生
- 住所や支払い情報を含むユーザーのチャット履歴が他のユーザーに見られた
- 医者がとった記録写真が画像生成 AI の学習用データセットに含まれていた

ココが試験に出ます！

- **匿名加工情報**：他の個人情報と照合したとしても個人を特定できない、かつ個人情報に復元できないように個人情報を加工した情報。
- **仮名加工情報**：単体では個人を特定できないように個人情報を加工した情報。ただし、他の情報と照らし合わせることで個人を特定できる可能性がある。
- **個人識別符号**：その情報だけで特定の個人を識別可能な文字や記号。
  例：生体情報を変換した符号（DNA、顔、指紋等）、公的な番号（パスポート番号、基礎年金番号、免許証番号、マイナンバー、各種保険証等）
- **要配慮個人情報**：「本人の人種、信条、社会的身分、病歴、犯罪の経歴、犯罪により害を被った事実その他本人に対する不当な差別、偏見その他の不利益が生じないようにその取扱いに特に配慮を要するものとして政令で定める記述等が含まれる個人情報」。原則として、本人の同意なく取得・利用をしてはならない。
- **機微情報**：金融分野ガイドラインにおいて、要配慮個人情報、及び「政治的見解、信教、労働組合への加盟、人種・民族、本籍地、保健医療及び性生活、犯罪経歴」。
- **オプトアウト制度**：本人が反対をしない限り、個人情報の第三者提供に同意したものとみなし、第三者提供を認めることである。個人情報取扱事業者は、オプトアウト制度を利用することにより、事前に本人の同意を得なくても、その個人データを第三者に提供可能。
- **「カメラ画像利活用ガイドブック ver3.0」**：経産省が公表しているプライバシーに配慮したカメラ画像の利活用について検討を進めてきたガイドライン。
- **GDPR（EU 一般データ保護規則）**：EU における個人データやプライバシー保護に関する規則。EU 域内に拠点を有する管理者、または EU 域内のデータ主体に対して物品・サービスの提供または行動の監視を行う場合に適用される。GDPR における**データポータビリティ権**とは、あるサービスにおいて特定のユーザーに関して収集した利用履歴などの個人データを他のサービスに移転し再利用できる権利。

6

AIの社会実装に伴う法律・論理

CHAPTER
6.3

知的財産権

本節では知的財産権の定義と種別について学びます。知的財産権の一種であり、G検定で頻出の特許権と著作権については、後続の節で取り上げます。

知的財産権とは、簡単にいうと人間の知的創造活動の成果（知的財産）に対して、法令により定められ保護される権利です。「知的財産」の厳密な定義は以下となります（知的財産基本法の第2条）。

知的財産とは
① 発明等の人間の創造的活動により生み出されるもの、商標、商号その他事業活動に用いられる商品又は役務を表示するもの
及び
② 営業秘密その他の事業活動に有用な技術上又は営業上の情報

知的財産権は大きく分けて、以下の2種類があります。

① **知的創造物についての権利**

創作意欲の促進を目的とした権利（例：特許権、著作権、意匠権）

② **営業上の標識についての権利**

使用者の信用維持を目的とした権利（例：商標権）

次のページの表にある知的財産権のうち、本書ではこの後、特許権、著作権、営業秘密といった、AI開発と特に関連性の深い項目を詳細に取り上げます。

知的財産権（知的創造物）についての権利を、表 6.3.1 にまとめています。

特許権（特許法）	「発明」を保護する権利
実用新案権（実用新案法）	物品の形状などの考案を保護する権利
意匠権（意匠法）	物品、建築物、画像のデザインを保護する権利
著作権（著作権法）	文芸、学術、美術、音楽、プログラム等の精神的作品を保護する権利
回路配置利用権（半導体チップ保護法）	半導体集積回路の回路配置の利用を保護する権利
育成者権（種苗法）	植物の新品種を保護する権利
（技術上・営業上の情報）営業秘密（不正競争防止法）	ノウハウや顧客リストの盗用など不正競争行為を規制する仕組み

表 6.3.1：知的財産権（知的創造物）についての権利

知的財産権（営業上の標識）についての権利を、表 6.3.2 にまとめています。

商標権（商標法）	商品・サービスに使用するマークを保護する権利
商号（商法）	商号を保護する仕組み
商品等表示（不正競争防止法）	周知・著名な商標等の不正使用を規制する仕組み
地理的表示（GI）（特定農林水産物等の名称の保護に関する法律）（酒税の保全及び酒類業組合等に関する法律）	品質、社会的評価その他の確立した特性が産地と結びついている産品の名称を保護する仕組み

表 6.3.2：知的財産権（営業上の標識）についての権利

6

AIの社会実装に伴う法律・論理

特許法

特許を取得することにより、発明者は自らの特許発明の実施を独占できるなど、いくつかの権利が特許法により保護されます。本節では特許制度の詳細を学びます。

【発明に関する用語解説】（法律上の意味合い）

- **「発明」** とは
  自然法則を利用した技術的思想の創作のうち高度のもの（特許法の第2条第1項）

- **「特許発明」** とは
  特許を受けた発明（特許法の第2条第2項）

6.4.1 特許権を使って何ができるのか

特許制度は以下を目的としています。

① 発明者には一定の期間、一定の条件のもとで**独占的な権利（特許権）**を与えて発明の保護を図る

② 上記の保護が成り立つ上で、**発明を公開しその利用を可能にする**ことで、新しい技術を人類共通の財産とし、これにより**技術の進歩と産業の発達**に役立てる

　特許権とは、発明を保護するための権利として定義されています。

　特許を取得することにより、自らの**特許発明の実施を独占**できるとともに、第三者による**特許発明の無断実施**を排除できるようになります。これらの権利をそれぞれ「特許発明の実施」と「特許権の実施許諾」と呼びます。以下にて、具体的にみていきましょう。

■ 特許発明の実施

　特許権者は、業として、**特許発明の実施**をする権利を専有します（特許法の第68条）。ここで、「実施をする」とは、物の生産、使用、譲渡、輸出、輸入などにおいて、発明された方法を使用することです。また、「業として」とは、個人や家庭での実施以外で

あることを指します。

■ 特許権の実施許諾

特許権者は、**他人に自己の有する特許発明を実施する権利を許諾**することができます（特許法の第 77 条、第 78 条）。この権利には**通常実施権**と**専用実施権**の 2 種類があります。

発明は目に見える形を持たないため、誰が所有できるのかが曖昧です。改めて、なぜ特許制度が必要なのかについて考えましょう。

そうですね … 発明を守るものがないと、発明者はせっかくのよいアイデアを秘密にしてしまいますよね。でもそうすると本人も発明を堂々と活用できないし、他人にも使ってもらえないから、発明の意味はないのでは…。

よいことをいいましたね。さらに、先行発明を知らないままでは、無駄な研究や投資を行うリスクがあり、社会全体が不利になってしまいます。そこで、**所有者を明確にしながら、誰でも発明を活用できる仕組みが特許制度です！**

●通常実施権

通常実施権の許諾を受けた者は、その許諾契約等で定められた範囲内で、業としてその**特許発明を実施**することができます（特許法の第 78 条第 2 項）。

●専用実施権

専用実施権の設定を受けた者は、その設定契約等で定められた範囲内で、業としてその**特許発明を独占排他的に実施**することができます（特許法の第 77 条第 2 項）。

専用実施権を設定すると、**第三者に対して今後実施権を許諾できなくなるし、自ら特許発明の実施もできなくなります！** ややこしい内容なので、要注意です！

6.4.2 特許権が認められるための条件

● **要件 1：産業上利用可能性**

発明が**産業上利用できるもの**である必要がある（特許法の第 29 条第 1 項柱書）

● **要件 2：新規性**

発明が**いまだ社会に知られていないもの**である必要がある（特許法の第 29 条第 1 項第 1 ～ 3 号）

● **要件 3：進歩性**

発明の属する技術分野における通常の知識を有する者が、特許の出願の時点における技術常識に基づき、**容易に発明できないもの**である必要がある（特許法の第 29 条第 2 項）

　ただし、**公の秩序、善良の風俗または公衆の衛生を害する恐れ**がある発明については、**上記の要件を満たしても特許権を取得することはできません**（特許法の第 32 条）。

　上記の要件 2 の「新規性」について、以下の表 6.4.1 の**新規性喪失事由**のどれか 1 つに該当すると、新規性はないと判断されてしまいます（ただし、新規性が喪失した場合であっても、一定の条件を満たすことにより、特許権を取得できることもあります（特許法の第 30 条））。

狭義の公知	特許出願前に日本国内または外国において公然知られた発明
公用	特許出願前に日本国内または外国において公然実施をされた発明
刊行物記載	特許出願前に日本国内または外国において，頒布された刊行物に記載された発明、又は、インターネットを通じて公衆に利用可能となった発明

表 6.4.1：新規性喪失事由

■ **特許権の発生と持続**

「特許を受ける権利」は、**発明の完成**と同時に発生し、**自然人**である発明者に帰属します。これに対し、特許権を取得するには、特許権設定の登録を受ける必要があります（特許法の第 66 条第 1 項）。特許権はその**設定登録**により発生し、**特許出願の日から 20 年**で終了します。

■ **職務発明とは**

職務発明とは企業の従業員が、**企業の業務の範囲に属し、企業の設備等を利用して、現在または過去の職務として実現**した発明です。職務発明の特許を受ける権利は、**発明をした従業員**に帰属する一方で、企業には**その発明を実施する通常実施権**が認められます（特許法の第 35 条第 1 項）。

■ **特許権の取得における先願主義**

先願主義とは、**一番先の出願人に特許を認める**こと、つまり「早いもの勝ち」です（特許法の第 39 条第 1 項）。複数の者が独立に同じ内容の発明を完成させた場合、それぞれに特許を受ける権利が発生します。しかし、同一の発明について複数者に特許権が認められるわけではないため、先願主義が採用されています。

ココが試験に出ます！

- 特許権が認められるための3大条件：1. **産業上利用可能性**、2. **新規性**、3. **進歩性**
  ただし、例外として、**公の秩序、善良の風俗または公衆の衛生**を害する恐れのある発明は上記条件を満たしても、特許権が認められない。

- 特許権の実施許諾には**通常実施権**と**専用実施権**がある。通常実施権の許諾を受けた者は、その許諾契約等で定められた範囲内で、業としてその特許発明を実施できる。**専用実施権**の許諾を受けた者は、その設定契約等で定められた範囲内で、業としてその特許発明を独占排他的に実施できる。

- 特許を受ける権利は、**発明の完成と同時に発生**し、自然人である**発明者に帰属**する。特許権は、**特許権の設定登録により発生**し、**特許出願の日から 20 年**で終了。

- **先願主義**：一番先の出願人に特許を認める制度。

CHAPTER
6.5

著作権法

AI 開発の各要素が著作物として保護されるのか、AI による生成物が著作権を侵害するリスクなど、著作権にまつわる課題を見ていきましょう。

6.5.1 著作物とは

著作権とは、**著作物を保護するための権利**として位置付けられています。著作物として著作権法に守られるためには、以下のような条件を満たす必要があります。

- ●**著作物であるための条件（著作権法の第 2 条第 1 項第 1 号）**
  - ●**表現したもの（表現物）であること。**
  - ●**思想又は感情を表現したものであること。**
  - ●**創作的に表現した（創作性を有する）ものであること。**
  - ●**文芸、学術、美術又は音楽の範囲に属する表現であること。**

上記の「表現したもの」であることは、つまり、アイデアだけだと著作物にならないという意味です。そのアイデアに基づいて創作性をもって作成した資料は、著作物としてみなされる可能性があります。

もう 1 つ大事なことは、「創作的」には、「誰でもできるわけではない」という意味が含まれているということです。

僕が画用紙に「1」という数字をデカく書いて、「私の思想を表現しました」と言ったところで、それが著作物になるわけがないですね。

■ 著作権の効力

著作権がどの時点から有効になり、その有効性がいつ失われるのかは著作権法によって決められています。これらの決まりごとは試験での出題確率が高いので、ぜひ覚えましょう！

●著作権の効力の持続期間

- 著作権の成立：**著作物の創作**の時に始まる（著作権法の第51条第1項）。
  ※特許権等と異なり、権利として保護してもらうための登録手続は必要ない。
- 著作権の存続期間：**著作者の死後70年を経過**するまでの間（著作権法の第51条第2項）。
- 法人や団体名義の著作物の著作権の存続期間：**著作物の公表後70年を経過**するまでの間（著作権法の第53条第1項）。

6.5.2 著作権の種別と侵害に対する措置

広義の著作権には「著作者人格権」と知的財産権である「著作財産権」が含まれています。各々の詳細は表6.5.1の通りです。

著作者人格権	● 著作者の人格的な利益を保護するための権利 ● 他人に譲渡することができない ● 「公表権」「氏名表示権」「同一性保持権」がある
著作財産権	● 著作者の財産的な利益を保護するための権利 ● 「複製権」「上演権・演奏権」「上映権」「公衆送信権等」「口述権」「展示権」「頒布権」「譲渡権」「貸与権」「翻訳権・翻案権」等がある

表6.5.1：著作者の有する権利

また、著作権を侵害する者に対して、表6.5.2のような措置をとることができます。懲役や罰金などの刑事罰が科されることもあります（著作権法の第119条〜第124条）。

例えば、海賊版であることを知りながら「頒布する旨の申出」をする行為は「著作権等を侵害する行為」とみなされ、刑事罰の対象となります。

差止請求	著作権の侵害の停止または予防を請求する
損害賠償請求	著作権侵害により自己が受けた損害の賠償を請求する
名誉回復請求	著作権者の業務上の名誉を回復するのに必要な措置を求める
不当利得返還請求	侵害した者が受けた利益を返還してもらう

表6.5.2：著作権を侵害された時にとれる措置

他に、他の人と共同で作る著作物、勤めている企業の業務として作る著作物があります。

■ 共有著作権・共同著作物

共同著作物とは、2人以上の者が共同して創作した著作物であって、**各人の寄与を分離して個別的に利用**することができないものです（著作権法の第2条第1項第12号）。共同著作物が生じる場合、2人以上の者が**共有著作権**を同時に持つ状態になります（著作権法の第65条）。**共有者全員の合意**がなければ共有著作権を行使できず、その持分の譲渡などができません。

■ 職務著作

職務著作とは、**企業の従業員がその職務に関連して著作物を創作**する場合のことを指しています。原則として職務著作の著作者は**法人その他の使用者**となります（著作権法の第15条）。

● 職務著作の要件

- **法人その他の使用者の発意**に基づき作成されたものであること
- 法人等に従事する者が**職務上作成**したものであること
- 法人等が自己の名義の下で公表したこと（ただし、プログラム著作物の場合、この要件は不要）

6.5.3 AIの開発と著作権

AIの開発において、どのような要素に著作権が発生するのか考えてみましょう。

AIの開発では、そのAIの種類によって、様々な種類の生データが利用されます。それらの生データや、生データを加工して生成した学習用データは、「思想や感情の表現物」ではないように思われますが、著作権は発生しうるのでしょうか？

そして、上記のデータはモデルの学習に使用されますが、モデルを構成するために（プログラミング言語で）書いたプログラムはどうでしょうか？ さらに、学習の結果として得られたモデルの学習済みパラメータ、およびそれらを組み込んだ学習済みモデルはどうでしょうか？

これらについて、表 6.5.3 にまとめています。大まかにいうと、各要素に著作権が認められるかどうかは、どれくらいの創作性があるかどうかによります。単なる事実なのか、それとも十分な創作性が認められるのか…

> 僕が頑張って作成した学習用データセットやプログラミングコードに著作権はありますか?

> 著作権法には「著作物の例示」という規定があり、その規定によると、条件を満たせば「プログラムの著作物」や「データベースの著作物」として認められることがあります。

AI 開発の要素	具体例
生データ	著作権が発生するかどうかは生データの性質と生成の経緯による。十分な創作性をもって生成されたものなのか、それとも単なる事実なのか? 例えば、システムからダウンロードした売上データは「事実」であり創作性がないので著作権が認められない。スタイル変換の AI の学習のために、写真家が撮影した風景の写真や芸術家が描いた油絵を生データとして用いる場合は、生データに著作権が認められる。
学習用データセット（生データの加工等で生成されるもの）	著作権法において学習用データセットは、「**データベース**」としての著作権が認められる。データベースが「情報の選択又は体系的な構成によって創作性を有するもの」である場合に、著作権法の保護の対象となり得る（著作権法2条1項）。 どの程度の創作性を要するかは、明確な基準がなく、ケースバイケースで判断される。
プログラム / ソースコード（学習用、推論用）	十分に創作性が認められた場合、コーディングされたプログラムの「表現」として保護されることがある。
学習済みパラメータ	学習済みパラメータは原則として数値としてみなされるため、創作性が認められず、著作権が発生しない。

表 6.5.3：AI 開発で使用または発生するデータやプログラム等と著作権の関係性

> 同じ写真でも、カメラとセンサーなどで自動的に撮影した写真と、写真家が創作性をもって撮影した「芸術表現」としての写真とでは、生データとして使った場合には後者のみが著作物とみなされるでしょう。

学習済みパラメータの財産としての保護は、実際の AI 開発の実務においても、特に注意を要する部分です。

　表 6.5.3 で述べたことは、あくまでも学習済みパラメータには著作権が発生しないということだけです。学習済みパラメータは、重要なデータと労力をかけて生成した、営業上有用な価値を持つ大切な財産です。**営業秘密としての管理、契約による所有権や使用権の明確化**など、しっかり保護できるように慎重に進めることが大切です。

　プログラムの著作権に関する補足をします。

　表現や作成の手段であるプログラム言語、アイデア、規約及び解法には、著作権法による保護は及ばないということに注意しましょう（著作権法の第 10 条第 3 項）。ただし、「プログラムの著作物」ではなくても、プログラム作成に関連するシステム設計書、プログラム設計書、ユーザー向け説明書などは、著作物として著作権法による保護が及ぶケースがあります（著作権法の第 10 条第 1 項第 1 号、第 6 号）。

　また、AI 生成モデルの場合、さらに複雑です。その学習済み AI が生成したコンテンツの著作権についての議論が必要になります（6.5.5 で議論）。

6.5.4 学習データの利用と著作権侵害

　AI の開発には学習データが必要です。学習データとして、他人が執筆した文章や撮影した写真、クローリングやスクレイピングにより取得したウェブサイト上のテキストなどを使用することがあります。前節で述べた通り、これらのデータには著作権が生じている可能性があります。

　ということで、「**AI を開発するために、他人の著作物をモデルの学習に使っていいのか**」について考えていきましょう。

　著作権法によると、データの収集や加工は次のような行為に該当するとされています。

データの収集・保存 ＝ 複製 　（著作権法の第 21 条）
データの加工・処理 ＝ 翻案 　（著作権法の第 27 条）

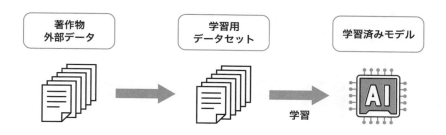

それぞれの行為から著作物を保護するための権利が与えられています。そのため、原則として、**著作権者の同意なく、無断でコピー（複製権の侵害）や編集（翻案権の侵害）をしてはならない**のです。

では、取得した著作物のデータをそのまま使わずに、独自のデータセットに工夫して加工すればいいのですか？

加工するにしても、元の著作物（データ）を一度複製しそれを編集する行為が発生します。その場合、学習用データセットに加工しても、著作権を侵害してしまいますね。

ええ？ でも身の回りの翻訳 AI やチャット AI は、色々な人が書いた小説と論文などを学習していると聞いたけど、毎回著作権者に同意を得ないといけなかったのでしょうか？！

実は違うのです。「原則として」は「特例なしには」ということも意味します。「無断で著作物を学習に使ってもいい」という、AI 開発に都合のよい例外があります！

著作権法において特例がなければ、このままでは無断での著作物の収集・保存・加工などが著作権侵害になります。しかし、日本の著作権法に特徴的な**例外となる規定**が設けられています。それは、他人の著作物をAI開発のために広く用いることを可能にする、**著作権法第30条の4第2号**です。その内容は以下となります（第30条の4の冒頭より引用）。

> 著作物は、次に掲げる場合その他の当該著作物に表現された思想又は感情を自ら享受し又は他人に享受させることを目的としない場合には、その**必要と認められる限度において、いずれの方法によるかを問わず、利用することができる。ただし、当該著作物の種類及び用途並びに当該利用の態様に照らし著作権者の利益を不当に害することとなる場合は、この限りでない。**
> 一 略
> 二 情報解析（多数の著作物その他の大量の情報から、当該情報を構成する言語、音、影像その他の要素に係る情報を抽出し、比較、分類その他の解析を行うことをいう…以下略）の用に供する場合

モデルの学習で、大量のデータから解析に必要な特徴量を抽出することは、まさに上記の「情報解析」に該当します。したがって基本的には、**営利目的であっても、著作者の許諾なく無断で著作物をAIの学習に利用可能**です。

また、「情報解析のための利用方法」やデータの種類（学術論文、写真、動画、小説等）は問われません。データをコピー・加工して学習用データセットを作成し、それを使ってモデルを学習させるだけでなく、例えば、作成したデータセットを第三者に譲渡することなども可能になります。ただし、以下に当てはまる場合、「AIの学習への著作物の使用」が著作権侵害となります。

- **著作権者の著作物の利用市場と衝突する**
- **将来における著作物の潜在的市場を阻害する**

なお、上記は日本の著作権法上でのみ認められた例外規定です。外国の著作物の利用は可能ですが、それは**日本の著作権法が及ぶ日本国内に所在しながらの利用に限定されること**にも注意が必要です。

6.5.5 AI生成物と著作権の問題

　生成 AI の技術の進化に伴い、例えば、ChatGPT が生成した文章や DALL・E2 が生成した画像の質は、人間が作成したコンテンツに限りなく近くなっています。

■ AI生成物の著作権は誰に帰属するのか？

　ここで、以下のような問題を考えてみましょう。

　「生成 AI を用いて生成したコンテンツは著作物になるのか？」

　これは「生成 AI の利用者が著作権者になるか」という問題に帰着します。

　著作物とされるためには創作性が重要です。プロンプトそのものが著作物として認められることは、可能性はゼロではないものの、基本的に難しいです。生成 AI は推論能力が高いので、「知識を引き出すプロンプト」に非常に高度かつ創作的な工夫が使われていない限り、著作物として認められないでしょう。

　しかし、**「AI の支援」を受けて生成したものが著作物になる**可能性はあります。それはどういう場合かというと、AI の生成物をそのまま利用するのではなく、そこから**アイデアだけもらう、あるいは生成内容の顕著な部分を編集して活用**するような場合です。つまり、生成 AI を「単なる道具」として使っていて、「**人間の創作性が十分にあったかどうか**」が決め手（ケースバイケース）となります。

　ちなみに、著作権者は自然人または法人である必要があるので、AI が著作権者になることはありません。

■ 生成AIの利用により著作権侵害を起こすリスクはあるのか？

　一般的に、著作物を無断で「識別モデル」の学習に使うことは許可されることがわかりました。では、「生成 AI」に著作物を学習させた場合、同じく問題がないのでしょうか？

　著作権法の第 30 条の 4 第 2 号によれば、著作物を一般的な AI モデルの学習に使うことは許可されることが多いです。しかし、AI の中でも、**「生成 AI」に著作物を学習させた場合、その学習済みモデルによる生成物が著作権侵害を起こしやすい**ことに注意が必要です。

OpenAI 社の規約によると、ChatGPT の生成物の著作権は基本的にユーザーに帰属します。しかし、他者の著作権を侵害していないことを保証しているわけではありません[1]。**生成 AI を用いた生成物が他者の著作物に依拠し、かつ、類似している場合、著作権法の違反になってしまいます。** この「依拠しているかどうか」の判断は容易ではなく、その基準については議論が続いています。「生成 AI の利用者がその著作物を認識していたか」、「その生成 AI の学習に当該著作物が用いられていたかどうか」などが考慮されると考えられています。なお、AI の学習に著作物を無断で使える特例（著作権法の第 30 条の 4 第 2 号）があるものの、生成プロセスの場合、他人の著作物を入力し、他人の著作物に依拠した生成物を出力される場合には特例は適用されず、複製・翻案に該当します。

　ただし、上記は企業などによる営利目的での使用が該当し、私的使用であれば原則として問題になりません。

生成 AI に入力するデータに機密情報が含まれないように注意し、出力されたものが、著作権など法律や倫理に反しないことに十分に注意しなければいけません。

　2023 年 6 月以降、日本政府が生成 AI の利用に関する声明を出し、生成物の著作権侵害、その他プライバシーの侵害などに関する対策を公表しています。その中では、個人情報保護法の侵害や誤った情報の既成事実化を防ぐ目的で、「**どのようなコンテンツを生成 AI に学習させているかを開示する**」ことが求められる方針です。さらに、「**AI 生成物が他の著作者の権利を侵害した際には刑罰の対象となりうる**」ことも宣言されました。

　教育の現場や一部のジャーナルの論文など、生成 AI の使用が禁止または制限されているケースもあります。文科省や大学などが、生成 AI のアカデミック利用についての方針を出しています。未成年は利用禁止または保護者の監督下で利用する、大学生はレポート等でどの生成 AI を利用したか明記するように要請されています。

---

memo　※ 1　「著作権が発生するかどうか」と「他者の著作物を侵害しているかどうか」は独立と考えられています。つまり、他者の著作権を侵害しても、二次著作物としての著作権は発生するということです。（発生するが、元の著作権者の許諾がない以上、公開も複製も販売もできない。二次著作物の権利を持っているだけ）
https://monolith-law.jp/corporate/copyright-infringement-precedent

　ChatGPT などによるデータ生成には**ハルシネーション（幻覚）**のリスクがあります。そのため、「AI を用いた生成物」であることを開示する義務があります。AI 生成物を閲覧する側は、その真偽を自分の責任で判断すべきです。

　特に、**医療、経済、法律といった高リスクの専門分野について生成 AI の利用が厳しく規制**されています。コンサルティングのチャット相談サービスを誰もが提供してよいわけではなく、専門家が生成 AI を自身の業務の補助として利用する場合のみ許されます。専門家がチェックすることが倫理上、法律上求められています。これに違反すると各分野の法律（例：弁護士法）に反することがあります。

> ChatGPT が時々嘘をつくのは、確率的に答えを推測しているからです。確実性が欠けている（答えがわからない）場合でも、無理やり一番確率の高い答えを出します。これが「ハルシネーション（幻覚）」という現象です。

COLUMN | 生成 AI の規約から見る禁止事項

　生成 AI を提供する各社も自社の利用規約において、ユーザーの利用方法を規制しています。例えば、OpenAI 社の生成 AI に関する規約では、AI の生成物（SNS の投稿やウェブ記事など）について、あたかも人間が生成したものであるかのように表示することが禁止されています。しかし AI が「自律的に生成」したという表記も適切ではなく、「人間が AI を利用して生成した」という表記が必要です。また、一部にのみ AI を利用した場合も、当該コンテンツの作成に担った役割を明記する必要があります。

　以下は、OpenAI 社の規約において禁止されている使い方の例（ChatGPT に限らず）です。

- 違法行為、詐欺行為（例：情報を盗み出すマルウェアの開発支援など）
- 身体的または経済的な危害・損害のリスクの高い活動
- 政治的キャンペーン
- 有資格者ではない者が金融アドバイスを与えること
- 健康状態の改善に関するアドバイスを提供すること
- 政府の意思決定
- 無許可の法律実務に従事すること

最近は、プロンプトを書くのが上達し、要望を上手に ChatGPT に伝えることができた場合に仕事にかなり役立っているのを実感しています。

自分でもできるけれど面倒または時間がかかるタスクに使うのがよさそうですね。しかし、知識を持っていない分野で ChatGPT を仕事に使うときは要注意です。生成された内容を必ず人間がダブルチェックする、あるいは信頼できる文献で正しさを確認してください。

ココが試験に出ます！

- 著作物は創作性のある表現物である必要がある。
- **職務著作**の場合、原則として著作者は法人その他の使用者となる。
- 共同著作物：2 人以上の者が共同して創作した著作物。共有著作権は各人の寄与を分離して利用できず、共有者全員の合意なく譲渡等できない。
- 著作権の存続期間：個人の場合**著作者の死後 70 年**を経過するまでの間、法人や団体の場合は**著作物の公表後 70 年**を経過するまでの間。
- 「情報の選択又は体系的な構成によって創作性を有するもの」である場合に、学習用データセットは、「**データベースの著作物**」として認められることがある。
- コンピュータ・プログラムは、「**プログラムの著作物**」に該当することがある。しかし、その作成に用いられたプログラム言語、プロトコル、アルゴリズム、規約及び解法は著作権法による保護を受けない。設計書やユーザー説明書などは著作物として保護されることがある。
- 著作権法の第 30 条の 4 第 2 号によれば、モデルの学習は、「**情報解析**」に該当し、一定条件を満たせば、基本的には著作者の許諾なく無断で著作物を AI の学習に利用可能。
- AI による生成物が他の著作権者の著作権を侵害してしまう可能性がある。

不正競争防止法

本節では、不正競争防止法のうち、AI・データ活用の分野と特に関連が深い「営業秘密」と「限定提供データ」に関する規定を中心に学びます。

6.6.1 不正競争防止法の概要

■ 不正競争防止法の目的

「事業者間の公正な競争」および**「これに関する国際約束の的確な実施」**を確保するために、不正競争防止および不正競争に係る損害賠償に関する措置などが講じられています。これによって、国民経済の健全な発展に寄与することを目的としています（不正競争防止法の第1条）。

■ 不正競争防止法で禁じられている「不正競争」とは

不正競争には表 6.6.1 のような行為が含まれています（不正競争防止法の第2条）。

営業秘密不正取得行為等 （不正競争防止法の第2条第1項第4号〜第10号）	窃取等の不正の手段によって営業秘密を取得し、自ら使用し、もしくは第三者に開示する行為等
限定提供データ不正取得行為等 （不正競争防止法の第2条第1項第11号〜第16号）	窃取等の不正の手段によって限定提供データを取得し、自ら使用し、もしくは第三者に開示する行為等
周知表示混同惹起行為 （不正競争防止法の第2条第1項第1号）	他人の商品・営業の表示（商品等表示）として需要者の間に広く認識されているものと同一または類似の表示を使用し、その他人の商品・営業と混同を生じさせる行為
技術的制限手段無効化装置提供行為 （不正競争防止法の第2条第1項第17号、第18号）	技術的制限手段により視聴や情報の処理、記録、複製が制限されているコンテンツの視聴や記録、複製を可能にする一定の装置またはプログラムを譲渡等する行為

表 6.6.1：不正競争防止法で禁じている行為

営業秘密

不正競争防止法が禁じている「不正競争」には、**「営業秘密の不正取得行為」**が含まれます。営業秘密とは以下の要件を満たすものとして定義されています（不正競争防止法の第2条第6項）。

① **秘密管理性**

秘密情報として管理され、秘密情報であることがわかるように、アクセス制限や㊙表示などの秘密管理措置がなされていること。

② **有用性**

有用な技術上または営業上の情報であること、かつ保有者の管理下以外では一般的に入手できないこと。

③ **非公知性**

公然と知られていないこと。

顧客リストや技術を開発するノウハウだけではなく、例えば、失敗した実験データなど、ネガティブ・インフォメーションも「有用性」があるとして、営業秘密として保護されます！

営業秘密の侵害に対して、差止請求権、損害賠償請求権といった民事的救済の他に、刑事罰が科せられることもあります。

6.6.3 **限定提供データ**

不正競争には**「限定提供データの不正取得行為」**が含まれています。

限定提供データとは、**特許法・著作権法**によって保護されず、**営業秘密**にも該当しないデータです。その定義は以下の通りです（不正競争防止法の第2条第7項）。

「業として**特定の者に提供**する情報として**電磁的方法により相当量蓄積**され、および**電磁的な方法**によって**管理**されている技術上または営業上の情報」

有用な情報を含み、企業間で共有されることで、協業やサービス・製品の改善が期待されるようなデータが該当することがあります。

例えば、企業の取引先とのウェブ会議の電子ファイルで保存されたログは、上記の条件を満たすため限定提供データにあたります。

ココが試験に出ます！

- **不正競争防止法**：事業者間の公正な競争を確保するための措置等を講じる。**営業秘密**や**限定提供データ**の不正取得行為等（例：顧客リストやノウハウの盗用）が「不正競争」として禁じられている。

- 営業秘密が満たす条件：
    - **秘密管理性**：秘密として管理され、秘密情報であることがわかるように、アクセス制限や㊙表示などの秘密管理措置がなされていること
    - **有用性**：有用な技術上または営業上の情報であること
    - **非公知性**：公然と知られていないこと

- **限定提供データ**とは、特許法・著作権法に保護されず、営業秘密にも該当しないデータ。以下の条件を満たすもの。
    - **限定提供性**（一定の条件の下で反復継続的に提供）
    - **相当蓄積性**（「相当量」はデータの性質に応じて判断）
    - **電磁的管理性**（ID・パスワードでアクセスを制限）

CHAPTER

6.7

AIの公平性・説明責任・透明性

AI技術が社会から信頼されるためには、公平であること、責任体制が整備されていること、AIの仕組みが透明性を持つことが必要です。本節ではこれらを実現するための取り組みを学びます。

AI倫理とは「意識が高いこと」ではなく、守って当然、守らないと社会から信頼を失う非常に重要なことです。以下は公平性、バイアスの観点からAIの倫理に違反する例です。

- AIを用いた採用で男性（または女性）を「自動的に」優遇する
- 特定の国や民族の言語について、他の言語よりも音声認識の精度が低かった
- 記事のレコメンドが特定の政治的思考のものに偏っていた
- AIによって宗教観が予測された
- 社会的弱者（"minority"）はインターネットやパソコンへのアクセスが比較的少ない
- AIの学習データは英語のデータが圧倒的に多い

6.7.1 公平性・説明責任・透明性

AIがマルチモーダルの分野で「すごいことができる」とわかった今、もはや「精度」を競うだけでは限界まで来ています。近年では「AIによる公平性及び透明性のある意思決定」と「AIの結果に対する説明責任」が担保されることが要求されています。

「公平性・説明責任・透明性」という研究領域は、AIの社会実装と運用において、遵守すべき設計思想として参照されています。国際的にFAT（Fairness, Accountability, and Transparency）として認識されています。

せっかく有益な技術が開発されているので、精度を少し犠牲にしたとしても、社会の中でより有益で安全な使い方に向けた研究を重視すべき場合があります。

■ 公平性

「公平性」とは、**AIがバイアスを社会に反映させることがないように配慮**することです。機械学習モデルを作成する段階で**人種・性別・民族・文化等に対する不公平さを排除**しなければなりません。

アルゴリズムが不透明である場合、アルゴリズムバイアスが発生している場合、学習データに偏りがある場合に、AIが出力する判断の「公平性」が損なわれます。そして、「判断はAIが行っている」ということを公表しない場合はさらなる倫理的な問題を引き起こします。例えば、AIを用いた人事評価や信用スコアリングの結果は対象者の生活に顕著な影響を及ぼしており、気付かないうちにAIに不当に差別されてしまう事態になりかねません。

■ 説明責任

「説明責任」とは、**AIを用いた業務の内容と目的、社会問題が生じた場合の責任体制を開示する責任**を指しています。AIの利用者はそのような説明を要求する権利があります。

■ 透明性

「透明性」とは、AI、機械学習、データ分析等において、**各プロセスが誰にでもわかるように説明できる**状態を指します。

最新のアルゴリズムは精度が高くても、透明性も高いとは限りません。実際、ニューラルネットワークなどの高精度なモデルの多くは、その複雑な仕組みが十分に理解されておらず、予測の根拠や結果を説明することが難しいのです。したがって、透明性を確保するためには、**必ずしも最新のアルゴリズムではなく、活用実績が十分にあり、信頼性の高い従来のモデルも検討すべき**です。

透明性に欠けるとは、AIが「**ブラックボックス**」の状態にあることです。これは、AIの社会実装を阻止してしまう要素です。利用者の健康安全や個人情報に関与するAIサービスでは、ブラックボックス問題は特に深刻です。日常の中でも、例えば、AIでデータを分析した担当者はクライアントに分析結果の説明を求められるのは当然ですよね。また、AIサービスの利用者が十分に納得できる説明ができていないと、AI全般への不信感にも繋がります。

そこで、**ブラックボックス性の解消**に向けた取り組みとして、**XAI（Explainable AI; 説明可能 AI）**の研究開発が進められています。一言でいうと、**出力結果に至った経緯や判断の根拠も説明できる AI の仕組み**です。XAI を目指したモデル解釈ツールは Chapter4（4.17 節）で解説しています。

英単語の「ブラックボックス」は本来、内部構造や処理過程が不透明な状態を意味しています。一般的に、機械学習モデルの内部で行われている計算は難解ですが、XAI はこれを直感的に説明することを目指しています。

6.7.2 人間中心のAI社会原則

2018 年の内閣府における有識者会議の議論に基づき、2019 年に「**人間中心の AI 社会原則**」[05] の原案が公開されました（総合イノベーション戦略推進会議）。

「人間中心の AI 社会原則」が目指すこと	人間が AI に過度に依存したり、AI が人間の行動を制限したりするのではなく、人間が自身の能力を発揮するための道具として AI を使いこなして、人間の尊厳が尊重される社会の構築
「人間中心の AI 社会原則」の基本理念	AI の設計思想の下において、人々がその人種、性別、国籍、年齢、政治的信念、宗教等の多様なバックグラウンドを理由に不当な差別をされることなく、全ての人々が公平に扱われなければならない

「人間中心の AI 社会原則」は、以下の 3 つの理念を尊重・実現するための内容となっています。

- 「人間の尊厳が尊重される社会」
- 「多様な背景を持つ人々が多様な幸せを追求できる社会」
- 「持続性ある社会」

また、AI の研究開発や利活用に関して国・自治体・社会全体が考慮すべき「**7つの基本原則**」が含まれています。

「人間中心の原則」、「教育・リテラシーの原則」、「プライバシー確保の原則」、「セキュ

リティ確保の原則」、「公正競争確保の原則」、「公平性、説明責任、及び透明性の原則」、「イノベーションの原則」

7つの原則のうち、「**公平性、説明責任、及び透明性の原則**」は 6.7.1 で説明した内容に該当します。

その他に、「プライバシー確保の原則」の項目には、「パーソナルデータが本人の望まない形で利用されることによって個人が不利益を被ることのないように、パーソナルデータの扱いに注意すること」などが含まれています。「イノベーションの原則」の項目には、「**Society 5.0** の実現」、「人材と研究の側面から徹底的に**国際化、多様化、産学官民連携**を推進すること」などが含まれています。

COLUMN | 自然言語処理モデルと公平性の問題

自然言語処理は人間の言語を対象とするため、どうしても人間社会に潜むバイアスに影響されやすくなります。性別、人種、宗教などの属性に左右されるモデルを使用した場合、特定のグループにとって不利な結果を出力してしまいます。

大規模言語モデルの訓練データを収集する際に、なるべく多様性を持たせるような工夫がされているものの、一部のセンシティブな属性（例えば、宗教、人種、政治、性別）は予測結果の公平性に影響を及ぼす可能性が残ります。これは実世界での応用において深刻な問題をもたらすため、文章生成の仕組みからバイアスを排除し、公平性を担保することが喫緊の課題です。

GPT の文章生成の能力が高く評価されていると同時に、公平性の問題が指摘されています。例えば、女性という単語から生成された文には「美しい」や「華やか」などフェミニンな単語を含む傾向が現れています。共起する単語の感情スコアを検証したところ、「黒人」はネガティブな表現と共起しやすく、「イスラム教」は「テロリズム」と共起しやすい、という許しがたい結果が出ました。世界の平和・秩序を取り戻す、維持することが重要視される現在の世の中、これらは非常に重大な問題といえるでしょう。

AI・データの活用にまつわる倫理の課題

この節では、データを倫理的に利用するための概念や国内外の規制に着目します。さらに、身近で起こりうるデータや AI 技術の悪用の事例を紹介します。

Chapter5 ではデータに潜むバイアスとその対策について学びました。ここでは、データの倫理的な扱い方（収集、加工、活用）、注意すべき悪用の事例、データ倫理に関する法規制やガイドラインなどを取り上げていきます。

6.8.1 データ倫理を考える意義とは

AI 技術と AI に関するデータは人間を補助できる強力な手段ですが、個人や社会に損害を与えるリスク因子を意識し、安全に使用することに徹しなければいけません。データの蓄積、収集、分析が急速に進む中、**政府や企業には AI・データの倫理に対して責任のある対応が求められています**。そのためには、**データの取り扱いに関するポリシーを明確に定義し、統制する**ことが必要です。

しかし、現代社会においてデータ活用に関する倫理体制は完全に明確化されていません。そのため、差別や偏見を助長してしまう AI の出力、差別的な広告配信、データの不正な取得または利用など、倫理違反の問題が過去に多く起きています。

データ倫理には、データをビジネスに活用する事業者が意識すべき**企業倫理**、データサイエンスの研究者が意識すべき**研究倫理**などがあります。そして、一般市民もデータ倫理を学ぶべきです。私たちがデータを扱うサービスを利用する中で、自身に関する個人情報が（時には無意識に）取得・共有されている可能性があります。また、ローンの審査など、個人データを用いた**プロファイリング**によって個人の自律的選択が脅かされるリスクもあります。

> 正しい知識を得ることで、自分に関するデータが倫理的に公平に扱われているのかを判断できるようになります。自分のプライバシーや安全を守る上で大切なことです。

■ データ倫理と情報倫理、法律との関係性

「情報倫理」は、2000年代前半からよく聞くようになった概念です。PCやクラウドコンピューティングなど特定の技術に着目した倫理の課題が中心です。近年はこれらの技術が扱う対象である「データ」の倫理課題に注目が遷移しつつあります。以下の文献によると、データ倫理は、**①データの倫理、②アルゴリズムの倫理（AI倫理）、③実践の倫理**という3つの軸からなるとされます。

'What is Data Ethics?' Philosophical Transactions of The Royal Society A Mathematical Physical and Engineering Sciences, Volume 374, Issue 2083, December 2016.

ところで、法規制に関していうと、法律は必ずしも技術的な発展に追いついておらず、問題に適切に対処できない場合があります。

そのため、**既存の法規制を守るだけでは倫理の問題を回避できません**。たとえば、個人情報保護法等の法令を遵守していても、プライバシー侵害や特定の集団への不利益、差別、偏見の拡大など倫理観を厳しく問われるような被害が生じる可能性があります。

これに関する代表的な事例として、2019年に就職情報サイトが、就活生の内定辞退率を本人の十分な同意なく予測し、そのデータを計38社に有償で提供していた件が挙げられます。法律に違反していなくても、大きな社会的反響をもたらしました。

6.8.2 データに関する不正行為

以下は、データを扱う上での不正行為に該当します。

- **データの捏造**：実在しないデータを偽造する
- **データの改竄（改ざん）**：データを書き換えること
- **データの盗用**：データを無断転用すること
- **データ汚染**：データに微小な変更（攻撃）を加えることで、意図的に分析や予測の結果に間違いを起こさせること

「データ汚染」は特に深いトピックなので、以下でより詳細に解説します。

データ汚染（data poisoning） とは、**機械学習モデルの学習データに加えられる攻撃**です。学習データの一部に「摂動」（微小な変化）を加え、その「汚染されたデータ」を含んだ学習用データセットをモデルに学習させます。そうすることで、悪用者が意図した特定のクラスについて、**入力データの誤分類**を恣意的に引き起こします。

データ汚染は画像データに仕掛けられることが多いです。この場合、摂動とは、**特定の画素（ピクセル）に、目視では認識できない程度の小さな変更操作を加える**ことです。目視では認識できなくても、機械学習モデルを「騙す」ことで、誤った判断をさせる可能性があります。

データ汚染と間違われやすい概念があります。敵対的攻撃とは、**学習済みモデルがある入力に対して誤った出力をするように、特定の入力データを恣意的に加工**する行為です。これにより加工したデータを「敵対的サンプル」（Adversarial Example）と呼びます。

この場合も機械学習モデルを混乱させるように、人間の目で識別できない程度の微小なノイズを入力データに乗せます。自動運転システムの安全性を壊す、あるいは、監視カメラによるリアルタイムの物体検知を不能にすることができ、社会の安全を脅かす要因です。

データ汚染と敵対的攻撃の違いは以下のようにまとめることができます。

- データ汚染：学習データにノイズを付与し、それを用いてモデルを学習させる。
- 敵対的攻撃：学習済みモデルに、ノイズを付与したデータを入力し、誤判断させる。

実は、データ汚染は人間社会のセキュリティを守るためにも使われます。例えば、顔写真の漏洩や悪用による様々な被害を防ぐために、顔画像をウェブに投稿する前に、データ汚染（画像への摂動）でプライバシー保護の加工を行うツールが開発されています。

6.8.3 フェイクコンテンツが社会に与えるインパクト

従来では既存のデータに対する予測や識別に活用される AI、近年ではディープラーニングを用いた生成 AI の進化が著しく、**画像、動画、音声、文章を新しく生み出す**技術が普及しています。有益な使い道が多い中、社会にとって悪影響を与えるのが「フェイクコンテンツ」です。

ディープフェイク（deep fake）とは、2 つ以上の画像（動画）を結合させることで、実在しない対象物の画像（動画）を生成する技術を指しています。画像や動画の登場人物の顔を別人の顔と差し替える、二人の顔の特徴をミックスする、実在しない人

物の画像を生成するなど、その種類も難易度も急成長しています。例えば、2019 年に Facebook 社（現：Meta 社）CEO のマーク・ザッカーバーグ氏のスピーチを偽造したディープフェイク動画が有名な事例の 1 つです。

ディープフェイクは最初、**敵対的生成ネットワーク（GAN）** を用いて作り出されました。ディープフェイクを作るためのプログラムはオープンソースとして公開されてしまっています。近年、画像生成の技術が急速に進化していることが拍車をかけ、スマートフォンなどを使ってほぼ誰でも簡単にフェイク画像を作成できる時代になりました。

画像だけではなく、音声（「ディープフェイクボイス」）と文章も同様の技術で生成できます。例えば、OpenAI 社が開発した GPT をはじめとする大規模な汎用的言語モデルは、文章や楽譜の自動作成などにおいて驚異的な機能を発揮します。

こうなると心配になるのはフェイクコンテンツの悪用です。プライバシーと人権の侵害、誹謗中傷、詐欺、証拠の捏造など、様々な犯罪が起きやすくなり、深刻な社会問題を引き起こし得ます。

「フェイク動画」と呼ばれる、政治家や有名人があたかも実際にスピーチを行っているような偽造動画がネット上で既に流れています。政治派閥への信用を失墜させるためにフェイク動画が作成され、名誉毀損の罪に該当するポルノ動画が作成され拡散されています。ディープフェイクは顔認証システムを突破する能力も示すことがあります。

高性能な言語モデルは「人間らしい」文章を生成する能力を持つため、フェイクニュース、なりすまし文章、偽造文章、スパム／フィッシング文章の作成と発信が懸念されています。

フェイクニュースや世論操作によって国家安全保障上の問題にまで発展する恐れがあります。

ディープフェイクが警戒されている中、本物の重要な情報が偽物と疑われるという「逆の問題」も起きています。

■ ディープフェイクの有益な使い方

　ところで、ディープフェイクの用途は全てが悪いものではありません。主にエンターテインメントやクリエイティブ分野で、人間社会にとって有用な目的での利用も期待されています。例えば、以下のような活用事例があります。

- 例1：映像制作を楽にする。
- 例2：有名な芸術作品を学習させて、新作を生み出す[06]（しかし、ディープフェイクに制作物を模倣させる上で、故人への尊重や著作権など、新たな議論が生まれる）。
- 例3：亡くなった大切な方の写真を「動く擬似写真」に変換し「蘇らせる」[07]。
- 例4：ZoomやGoogleMeetなどでのコミュニケーションで、フェイク映像を生成できるカメラアプリを利用する。

■ ディープフェイクの悪用を防ぐための対策

　フェイクコンテンツには有益な使い方もあるので、自治体や政府の全体レベルとして完全禁止することは現時点でありません。

　一方で、そのリスクがわかった今、技術を開発・利用するための法規制を整備する動きが進んでいます。また、フェイクコンテンツを検出する技術の研究開発にも国や企業が取り組んでいます。そして、各SNSサービスの提供元も対策を開始しています。ディープフェイクの画像や動画はFacebookやInstagramで禁止されています。

　法規制は技術の発展とトレードオフな関係にあるという声も存在しますが、むしろその逆ではないでしょうか。多くの人々が安心して使えるようにするために、専門家の協力を得ながら法規制をしっかり整えなければいけません。そもそもどのような技術も悪用される危険性があります。悪用を防ぐためには国レベルで、法体制と倫理ガイドラインを整備し、国民に注意喚起や教育を施すことが要求されています。

仮に法律が全くない国があったとすると、その国にどんな美しい場所があったとしても、ほとんどの人はその国に旅行しないはずです。同様に、リスクが不透明で法体制が定められていないような技術を使いたい人は多くないはずです。

6.8.4 AI・データの倫理に関するガイドライン

現在、「AI 倫理」「データ倫理」への意識を高めるべく、多くの政府機関や学術機関、民間企業において、データ倫理専門家から成り立つ団体が設立されています。これらの団体の活動として、リスク因子を評価すること、回避策を検討すること、データ倫理原則と行動規範を策定すること、専門的な助言を提供すること、監査・ガバナンスを実施することなどが挙げられます。

6.2.7 で学んだ GDPR（欧州一般データ保護規則）の実施をきっかけに、データ倫理に関する取り組みが各国で加速しはじめました。以下が、他の有名な AI・データ活用分野の倫理ガイドラインの例です。

- **IEEE Ethically Aligned Design（EAD）**

  米国電気電子学会（IEEE）が AI に関する倫理的課題について検討するために作成した報告書。知的な機械システムに対する恐怖や過度な期待を払拭すること、倫理に配慮した技術をつくることによってイノベーションを促進することを目的とする。

- **Ethics Guidelines for Trustworthy AI（信頼性を備えた AI のための倫理ガイドライン）**

  EU の AI ハイレベル専門家会合（AI HLEG）によって発表。EU 域内だけではなく EU 域外からも企業、研究所、政府当局などから参加機関を募集し、参加機関からのフィードバックをもとに見直しを経て、最終的には国際的な AI ガイドラインに発展させる方針である。

- **人間中心の AI 社会原則**

  「人間中心の AI 社会原則検討会議」（総合イノベーション戦略推進会議）において原案が公開され、人間が AI に過度に依存したり、AI が人間の行動を制限したりするのではなく、人間が自身の能力を発揮するための道具として AI を使いこなして、人間の尊厳が尊重される社会の構築を目指す。

- **Partnership on AI（人々と社会に利益をもたらす人工知能のためのパートナーシップ）**

  2016 年に Meta（当時 Facebook）、Amazon、Google、IBM、Microsoft の 5 社によって創立された非営利団体。AI の分野における理解促進とベストプラクティスの策定、さらに、倫理、公平性、信用性、透明性やプライバシーが重要な論点となる。

■ 民間企業の取り組み

　企業にとって、顧客やビジネスパートナーなどと良好な関係を築くためにも、社会における信頼性を示すためにも、データ倫理を重く受け止めることが不可欠です。AI 技術の活用に伴う倫理問題の急増を受けて、**社内で倫理的にデータを取り扱う文化を確立**する動きをとりはじめています。

　その 1 つは、企業内にデータ倫理の専門チームを設け、自主規制のための **AI Principles（AIP; AI 原則）**を整備することです。AIP とは、企業の中で管理職と従業員が AI をどのように扱うべきかについて記載された公式ドキュメントのことであり、企業内で作られることもあれば、外部から導入することもあります。

COLUMN ｜ フェイクコンテンツの拡散速度

　ソーシャルメディアの普及により、フェイクコンテンツには、瞬く間に拡散され、私たちの情報収集や思想に顕著な影響を与える力があります。2018 年の米国のマサチューセッツ工科大学（MIT）では、約 126,000 件のポスト（X（旧 Twitter）に投稿された情報）の情報拡散に関する調査に基づいた研究を行いました。結果として、フェイクニュースは真実の情報よりも、6 倍も速くかつ広範囲に拡散されることが示されました。同研究チームによると、「人々はまだ見たものをそのまま信じる傾向にあるため、ディープフェイクは誤報を広めるのに非常に有効な手段である」[01] ということです。

AIによる個人の意識の操作

AIが判断して出力する結果によって、我々の意識が無意識のうちに左右されるということが日常的によく起こります。この節では、AIパーソナライズの主要な問題を理解し、正しい対策について考えます。

AIがその利用者の「意識」に影響を及ぼす現象として、「**フィルターバブル**」という概念があります。**AIレコメンド機能などにおいて、嗜好の分析にもとづくパーソナライズが強すぎるため、特定の分野にばかり注意を向けさせ、特定の団体の存在だけ強化することで、無意識に我々の意識に偏りをもたらしてしまう**現象を指しています。

フィルターバブルのよくある例として、ウェブサイトで検索ワードを打ち込むとすぐに、「あ、確かにこれは重要そうだ」と思うような情報が優先的に表示されることが挙げられます。これは便利であるのと同時に、**インターネットから一部の情報を遮断されている**事態になっています。AIが「ユーザーが見たがっている」と推測した情報ばかりが優先された結果、**それ以外の情報から乖離した状態**に陥ってしまいます。

フィルターバブルとやや似た概念に「**エコーチェンバー**」があります。ソーシャルメディア（SNS）を利用する際、**自分と意見や関心が似ているユーザーのみフォローすることによって、SNS上で投稿すると自分と似たような意見ばっかり返ってくる**、という現象です。あたかも小さな部屋（チェンバー）の中で自分の声がこだま（エコー）してくるかのようなイメージに由来します。**偏った考えや意見ばかりが集約され**、あっという間にSNSのユーザーの間で広がることが問題視されています。

エコーチェンバーの落とし穴として、仮に自分が「間違っている意見」を持っていても、どんどんSNS上で同調してもらっているうちに、「自分が間違っている」という可能性を全く疑わなくなり、思い込みがどんどん強くなってしまいます。

エコーチェンバーは政治の分野でも問題を引き起こし得ます。その代表例は、2016年のアメリカ合衆国大統領選挙の際に起きた現象です。この時、ウェブの世界で大統領選挙の候補に関する個人の意見が溢れて、選挙結果にまで強い影響を及ぼしたと言われています。さらに恐ろしいのは、陰謀論が広がってしまい、あっという間に大勢がその陰謀論を真実と信じ込んだことによる、2021年のアメリカ合衆国の議会乱入事件です。

G検定ではエコーチェンバーとフィルターバブルの違いを問うこともあります。両者の違いは、フィルターバブルはレコメンドのアルゴリズム（AI）に関する問題であるのに対し、エコーチェンバーは人間の情報の選択の仕方で発生する問題であることです。

違いがよくわかりました！ 例えば、SNS上で利用者が自分の意見に近いユーザーのみフォローし、反対意見を述べるユーザーの表示を減らすような行動をとる場合、これは「ユーザー自身の意思による行動」なので、エコーチェンバーの方ですね。

■ エコーチェンバーとフィルターバブルへの対策

エコーチェンバーとフィルターバブルのいずれの現象も、偏った意見や価値観に触れることによって、意識や思考にバイアスがかかってしまう現象です。ただでさえ、人間は思い込みやすく、視野が狭くなりがちですが、エコーチェンバーやフィルターバブルによってそれが加速し、「考える」「疑う」「発見する」機会をますます失ってしまいます。

AIやSNSの利用者である私たちが、エコーチェンバーやフィルターバブルの犠牲者にならないためにできることとして、以下が挙げられます。

- エコーチェンバーやフィルターバブル現象が今起きている？と意図的に疑う
- 自ら、あえて幅広い情報に触れる、あえて自分と異なる意見にも積極的に目を向ける
- 履歴の残らないシークレットブラウザで検索を行う

AI・データと独占禁止法

本節では、AI・データに関する不当な取引制限を防止し、健全な競争を維持するための法規制について学びます。G 検定で近頃出題されやすい内容なので、しっかり習得しましょう。

　ビッグデータの時代である今、企業は AI 技術の開発とデータの利活用を通じて競争の優位性を維持しようとしています。AI に使われるデータは、**デジタルプラットフォーム**を通じて収集され、それらを分析した結果に基づいて市場価値の高いサービスが提供されます。データ量が多ければ多いほど、分析の価値も高まります。このように、データはビジネスの成功の鍵を握る非常に重要な資産です。

6.10.1 データ市場における独占の動き

　はじめに、デジタルプラットフォームとは、「インターネットを通じて事業者に提供される、電子商取引や情報配信などのための利用基盤や利用環境」として定義されています（出典：デジタル大辞泉（小学館））。簡単にいうと、デジタル技術やデータ等を用いてシステムやサービスを提供しているものです。

　多様なデータ（個人データ、産業データ）を大量に保有するデジタルプラットフォームは、それを他の事業者に提供したり、自社で戦略的に活用したりすることによって、市場において重要な地位を占めるようになります。

　しかし、この状況により市場の健全な競争が阻害されるリスクがもたらされます。その 1 つとして、**デジタルプラットフォームによる独占の動き**が問題視されています。

　例えば、単一のプラットフォーマーが特定の産業のデータを独占すると、その産業分野全体を支配してしまいます。そうすると、競合事業者の活動が制限され、新規事業者の市場参入が困難になります。結果として、競争が不健全になります。

　また、事業者同士で AI サービスの値段について取り決めを設定してしまうと、価格競争が行われなくなります。価格の吊り上げが容易になり、最終的に消費者も不利益を被ることになります。

価格などを事業者同士で相談すると、事業者間で競争をする必要がなくなるため、フェアで自由な競争が起きなくなり、経済が停滞してしまいます。

6.10.2 AI時代の独占禁止法の役割

　AI 時代においても、健全な市場競争を保障する役割を果たしているのが**独占禁止法**です。健全で活発な市場競争があれば、企業は、消費者向けに良質な AI サービスを良心的な価格で提供するインセンティブが得られます。

　独占禁止法（正式には「私的独占の禁止及び公正取引の確保に関する法律」）は、公正かつ自由な市場競争を促進する目的で制定されています。複数の事業者が「協力して」市場での競争を阻害する「**不当な取引制限**」や「**私的独占**」を禁止しています（独占禁止法の第 2 条第 5 項、第 6 項）。

独占を禁止すると言っても、全てをオープンデータとして公開するのは非現実的です。機密情報を保護できなくなり、データ利活用への意欲も失われます。代わりに、競争を健全化するためのルールを設定します。

　「不当な取引制限」の典型例には、**事業者間でカルテルを結ぶこと**が挙げられます。「私的独占」とは、**他の事業者の事業活動を制限し、その開始や継続を阻止**することを指しています。

　AI 分野において、独占禁止法で問題視されている行為は以下となります。

デジタルカルテル：AI を用いた市場支配
データ寡占：個人情報や産業データなどを少数の事業者が独占すること

　「デジタルカルテル」とは、AI およびデータに関しては、事業者が AI やアルゴリズムを利用して価格を調整し、利益を最大化するような最適な価格を自動的に決定するような行動です。その一部は、AI 等の働きによって市場から価格競争が排除されると見

なされるため、独占禁止法によって規制されます（詳細は 6.10.3）。

デジタルプラットフォームにおける公正で透明性のある取引を担保するために、取引条件の開示や運営状況の報告・評価を義務付ける「**特定デジタルプラットフォームの透明性及び公正性の向上に関する法律**」が成立し、2021 年 2 月に施行されました。

6.10.3 デジタルカルテルと独占禁止法の関係性の詳細

独占禁止法上の「**不当な取引制限**」で禁止されているカルテルは、以下の条件を満たすもののことです。

- 事業者が他の事業者と意思の連絡をしていること
- 市場の競争を制限・支配していること

カルテルの定義のうち、「**複数の事業者の間で協力していること**」、「**意思の連絡をしていること**」という要件が重要です。これには黙示の意思の連絡も含まれるとされています。デジタルカルテルの全種類ではなく、一部のみが上記に該当し、独占禁止法で禁止されます。

以下は、デジタルカルテルに含まれる 4 つの類型です。

① 監視アルゴリズム

事業者間で価格合意を行ったあと、AI を用いて、合意通りの価格で販売されているかを監視して市場を支配することです。一部の事業者が、合意した価格よりも低い価格を設定すれば、その商品ばかりが売れてしまいます。そのような事態を防ぐために**価格の監視**が行われます。従来どおり「人」が価格の監視を行うと人件費が高くなるため、「AI」で監視しています。**監視アルゴリズムは、事業者間の協調的行為であり、AI を使って監視して市場を支配しているため、「不当な取引制限」に該当**し、独占禁止法によって禁止される対象となります。

「AIを使用」して監視する以前に、そもそも事業者間で価格に関する合意（意思の連絡）が存在するため、「不当な取引制限」に該当します。

② パラレル・アルゴリズム

　競争事業者間で価格の合意が行われている場合に、その合意にしたがって価格を付けるように設定されたアルゴリズムを、当該事業者間で共有して利用することです。「パラレル・アルゴリズム」は、共有・併用されているアルゴリズムのことです。**事業者間で、価格に関する明示または黙示の合意があったため、「不当な取引制限」に該当し**、独占禁止法によって禁止される対象となります。

③ シグナリングアルゴリズム

　値上げのシグナリングを行い、それに対する競争事業者の反応をうかがうためにアルゴリズムを利用することです。他の事業者との間に明らかな合意がない限り、「不当な取引制限」には該当せず、独占禁止法違反にはなりません。

④ 自己学習アルゴリズム

　競争事業者が自律的に学習を行う機械学習モデルを利用して価格設定を行った結果、互いに競争的な価格を上回る価格に至ることです。現状ではAIがここまでのレベルに達していないため、現時点では独占禁止法でカバーされていません。

CHAPTER

6.11

AIの軍事利用

AI は現在（2023.10 時点）、既に兵器や戦争に使用されています。本節では、AI の軍事利用の現状および、平和安全と倫理の観点からの問題点について学びます。

AI を搭載した兵器は、的中精度を上げるためのサポート役から、人間の介入が不要な自律型兵器まで、様々なレベルのものがあります。意思決定の高速化と命中精度の向上の他、自律型 AI 兵器は人間の兵士への危険を軽減できるといった効果が期待できます。

例えば、米軍は AI を用いた敵対的発火検知センサーを戦闘車両に搭載するなど AI 兵器の開発を行っており、この AI センサーは攻め入る歩兵部隊を特定、追跡し、さらにその周辺に潜む敵からの更なる攻撃に備えるのに使われます。

AI を兵器や戦争など軍事目的で使用した場合、世界中の平和と安全に危険を及ぼすことが懸念されています。例えば、AI 兵器（特に自律型）の悪用や誤用、サイバー攻撃、AI 軍拡競争といった懸念が挙げられます。さらに、以下のような倫理的な問題が提起されています。

- 生死に関わる意思決定を機械に委ねることは、倫理的に許されないのではないか
- 国際法で義務付けられている「戦闘員と一般市民を区別する」ことが、自律型兵器にできるのか
- AI 搭載兵器が誤作動し危害をもたらした場合、誰がその責任を負うのか

国によって AI の軍事利用の利害が異なるため、現状、国際的に規制することが難しくなっています。2018 年以降、**国連で AI の軍事利用に関する議論**が行われており、その中でグテレス事務総長は、「人間の関与なしに殺傷する能力と裁量を持つ機械は、政治的に容認できず、道徳的にも嫌悪感を引き起こし、国際法によって禁止されるべきである」と強く訴えました。また、テロ組織が最新技術を容易に入手可能であると指摘し、核兵器の施設に対するサイバー攻撃が起こりうるとも警告しました。その際に、AI の他に、3D プリンター、バイオテクノロジー、顔認証など最先端の IT 技術の軍事利用の規制についても議論されました。

民間企業の中で、AI の軍事利用に対する反対運動が起きています。かつて、Google

6

AIの社会実装に伴う法律・論理

427

社がアメリカ国防総省と共同で、ドローンを兵器に利用するための AI 活用パイロットプログラム「Project Maven」を進めていました。しかし、Google 社の社員から軍事目的の AI 開発について反対の声が上がり、契約は 2019 年で打ち切りになりました。Google 社はこれを受け、2018 年 6 月に「AI at Google: our principles」を発表し、「**AIを兵器のために開発することはしない」という AI の平和利用宣言の声明**を出しました。

　Google 社が政府の AI 兵器開発プロジェクトに協力しない姿勢を示したのに対し、Microsoft 社（後に Amazon 社も）は、「防衛や災害派遣など市民が米軍から受ける恩恵は大きい」として、軍事利用の研究への協力を継続する意向を示しました。

　AI 兵器の中でも特に懸念されるのは、**LAWS（Lethal Autonomous Weapon Systems）**と呼ばれる、**人間の判断を介さずに、AI 自身の判断だけで標的や敵に攻撃を行う自律型殺傷兵器**です。通称「キラーロボット」とも呼ばれています。LAWSが非倫理的、非道徳的である懸念により、国連をはじめとする多くの企業や団体でその禁止が強く主張されてきています。しかし現時点では、自律型兵器を国際的に禁止することは難しいです。

　米国、中国、ロシアをはじめとする国連加盟国の一部では、人間が直接制御しなくても動作する完全な自律型兵器（LAWS）を既に開発し、保有しています。しかし、**実際の LAWS の使用には慎重な姿勢**を示しています。開発は行うものの、実際の利用には合意しない姿勢がほとんどです。JAIC（Joint AI Center）は、アメリカ国防総省の人工知能の研究開発を行うジョイント AI センターのことで、そこで AI の軍事利用に関する研究が行われています。

　日本政府は LAWS の開発はしないと宣言する一方、人の意思が介在する自律型兵器の研究・開発は規制すべきではないという立場です。

　軍事 AI の技術開発と検証に関する米国の試みの 1 つとして、米国務省が 2023 年 2 月に「AI と自律化技術の責任ある軍事利用に関する政治宣言」（Political Declaration on Responsible Military Use of Artificial Intelligence and Autonomy）を発表しました。軍事 AI は国際法にしたがって開発すること、透明性を確保すること、AI システムの性能を検証するために高い基準を設定すること、核兵器の使用に関しては、人間だけが判断を下すことなどが記されています。

　この宣言は米軍に対する法的拘束力はないものの、責任をもって AI システムを構築するための国際基準を生み出すことが狙いの 1 つです。

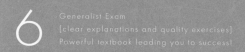

6
[clear explanations and quality exercises]
Powerful textbook leading you to success!

章末問題
End-of-chapter problems

問1 匿名加工情報と仮名加工情報に関する記述として、最も不適切な選択肢を1つ選べ。

1. 匿名加工情報は仮名加工情報よりも、個人情報を保護するための加工の要件が厳しいものである。
2. 匿名加工情報は単体では特定の個人が識別されることはないのに対し、仮名加工情報は単体で特定の個人が識別される可能性がある。
3. 個人情報の利用を可能にすることで企業や研究機関が新たな価値を生み出しやすくすることが、匿名加工情報の導入の目的の1つである。
4. 匿名加工情報は、いかなる場合でも特定の個人を特定することが不可能になるように加工された状態である。

解答・解説 正解 2

選択肢 2 が誤った内容である。

仮名加工情報は、匿名加工情報よりも加工の要件が緩和された制度であり、企業による情報のさらなる利活用を促進することを目的に、2022年4月の個人情報保護法の改正に伴い導入されました。匿名加工情報と仮名加工情報はともに、単体では個人を特定できないように加工されています。一方で、仮名加工情報は**他の情報と照合した際に個人を特定**できる可能性があります。

問2 個人データの扱い方について、最も適切な選択肢を1つ選べ。

1. 取得したデータの項目を公表した場合に限って、要配慮個人情報を本人の許可なく取得し、AIの学習に使用することが可能である。
2. 第三者から個人情報を含むデータを受領した場合、提供者が個人の場合は、その人の氏名と住所の2つを確認しなければならない。
3. 個人情報取扱事業者は、個人データを第三者に提供する時に、一定条件を満たせば、事前に本人の同意を得る必要がない。
4. 個人データの利用が終了した後でも、個人情報取扱事業者は当該個人データを高い機密性をもって保管する義務がある。

解答・解説 正解 3

選択肢 3 が正しい解答である。

6

AIの社会実装に伴う法律・論理

オプトアウト制度とは、個人情報を第三者提供するにあたって、その個人情報を持つ本人が反対をしない限り、個人情報の第三者提供に同意したものとみなし、第三者提供を認める制度です。個人情報取扱事業者は、**オプトアウト制度を利用することにより、事前に本人の同意を得なくても、その個人データを第三者に提供**することができます。

- 選択肢 1：要配慮個人情報は原則として、本人の許可なく取得・利用を行ってはいけません。
- 選択肢 2：その**個人情報が取得された経緯**も確認しなければいけません。
- 選択肢 4：個人データを**利用する必要がなくなったとき**は、**遅延なく消去**することに努めなければいけません。

. . . .

問 3　AI の開発に個人情報を使用することがある。個人情報のうち、要配慮個人情報に該当するものとして、最も不適切な選択肢を 1 つ選べ。

1. 本人が今まで患った病気や受けた治療
2. 本人の銀行口座の番号
3. 本人が何らかの障害を持っているかどうか
4. 本人が信仰する宗教に関する情報

解答・解説　**正解 2**

選択肢 **2** が誤った内容である。
要配慮個人情報とは、次のように定義されたものです（個人情報保護法の第 2 条第 3 項）。
「本人の人種、信条、社会的身分、病歴、犯罪の経歴、犯罪により害を被った事実その他本人に対する不当な差別、偏見その他の不利益が生じないようにその取扱いに特に配慮を要するものとして政令で定める記述等が含まれる個人情報。」よって、選択肢 2 の「銀行口座の番号」は該当しません。

. . . .

問 4　経済産業省により公表されている「カメラ画像利活用ガイドブック ver3.0」に基づいて、カメラ画像の扱い方について、最も不適切な選択肢を 1 つ選べ。

1. 個人の顔の一部のみが映り込んでいるカメラ画像は個人情報保護の対象とはならない。
2. カメラ画像から不特定多数の人物の性別を機械的に抽出し、他の情報を取得しない場合、この情報は個人情報とはならない。
3. 目・鼻・口などの位置関係を数値化したような特徴量データは個人情報である。
4. カメラ画像から形状認識技術等を用いて通行人の形のみ判別し、顔の特徴などを識別しない場合、通行人の数を計測したカウントデータは個人情報としてみなされない。

正解 1

選択肢 1 が誤った内容である。

顔の一部のみが映り込んでいても、それを他の情報（例えば別の時に撮影された本人の顔や身体の一部や生活の様子）と照らし合わせることで個人を特定できる可能性があるため、個人情報保護の対象になり得ます。

● 選択肢 2、4：カメラ画像から得られるこれらの情報（性別、通行人カウント）は単体では特定の個人を識別できず、かつ、それと紐づけることで個人を特定できるような情報を取得していません。

● 選択肢 3：目・鼻・口などの位置関係を数値化したデータを用いて個人を特定することが可能であるため、個人情報になります。

問 5 　文章生成 AI のサービスである ChatGPT に指示を与えるときの注意点として、最も不適切な選択肢を 1 つ選べ。

1. 提供企業の OpenAI 社によると、API を経由して ChatGPT に入力した情報はモデル学習に使用されない。
2. API を経由して ChatGPT を使用することは、個人情報をはじめとする秘密情報の漏洩を防止する上で効果的といえる。
3. ChatGPT に修正してもらう目的で、自社の技術を含むプログラムを入力すると、営業秘密の漏洩になるリスクがある。
4. ChatGPT への個人情報の入力は個人情報の提供という行為に該当する。

正解 2

選択肢 2 が誤った内容である。

ChatGPT の API を利用して自社の独自サービスを開発したとしても、そこに秘密情報を入力した際に情報の保護が保証されるとは限りません。API を介して情報が OpenAI 社に「第三者提供」されており、OpenAI 社の社員が、不正監視や悪用防止などの観点からその秘密情報にアクセスすることは可能です。

● 選択肢 1：現時点（2023 年 10 月時点）では、OpenAI 社は、API 経由での利用の場合は入力した情報をモデルの学習に利用しないとしています（ただし、今後の規約改定に注意）。

● 選択肢 3：利用の形態によらず、秘密情報を入力することには漏洩のリスクが存在します。

● 選択肢 4：API の使用の有無によらず、ChatGPT に個人情報を入力することは、情報処理の担当企業である OpenAI 社などに対しての「個人情報の第三者への提供」に該当します。その場合、原則として個人情報の開示元からの許可が必要となります。

以下の文章を読み、（ア）に当てはまるものとして、最も適切な選択肢を1つ選べ。

> AI 開発のプロジェクトにおいて、原則として（ア）は著作権法によって保護されることはないが、その保護が契約の重要な論点となることが多い。
>
> 1. 学習済みモデル
> 2. ソースコード
> 3. 学習済みパラメータ
> 4. 学習用データセット

解答・解説　正解 3

選択肢 **3** が正しい解答である。

学習済みパラメータは原則として、**数値としてみなされ、創作性が認められず、著作権が発生しません。** しかし、あくまでも学習済みパラメータには著作権が発生しないということだけであり、**契約での保護が可能**です。学習済みパラメータは、重要なデータと労力をかけて生成した、営業上価値を持つ財産です。営業秘密としての管理、契約による所有権や使用権の明確化などの観点から契約を慎重に進めることが大切です。

他の選択肢は、十分な創作性を有するなど、一定の条件を満たせば、著作物として保護されることがあります。

. . . .

問 7　日本の著作権法に基づき、機械学習の活用に関わる以下の記述のうち、最も不適切な選択肢を1つ選べ。

> 1. AI モデルの学習に用いられた生データの提供者は著作権者に該当することがある。
> 2. AI には思想または感情がないため、AI が生成した表現は著作物として保護の対象にならない。
> 3. 日本の法律では、機械学習のために他者の著作物を無断で複製することが認められるケースがある。
> 4. 推論用プログラムが著作物として認められることがあるが、学習用プログラムは著作物として認められることはない。

解答・解説　正解 4

選択肢 **4** が誤った内容である。

十分に創作性が認められた場合、学習用プログラムと推論用プログラム（学習済みプログラム）はともに、**コーディングされたプログラムの「表現」**として著作権法によって保護される可能性があります。

- 選択肢 1：生データに著作権が発生するかどうかは、そのデータの性質と生成の経緯により
  ます。例えば、システムからダウンロードしたデータそのものは「事実」であり創作性がな
  いので著作権が認められません。これに対して、写真や描画などの芸術作品を生データとし
  て用いる場合は、生データの作成者に著作権が認められます。

- 選択肢 2：日本の著作権法上、**著作権者は生きている人間または法人であるため、AI は著作
  権者になることはありません。**

- 選択肢 3：著作権法の第 30 条の 4 第 2 号によれば、モデルの学習（大量のデータから解析
  に必要な特徴量を抽出すること）は「**情報解析**」に該当し、一定条件を満たせば、基本的に
  は**著作者の許諾なく無断で、著作物を AI の学習に利用可能**です。

問 8　　生成 AI による生成物と著作権侵害について、最も適切な選択肢を 1 つ
選べ。

1. 生成 AI が作成したデータが著作物として保護を受けることはないため、全てオープンにし誰で
   も自由に利用できるようにすべきである。
2. 生成 AI が人間の著作物を学習に使用した場合、その学習に用いた著作物の著作権が生成物にも
   適用される。
3. 回帰や分類など予測タスクを行うモデルとは異なり、生成 AI のモデルに関しては、著作権の保
   有者に無断で著作物を学習に使用することは、当該著作物の著作権を侵害する行為になる。
4. 著作物を用いて学習させた画像生成 AI モデルによって生成されたコンテンツが、学習に使用し
   たものと異なる著作物の著作権を侵害する可能性がある。

解答・解説　　**正解 4**

選択肢 4 が正しい解答である。
画像生成 AI は膨大な量の画像（中には著作物を含む）を学習し、それらから抽出した特徴量の
組み合わせに基づいて、指示に合った画像を生成します。そのため、最終的に生成された画像
が学習に未使用の画像（著作物）に類似し、著作権の侵害を指摘される可能性があります。

- 選択肢 1：生成 AI による生成物は一定条件（例えば、創作的な編集を施してある）を満たせ
  ば、著作物として認められることがあります。

- 選択肢 2：著作権法にそのような規定はありません。

- 選択肢 3：著作権法 30 条の 4 第 2 号によると、一定条件を満たせば、著作者の許諾なく無
  断で著作物を AI の学習に利用可能です。これは AI の用途によって変わりません。ただし、
  学習済みの生成 AI による生成プロセスは、著作権の侵害となる可能性があります。本問は、
  生成 AI モデルの学習プロセスについて問うているので、著作権の侵害にはなりません。

開発したプログラムを日本で特許出願するにあたり、発明者となれる人として最も適切な選択肢を 1 つ選べ。なお、特許法第 33 条に規定された「特許を受ける権利の移転」はなされていないものとする。

1. プログラムの具体的着想をしたが、プログラミング作業を行う者に指示を与えたのみで、プログラミング作業自体は行っていない者。
2. プログラムの具体的着想には関与していないが、プログラミング作業を行った者。
3. プログラムの具体的着想には関与していないが、そのプログラムの開発に資金や設備を提供した者。
4. プログラムの具体的着想には関与していないが、その着想者やプログラミングを行うエンジニアの業務管理を行う上司。

解答・解説　正解 1

選択肢 1 が正しい解答である。
特許法に規定された「発明者」は、学説として、「当該発明の創作行為に現実に加担した者だけを指し、単なる補助者、助言者、資金の提供者あるいは単に命令を下した者は、発明者とはならない」とされています。よって、選択肢 1 のみが「発明者」となり、「特許を受ける権利」を有します。ただし、特許法第 33 条に規定されている通り、特許を受ける権利は、移転することができます。

参考：日本における発明者の決定
　　　https://www.jpo.go.jp/resources/shingikai/sangyo-kouzou/shousai/tokkyo_shoi/document/seisakubukai-06-shiryou/paper07_1.pdf

問 10 不正競争防止法に基づいて定められている限定提供データまたは営業秘密に関して、最も適切な選択肢を 1 つ選べ。

1. 限定提供データは、秘密として管理されている必要がない。
2. ネガティブ・インフォメーションは、「有用性」の条件を満たさないため、営業秘密として保護される対象に含まれない。
3. 限定提供データとは、特許法と著作権法に保護されないような営業秘密である。
4. 営業秘密は、電磁的方法により相当量蓄積され、および ID やパスワードなどを用いてアクセス制限をかけながら電磁的な方法によって管理されている必要がある。

解答・解説　正解 1

選択肢 1 が正しい解答である。

営業秘密と限定提供データの条件は混同しやすいため要注意です。

限定提供データとは、特許法と著作権法に保護されず、かつ営業秘密ではない情報です。「限定された条件の下で反復継続的に提供されていること」と「**電磁的**な方法で管理され、**相当量蓄積されていること**」といった条件を満たす必要があります。**秘密として管理されていることが限定提供データであるための条件ではありません。**

営業秘密であるためには**秘密管理性**、**非公知性**、**有用性**といった条件を満たす必要があります。例えば、失敗した実験データなどのネガティブ・インフォメーションも有用性があるため、営業秘密として保護されます。

....

問 11　**不正競争防止法における営業秘密に該当するものとして、最も不適切な選択肢を1つ選べ。**

1. 顧客リスト
2. 商品の設計図
3. 社員の生年月日と住所
4. 実験データ

解答・解説　正解 3

選択肢 3 が誤った内容である。

営業秘密とは、**秘密管理性**、**非公知性**、**有用性**の3つの要件を満たす営業や技術に関する情報として定義されています。他の選択肢 1、2、4 はこれらの条件を満たす、営業秘密の正しい例です。

- 選択肢 3：社員の個人情報は企業が公開してはならない情報ではありますが、営業や技術に有用な情報とはいえないため、営業秘密に該当しません。

....

問 12　**以下の文章を読み、（ア）（イ）の組み合わせとして、最も適切な選択肢を1つ選べ。**

AI アルゴリズムの性能が高くなるにつれて（ア）が問題になり、これに対処するために、モデルによる予測や推論のプロセスの解釈性向上を目指す（イ）の研究が行われている。

1.（ア）ブラックボックス化　　（イ）データポータビリティ
2.（ア）不当な偏見　　　　　　（イ）Explainable AI（XAI）
3.（ア）ブラックボックス化　　（イ）Explainable AI（XAI）
4.（ア）不当な偏見　　　　　　（イ）データポータビリティ

正解 3

選択肢 3 が正しい組み合わせである。

ニューラルネットワークを含む複雑な機械学習の手法について、**推論に至ったプロセス及び予測の判断根拠を人間に理解できるように説明できない**、という**ブラックボックス化**が問題視されています。これに対し、**XAI（Explainable AI; 説明可能 AI）** とは、モデルが出力結果に至った経緯や判断の根拠を、**可視化や自然言語を用いて人間がわかるように説明できる AI** を指します。

問 13　　AI 技術の透明性（Transparency）は開発者が考慮すべき重要な観点である。その内容に関して、最も不適切な選択肢を 1 つ選べ。

1. 透明性とは、AI が推論に至るまでの各プロセスが誰にでもわかるように説明できる状態を指している。
2. AI システムの透明性の確保は、セキュリティや知的財産保護の観点とトレードオフになることがある。
3. AI によるスコアリングシステムでは、ユーザーに対して、その判断を行っているのが AI であることを公表し、その判断の根拠を説明できることが好ましい。
4. AI の透明性の確保のためには、より精度の高い最新のアルゴリズムを活用することが有効である。

正解 4

選択肢 4 が誤った内容である。

最新のアルゴリズムの精度が高くても、なぜ高い精度が得られるのかが十分に理解されていないことが多いです。したがって、透明性の確保を重視するのであれば、必ずしも最新のアルゴリズムではなく、過去に実績と信頼性が示されてきた従来モデルも検討するべきです。

他の選択肢は AI の透明性に関する正しい記述である。

- 選択肢 2：透明性を確保しようとして情報公開を行うことは、セキュリティや知的財産保護の点からトレードオフになることがあり、引き続きこの問題の解決、両立に向けた研究開発がなされています。

- 選択肢 3：スコアリングの結果によって生活が顕著に影響されることがあり、それを AI によって行われていることが非公表であったり、結果の根拠が不明確であったりすると、倫理的な問題を引き起こす可能性があります。

問 14　2018 年 5 月に適用開始された EU 一般データ保護規則（GDPR）に関する説明として、最も不適切な選択肢を 1 つ選べ。

1. GDPR で認められているデータポータビリティの権利とは、業務提携や事業売却など、複数の事業者が個人情報を扱う場合において、個人データを、本人の同意を得ることなく他社に移転し、活用できる権利である。
2. EU には拠点が全くなく、日本国内にのみ拠点を持つ企業でも GDPR が適用される可能性がある。
3. GDPR では、個人の氏名、所在地、クレジットカード情報、メールアドレス、クッキー情報などを個人情報とみなしている。
4. EU 域外へ個人データを移転させる際に、移転先の国が十分性認定を受けている場合、一部の手続きが簡略化される。

解答・解説　　正解 1

選択肢 **1** が誤った内容である。

GDPR における**データポータビリティ**の権利とは、事業者（サービスの提供者など）に提供した**個人データを、本人がアクセスできるとともに、持ち出しや別の事業者への移転が可能**になる権利です。個人データを提供した本人の権利であることに要注意です。

- 選択肢 2：EU 域内に拠点がなくても、**EU 域内のデータ管理や分析を行う企業は、GDPR の規制対象**となります。
- 選択肢 4：GDPR では、個人データの移転先の第三国が十分なデータ保護の水準を確保しているか、欧州委員会の判断を受ける必要があります。欧州委員会から**十分性認定**を受けている国は、EU 域内から個人データを持ち出すための一部の煩雑な規制が緩和されています。日本は 2019 年 1 月に欧州委員会から十分性認定を受けました。

問 15　AI の軍事利用について、最も不適切な選択肢を 1 つ選べ。ただし、2023 年 10 月の時点の状況を問う。

1. 国連加盟国の一部の国は、人間の関与なしに殺傷する能力を有する自律型致死兵器の開発に携わっている。
2. 自律的な AI システムの軍事利用においては、未熟な学習アルゴリズムや偏った学習データにより、ターゲットの誤識別などの予期せぬ行動を起こす可能性が懸念されている。
3. 日本政府は、完全自律型殺傷兵器の開発はしないという立場を宣言している。
4. 日本政府は、人の意思が介在する自律型兵器の研究開発であっても、廃止すべきという声明を出している。

選択肢 4 が誤った内容である。

日本政府は、完全自律型殺傷兵器（LAWS）の開発はしないと宣言する一方、人の意思が介在する自律型兵器の研究開発は規制すべきではないという立場です。

....

問 16　　エコーチェンバーについて、最も不適切な選択肢を 1 つ選べ。

1. AI がユーザーの嗜好パターンを推定し、それに基づいて情報を提供する際に、エコーチェンバーが発生する。これによって情報の多様性が損なわれる可能性が指摘されている。
2. ソーシャルメディア（SNS）を利用する際、自分と興味関心が似ている人たちばかりをフォローし、その人たちに共感してもらえるような意見を投稿することで、エコーチェンバーが発生しやすくなる。
3. エコーチェンバーが発生することにより、自分が「間違っている意見」を持っていたとしても、他の人からどんどん同調を受けているうちに、自分の間違いを全く疑わなくなる。
4. エコーチェンバーは、AI の民主主義に関連する概念ではあるが、それが発生するためには AI の利用が必須ではない。

選択肢 1 が誤った内容である。

「AI による嗜好分析に基づくパーソナライズやレコメンド」がもたらす情報の偏りは、**フィルターバブル**に関する記述です。これに対して、エコーチェンバーは、**人間自身による情報選択の偏り**で発生する問題です。選択肢 2 にあるように、SNS 等を利用する際、自分と興味関心が似ているユーザーをフォローすることによって、SNS 上で意見を投稿するたびに、自分と似たような意見ばかり返ってくる、という現象です。

CHAPTER 7

—

G検定に出る数理統計学

Math and Statistics for Deep Learning

G検定の試験には毎回、基礎的な数学や統計学（数理統計学）の問題が数問出題されます。G検定は直接的な数学の試験ではないのですが、AI・ディープラーニングを理解するために「線形代数」「微分・積分」「統計学」に関する基礎的な理解は必要です。

なお、この章ではより試験に対応した実践的な数学の使い方を伝えるために、例題とその解説の形式で学習を進めていきます。ぜひ手を動かして繰り返し解いてみましょう。

Generalist Exam
[clear explanations and quality exercises]
Powerful textbook leading you to success!

G検定にとって数理統計は重要？

この節では、G検定における数学と統計学の出題傾向、そして、これまで学んだAIの知識とどう関係するのかを解説します。

数学はG検定試験全体に占めるウェートが高いとはいえない一方、確実に合格したい方は数理統計の分野を必ず大切にしてください。理由は次の通りです。

G検定に出題される数理統計の問題は（他の分野に比べて）範囲と形式が限定されています。そのため、傾向を把握し、丁寧に対策すれば点数を取りやすいはずです。ここで点数を落とすのはもったいないです！

また、試験のためだけではなく、数学・統計学はディープラーニングの技術の理解に重要です。G検定に合格しAIのジェネラリストになるためにも、本格的に数理統計学の学習を行ってください。

■ G検定の数理統計の問題は大きく分けて2種類

G検定の数理統計の問題は大きく分けて、「一般的な数学・統計学の問題」と「AI・機械学習に特化した問題」（G検定特有の数学）の2種類があるといえます。

一般的な数学問題は高校の数学の知識が必要です。「AI・機械学習に特化した問題」はさらにChapter2~4のG検定の技術分野の知識が必要となります。

- 「一般的な数学・統計学の問題」の主要な出題項目

  微分、偏微分、確率、条件付き確率、ベイズの定理、線形代数（ベクトル、行列の計算）、期待値の計算、確率分布、基礎統計量（平均、中央値、標準偏差、相関係数など）

- 「AI・機械学習に特化した問題」の主要な出題項目

  活性化関数、ニューロンモデル、畳み込み演算、学習済みモデルの精度の計算（混同行列、適合率、再現率、F値）、データ処理（正規化など）、回帰方程式、データ点の間の距離、相互情報量（2つの確率変数の相互依存性を示す指標）

■ G検定の数理統計の対策

　G検定の対策を1、2ヶ月でしようとする際に、高校数学の教科書1冊を端から端まで基礎から勉強することは現実的とは言いがたいです。数学の理論を根本から理解しようとしなくても大丈夫です。G検定の合格が第一目標であれば、まずは本書を使って演習を徹底的に行えば、G検定に出る数学・統計学の傾向をつかむことができ、十分な試験対策になります。勉強していく中で特定の分野の数学の理解が足りていないと思ったら、その都度別の数学に特化した参考書で補えばよいです。AI・データサイエンスの理解に必要な数学を学習する教材を以下にご紹介します。

　これらの教材は具体的に以下の4つの学習分野から構成されます。

- **AI・データサイエンスを支える計算能力と数学的理論の理解**
- **機械学習・深層学習の数学的理論の理解**
- **アルゴリズム・プログラミングに必要な数学リテラシー**
- **ビジネスにおいて数学技能を活用する能力**

データサイエンス数学ストラテジスト[中級]
最強の合格問題集
中高レベルの数学・統計学、およびビジネスのための数学関連知識を演習形式で学びます。
https://www.picaca.jp/p/datascience_math

データサイエンス数学ストラテジスト[上級]
最強の合格問題集
データサイエンスの基盤となる数学（確率統計・微分、積分、線形代数・三角関数、図形問題など）、さらに実践的な数学（様々な機械学習の手法・アルゴリズム、プログラミングなど）を演習形式で学びます。
https://www.picaca.jp/p/ds_math_advance

　早速、本番試験と類似した各分野の問題を演習形式でとりあげていきます。本文中の例題では詳細な解説を通じて解法を身につけていただき、章末問題では練習を重ねてください。

一般的な数学・統計学の問題

この節では、微分・偏微分、線形代数（行列やベクトルの計算）、確率、ベイズの定理、統計学といった分野の代表的な問題を解いていきましょう。

7.2.1 微分・偏微分

G 検定では高校レベルの**1変数の微分**と、2 変数以上の関数に対しての**偏微分**の問題が出題されます。これは、ニューラルネットワークの学習において重要な**「誤差逆伝播法」**や**「勾配降下法」**に使われます。後者では、モデルの数多くのパラメータのうちの 1 つについて損失関数を偏微分することで、損失関数を最小にするための最適なパラメータ値を見つけます。

微分を聞くと難しそうに感じられますが、G 検定に出る微分については、パターンを掴めば実は他の分野より点がとりやすいと感じております。たっぷり演習を行うことで微分の基礎を身につけ試験に臨みましょう。

問 1　**3 次関数 $f(x) = -2x^3 + x^2 - 4$ の $x = 4$ における傾きとして、最も適切な選択肢を 1 つ選べ。**

1. −18	2. 104
3. −8	4. −88

解答・解説　正解 4

選択肢 4 が正しい解答である。
多項式関数に対する単一変数関数の微分は以下のような**べき乗則**（Power Rule）が使いやすいです。各項を個別に微分します。
関数 $f(x)$ の n 次の項が x^n の形で与えられている場合、その導関数（微分）は $f'(x) = n \cdot x^{n-1}$ となります。元の $f(x)$ の「肩の上の n」を前に下ろしてきて、肩の上は 1 差し引いて $n-1$ にします。定数項の微分は 0 です（定数は x^0 と同等であり、0 を前に持ってくると消えるため）。
本題の f(x) の第 1 項は $-2x^3$ なので、これを微分すると $(-2)(3)(x^2) = -6x^2$ となります。他の項も同様にして、関数 f(x) $= -2x^3 + x^2 - 4$ を微分すると $f'(x) = -6x^2 + 2x$ となります。
求める傾きは $f'(4)$ です。したがって、上記の微分の結果に $x = 4$ を代入すると、傾きは $-6 \cdot 4^2 + 2 \cdot 4 = -96 + 8 = -88$ のように求められます。

7.2.2 線形代数

線形代数とは、行列やベクトルといった概念を扱う数学の一分野です。機械学習の世界において、データの大部分が行列またはベクトルの形を取ります。これらのデータを理解し、正しく処理するためには「線形代数」の知識と応用力が不可欠です。

例えば、構造化データの場合、一見するとただの表データですが、コンピュータの中では実際には行列として表現と計算がされています。この行列の中から特定の列をベクトル（データの1列に相当）として抽出し、値の置換や統計処理など様々な操作を施すことが可能です。

非構造化データ、例えば画像について考えると、その多数のピクセルが並ぶパターンは行列として解釈することができます。そして、フィルターと画像間の畳み込み演算を2つの行列の間の演算（注：後述の通り普通の行列の積ではない）として捉えることができます。

G検定で出題される行列とベクトルの計算に対策するためには、その計算ルールを覚え、使いこなすことが最も効率的な方法となります。

問2　　以下の2つのベクトルの内積として、最も適切なものを1つ選べ。

$$\vec{a} = (1, -4, -2) \qquad \vec{b} = (6, -1, 3)$$

1. 4
2. 16
3. -144
4. 15

解答・解説　　正解 1

選択肢 **1** が正しい解答である。

n 次元の2つのベクトル $\vec{a} = (a_1, a_2, a_3, \cdots, a_n)$ と $\vec{b} = (b_1, b_2, b_3, \cdots, b_n)$ の**内積**は以下のように計算されます。

$$\vec{a} \cdot \vec{b} = a_1 \cdot b_1 + a_2 \cdot b_2 + \cdots + a_n \cdot b_n$$

この問題の場合、$n = 3$ であり、$\vec{a} \cdot \vec{b} = 1 \cdot 6 + (-4) \cdot (-1) + (-2) \cdot 3 = 4$

サイズ m × n の行列 A とサイズ m × n の行列 B のアダマール積をとり、その結果となる行列のサイズとして、最も適切な選択肢を 1 つ選べ。

1. mn×mn
2. m×n
3. n×m
4. 2m×2n

解答・解説　正解 2

選択肢 2 が正しい解答である。

アダマール積とは、縦横が同じ形の行列に対して、**成分ごとに積を取った結果を成分とする行列**です。そのため、**同じ形の行列を返します**。この場合、行列 A と B が共に m × n の行列なので、アダマール積をとった結果も m × n です。
機械学習では、アダマール積は配列型データの前処理などに使われることがあります。サイズが統一された 2 つのデータを掛け合わせることで新しいデータに変換することができます。

アダマール積を普通の行列の掛け算と混同しないように気をつけてください！

問 4

下表は、ある店の顧客 A、顧客 B の 1 ヶ月の来店頻度と購入金額である。

	顧客 A	顧客 B
来店頻度（回）	8	12
購入金額（千円）	9	10

顧客 A の来店頻度と購入金額をそれぞれ a_1、a_2、顧客 B の来店頻度と購入金額をそれぞれ b_1、b_2 とすると、顧客 A と顧客 B の間のコサイン類似度は以下のように計算されます。顧客 A と顧客 B のコサイン類似度として、最も近い値を 1 つ選べ。

$$\frac{a_1 b_1 + a_2 b_2}{\sqrt{a_1^2 + a_2^2}\ \sqrt{b_1^2 + b_2^2}}$$

1. 0.97
3. 0.99
2. 0.91
4. 0.94

解答・解説　**正解 3**

選択肢 3 が正しい解答である。

表より、$a_1 = 8, a_2 = 9, b_1 = 12, b_2 = 10$、これらを以下の式に代入して、顧客 A と顧客 B のコサイン類似度は以下のように計算されます。

$$\frac{8 \cdot 12 + 9 \cdot 10}{\sqrt{8^2 + 9^2}\sqrt{12^2 + 10^2}} \cong 0.99$$

よって選択肢 3 が正しいです。

7.2.3 統計学・確率

統計学の知識を持つことによって、大量のデータ集合を分類し分析するディープラーニングをより深く理解できるようになります。

G検定では基本的な統計学の知識が出題されます。正規分布をはじめとする代表的な確率分布の性質、平均、分散、相関係数などの統計量あたりはよく出るので、確実に押さえてください！

問5 **ポアソン分布に関する記述として、最も適切な選択肢を1つ選べ。**

1. 平均と標準偏差が等しい確率分布である。
2. 連続的な確率密度関数である。
3. ある確率で起こる事象の時間内の発生回数を表す確率分布である。
4. 正規分布と同様の形状を持つ確率分布である。

解答・解説 正解 3

選択肢 3 が正しい解答である。

ポアソン分布とは、**ある確率で起こる事象が一定の時間内に発生する回数**を表す離散的な確率分布です。「一定の期間に平均 λ 回起こる現象が、一定の期間に X 回起きる確率を表す分布」と言い換えることができます。事象はランダムに発生することが仮定されます。分布の形が単一のパラメータ λ で決まることが特徴です（図 7.2.1）。
発生回数を表す確率変数 X が k という値をとる確率は以下となります。

$$P(X = k) = \frac{e^{-\lambda}\lambda^k}{k!} \ (k = 0, 1, 2, \dots)$$

二項分布において、期待値を一定に保ちつつ、$n \to \infty$、$p \to 0$ という近似を適用した場合に現れる確率分布がポアソン分布です。

選択肢 1：ポアソン分布の平均と分散（標準偏差ではない）が等しく、λ です。
選択肢 2：ポアソン分布は離散的な確率分布です。
選択肢 4：図 7.1.1 にいくつかの λ の値でのポアソン分布の形状を示しています。ポアソン分布は常に正規分布と同じ形というわけではありません。

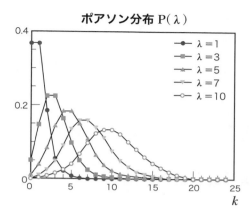

図 7.2.1：パラメータ λ に依存するポアソン分布の形

問 6　　**下のグラフAからEに関する記述として、最も適切な選択肢を1つ選べ。**

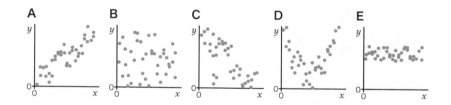

1. 正または負の相関関係があるのは A, C, D のみ
2. D は正の相関を示す
3. A、D が正の相関、B、C が負の相関を示す
4. B, D, E は相関があるとはいえない

解答・解説　　**正解 4**

選択肢 4 が正しい解答である。

2つの変数が互いに依存し合うことを**相関関係**と呼びます。散布図を用いて相関関係の有無や強さを可視化することができます。変数 A と変数 B の間に相関関係があるということは、簡単にいうと、**変数 A が増加した際、変数 B もほぼ同じ割合で増加または減少**する傾向にあるということです（図 7.2.2）。

正の相関：一方が増えれば、他方も増加するような関係性 → （A）の図がこれに当てはまる
負の相関：一方が増えれば、他方が減少するような関係性 → （C）の図がこれに当てはまる
無相関：正の相関とも負の相関とも言えない関係性 → （B, D, E）の図がこれに当てはまる

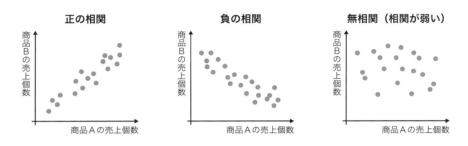

図 7.2.2：相関関係の性質（左）正の相関が強い ＝ 相関係数が 1 に近い（中）負の相関が強い ＝ 相関係数が−1 に近い （右）相関がほぼない ＝ 相関係数が 0 に近い

問 7　　**正規分布に関する説明として、最も不適切な選択肢を 1 つ選べ。**

1. 任意の確率分布にしたがう母集団から無作為に標本を n 個抽出した時、その標本の平均は、n を非常に大きくした場合、ほぼ正規分布にしたがうことが知られている。
2. 正規分布の一種である標準正規分布は、平均が 1、分散が 1 の確率分布である。
3. 正規分布は、機械学習におけるデータ処理でよく用いられる確率分布である。
4. 正規分布は左右対称な形をしている確率分布である。

解答・解説　　正解 2

選択肢 2 が誤った内容である。

標準正規分布は、平均が 0、分散が 1 の正規分布の一種です。
選択肢 1：中心極限定理に関する記述です。同一の分布にしたがう大量の標本の平均が、その標本の数が増えるにつれて正規分布に近づくという統計学の基本的な定理です。サンプルサイズが大きい場合に限り、元の分布の形状がどうであれ適用可能であることが特徴です。
選択肢 3：正規分布は、線形回帰やオートエンコーダなどの様々な機械学習において前提とされることの多い確率分布です。
選択肢 4：正規分布は平均を中心とする左右対称な釣り鐘の形をしています。

7.2.4 確率、条件付き確率、期待値の計算

問 8

サイコロを振る際に、出る目 x がある値をとる確率 $f(x)$ が以下の式にしたがう場合、x の期待値として最も正しいものを 1 つ選べ。
$f(x) = 1/6$、$x = 1$、2、$\cdots$、6

1. 2.5
2. 3
3. 4
4. 3.5

解答・解説 　正解 4

選択肢 **4** が正しい解答である。
期待値は、（確率変数の値）×（その値をとる確率）を全通りについて足しあわせた値です。本題の期待値は以下のように計算されます。
$1 \cdot 1/6 + 2 \cdot 1/6 + 3 \cdot 1/6 + 4 \cdot 1/6 + 5 \cdot 1/6 + 6 \cdot 1/6$
$= (1 + 2 + 3 + 4 + 5 + 6) \cdot 1/6$
$= 21/6$
$= 3.5$

G 検定では期待値計算の問題が頻繁に出ます。ここでは典型的なサイコロの問題を解説しましたが、ここで学んだ期待値の計算法を章末問題に適用してみてください。

問 9　　ベイズの定理を示す式として、最も適切な選択肢を 1 つ選べ。

1. $P(B|A) = P(A|B) / P(A)P(B)$
2. $P(B|A) = P(A)P(B) / P(A|B)$
3. $P(B|A) = P(A|B)P(B) / P(A)$
4. $P(B|A) = P(A|B)P(A) / P(B)$

　正解 3

選択肢 3 が正しい解答である。

ベイズの定理は以下の式で表されます。

$$P(B|A) = \frac{P(A|B)P(B)}{P(A)}$$

$P(B|A)$ は、$P_A(B)$ とも記述され、**事後確率**と呼ばれることがあります。これは「事象 A が発生した状況の下での事象 B の**条件付き確率**」を指します。$P(A)$、$P(B)$ はそれぞれ事象 A、B が発生する確率を示し、これらは**周辺確率**と呼ばれます。事象 A と事象 B の**同時確率** $P(A \cap B)$ は、条件付き確率と周辺確率の乗算により、以下のように求めることができます。

$P(A \cap B) = P(A|B)P(B)$ または $P(B \cap A) = P(B|A)P(A)$

したがって、ベイズの定理は以下のように書き換えられます。

$$P(B|A) = \frac{P(A \cap B)}{P(A)}$$

条件付き確率の具体例を挙げましょう。ある病気と、それを検出するテストがあるとします。事象 A を「テストが陽性」、事象 B を「病気を有する」とします。この時、「テストが陽性である場合、実際にその病気を持っている」という条件付き確率 $P(B|A)$ は、「テストが陽性となる確率 $P(A)$」と、「病気を有しテストも陽性である確率 $P(A \cap B)$」から計算することができます。

機械学習では、大量のデータ値から統計量を実際に計算します。ジェネラリストを目指す方は統計量の意味と大まかな計算法を知っておくことが大切です。

CHAPTER
7.3

G検定特有の数学

ここでは、ニューラルネットワークやモデルの精度評価に関連する数学の例題を実践します。本書の前半で学んだ技術の理解がさらに深まるでしょう。

7.3.1 ニューラルネットワークの活性化関数

問 10

ReLU 関数はディープラーニングで用いられる活性化関数の 1 つである。ReLU 関数を $f(x)$ とすると、$f(1) + f(0) + f(-3) + 3 \times f(5) - 2 \times f(-3)$ の値として、最も適切な選択肢を 1 つ選べ。

1. 34
2. 11
3. 16
4. 19

解答・解説   正解 3

選択肢 3 が正しい解答である。

本題は関数の概念およびディープラーニングに重要な ReLU 関数（Rectified Linear Unit function）の知識を試します。ReLU 関数は、$f(x) = \max(0, x)$ のように表すことができ、図 3.4.3 に示されるように入力値が負の場合は **0**、入力値が正の場合は**入力値そのもの**を返します。よって、求める値は $f(1) + f(0) + f(-3) + 3 \times f(5) - 2 \times f(-3) = 1 + 0 + 0 + 3 \cdot 5 - 2 \cdot 0 = 16$ となります。

7.3.2 ニューロンモデルの計算

問 11

以下の図は、単純パーセプトロンの模式図である。w_i $(i = 1, 2, 3, \cdots N)$ は重み、x_i $(i = 1, 2, 3, \cdots, N)$ は前の層からニューロン（図の丸）への入力値である。ここで、$N = 3$ の時、ニューロン（図の丸）内の関数 f に入力される値の計算として、最も適切な選択肢を 1 つ選べ。

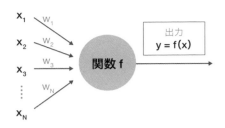

1. $w_1 - x_1 + w_2 - x_2 + w_3 - x_3$
2. $(x_1 + x_2 + x_3)(w_1 + w_2 + w_3)$
3. $w_1 w_2 w_3 (x_1 + x_2 + x_3)$
4. $w_1 x_1 + w_2 x_2 + w_3 x_3$

解答・解説　　**正解 4**

選択肢 4 が正しい解答である。

ある層のノードに入力される値は前の層の各ノードからの出力値 $x_i \, (i = 1, 2, 3, \cdots, N)$ のそれぞれにニューロン間の結合の強さを表す重み $w_i \, (i = 1, 2, 3, \cdots, N)$ を乗じて、さらに $i = 1, 2, 3, \cdots, N$ について加え合わせた量です。数式で書くと以下となります。

$$x = \sum_{i=1}^{N} w_i x_i = w_1 x_1 + w_2 x_2 + \cdots + w_N x_N$$

これは $x_i \, (i = 1, 2, 3, \cdots, N)$ の $w_i \, (i = 1, 2, 3, \cdots N)$ を係数とする線形結合と考えることができます。

したがって、$N = 3$ のとき、選択肢 4 が正しいです。

7.3.3　畳み込み演算

　G 検定では、フィルタ（カーネル）を用いて画像から特徴を抽出する演算が問われることがあります。以下が主な出題パターンです。

- 入力画像のサイズから**パディング後のサイズ**を求める問題
- 入力画像やフィルタサイズ、ストライドなどから、**畳み込み演算を行った後に出力される特徴マップのサイズ**を求める問題
- **畳み込み演算の結果**

　計算が煩雑である一方、上記の各パターンについて計算のコツあるいは公式を身につけると、本番でほぼ確率に点が取れる問題に変わります。

問12
畳み込みニューラルネットワークの畳み込み層において、サイズ8×8の画像に対して、幅1でパディングをし、サイズ2×2のカーネルを用いてストライド1で畳み込み演算を行った場合、この畳み込み層から出力される画像のサイズを求めよ。

1. 9×9
3. 3×3
2. 7×7
4. 6×6

解答・解説　正解 1

選択肢1が正しい解答である。

カーネル（フィルタ）をストライド1で移動させていく場合、入力画像のサイズをW×W、カーネルのサイズをK×Kとすると、出力される画像（特徴マップ）の一辺の長さはW−K+1となります。これは、Wが1増えると出力画像の一辺の長さが1増え、Kが1増えると出力画像の一辺の長さが1減るからです。
本題の場合、まず、8×8の画像に幅1パディングを加えると全体で10×10の画像になります。パディング後の入力画像のサイズは10×10、カーネルサイズは2×2です。W = 10、K = 2なので、出力画像の一辺の長さは、10−2+1 = 9となります。
したがって、10×10の画像の上で2×2のフィルタをストライド1で移動させていくことで、9×9の出力になります。

問13
左図の画像に対して、右図のフィルタを用いて畳み込み演算を行ったときに、特徴マップの値の合計として、最も適切な選択肢を1つ選べ。ただし、ストライドを2とする。

元の画像

0	2	5	3	1	1
1	1	3	3	1	0
2	1	2	5	3	1
1	2	3	5	2	1
0	3	3	2	5	4
3	0	4	4	2	1

フィルタ

1	0
2	3

1. 20
3. 5
2. 112
4. 100

選択肢 2 が正しい解答である。

ストライド（歩幅）= 2

0	2	5	3	1	1
1	1	3	3	1	0
2	1	2	5	3	1
1	2	3	5	2	1
0	3	3	2	5	4
3	0	4	4	2	1

フィルタ

1	0
2	3

$0 \times 1 + 2 \times 0 + 1 \times 2 + 1 \times 3 = 5$
$5 \times 1 + 3 \times 0 + 3 \times 2 + 3 \times 3 = 20$

結果
（一部）

特徴マップ

5	20	

ストライドとはフィルタを動かす歩幅を指します。
フィルタの幅が 2 であり、ストライドも 2 であるため重なるところがなく、畳み込み演算を行います。

畳み込み演算では、画像とフィルタの重なっているピクセル間で掛け算をし、その積を足し合わせます。最初のステップである図の緑の枠、および、その次のステップである図の赤い枠の畳み込み演算は以下となります。

緑の枠：$0 \times 1 + 2 \times 0 + 1 \times 2 + 1 \times 3 = 5$
赤い枠：$5 \times 1 + 3 \times 0 + 3 \times 2 + 3 \times 3 = 20$

これらの計算結果が出力画像（特徴マップ）のピクセルの値となります。
以降同様にして、元の画像の全ての領域について畳み込み演算を行った結果が以下となります。

5	20	3
10	23	10
6	23	12

これらのピクセルを合計すると、5 + 20 + 3 + 10 + 23 + 10 + 6 + 23 + 12 = 112 となります。

7.3.4 モデルの精度を計算する

問 14　以下の図（a）（b）はそれぞれモデル（a）、（b）の二値分類における性能を表す混同行列である。これに関する説明として、最も適切な選択肢を 1 つ選べ。

	【予測】陽性	【予測】陰性
【正解】陽性	90	30
【正解】陰性	10	70

図（a）：モデル（a）の混同行列

	【予測】陽性	【予測】陰性
【正解】陽性	80	20
【正解】陰性	20	80

図（b）：モデル（b）の混同行列

1. モデル（a）の適合率が再現率より高く、モデル（b）の再現率が適合率より高い。
2. モデル（b）の再現率と適合率はともにモデル（a）より高い。
3. モデル（a）の適合率と再現率が等しく、モデル（b）の適合率と再現率も等しい。
4. モデル（a）の適合率はモデル（b）の適合率より高く、モデル（b）の再現率はモデル（a）の再現率より高い。

解答・解説　正解 4

選択肢 4 が正しい解答である。

解説の計算式では次のような、慣習的な記号 TP、TN、FP、FN を使います。
True Positive（TP; 真陽性）、True Negative（TN; 真陰性）
False Positive（FP; 偽陽性）、False Negative（FN; 偽陰性）

これらを用いて、混同行列は以下のようになります（混同行列については 2.13 節参照）。

モデル（a）

	【予測】陽性	【予測】陰性
【正解】陽性	TP = 90	FN = 30
【正解】陰性	FP = 10	TN = 70

7

G検定に出る数理統計学

モデル（b）

	【予測】陽性	【予測】陰性
【正解】陽性	TP = 80	FN = 20
【正解】陰性	FP = 20	TN = 80

混同行列からモデル（a）とモデル（b）の適合率（Precision）と再現率（Recall）を計算します。
モデル（a）の適合率：TP/(TP + FP) = 90/(90 + 10) = 0.9
モデル（a）の再現率：TP/(TP + FN) = 90/(90 + 30) = 0.75

モデル（b）の適合率：TP/(TP + FP) = 80/(80 + 20) = 0.8
モデル（b）の再現率：TP/(TP + FN) = 80/(80 + 20) = 0.8

以上により、モデル（a）の適合率 0.9 はモデル（b）の適合率 0.8 より高く、モデル（b）の再現率 0.8 はモデル（a）の再現率 0.75 より高いということがわかり、選択肢 4 が正しいです。

7.3.5 回帰分析

問 15　以下にあるデータについて、変数 Y を変数 X で表した回帰直線を求め、傾きと切片の組み合わせとして最も適切な選択肢を 1 つ選べ。ただし、傾きと切片は四捨五入し整数値で近似せよ。

X	1	–2	–1	4	10	3
Y	8	14	12	2	–10	4

1. Y = –X
2. Y = 2・X + 10
3. Y = –0.5・X + 5
4. Y = –2・X + 10

解答・解説　正解 4

選択肢 4 が正しい解答である。
回帰直線は正確には「最小二乗法」を用いて求めます。観測値とモデルによる予測値との差（残差）の二乗和（二乗した値を全てのデータ点について加え合わせた和）を、最小にするようなパラメータ（今回の線形回帰の例では、直線の傾き a と切片 b を）、偏微分を用いて求めます。
残差は回帰直線の式 Y = aX + b の X の部分に「データの X の値」を代入した時に得られる Y の値と、実際のデータの Y の値の差と言い換えることができます。
しかし、G 検定の試験中にこの計算を真面目に行うと時間が足りなくなる可能性があります。
そこで、本問のようにある程度強い相関があることが前提となっている場合のテクニックとして、「式に代入して係数について連立方程式を解く」方法を用いるのが得策です。

回帰直線を Y = a・X + b とし、与えられたデータを代入します。

(X, Y) = (1, 8) → 8 = a + b ・・・ (1)

(X, Y) = (−2, 14) → 14 = −2a + b ・・・ (2)

(1) (2) の連立方程式を a, b について解くと、以下の通りになります。

(2) − (1) より 6 = −3a → a = −2

これを (1) に代入し、b = 10

したがって、求める回帰方程式は Y = −2・X + 10

試験中に Excel または Google Spreadsheet などが使える環境であれば、散布図をプロットし、線形近似をしてみることもできます。

問16

「相互情報量」とは2つの確率変数の相互依存性を表す指標であり、以下の式で表される。相互情報量の説明として、最も不適切な選択肢を1つ選べ。

$$I(X;Y) = \int_Y \int_X p(x,y) \log \frac{p(x,y)}{p(x)p(y)} dxdy$$

1. 相互情報量の値が0になることもある。
2. 相互情報量は2つの確率変数 x と y に対して対称である。
3. 2つの確率変数の相互依存性が小さいほど、相互情報量が大きくなる。
4. 相互情報量の式の中の $p(x, y)$ は確率変数 x と y の同時確率分布を表す。

解答・解説 正解 3

選択肢3 が誤った内容である。

相互情報量は情報理論における概念で、2つの確率変数の関連性の強さ（相互依存性）を表します。2つの確率変数の**相互依存性が小さいほど、相互情報量は小さくなり**、相互依存性が全くない独立の場合は0になります。

具体的には、変数 x と変数 y が与えられたときの同時確率 $p(x, y)$ と、変数 x と変数 y が互いに独立であると仮定した場合の同時確率 $p(x)p(y)$ の比較を行います。

例えば、ある日の天気と遊園地への訪問者数の関係を考えましょう。変数 x を晴れかどうか（1: 晴れ、0: 晴れない）、変数 y を遊園地への訪問者数としたときに、相互情報量を計算することで、天気と訪問者数の相互依存性を評価することができます。相互情報量が高ければ、晴れの日には遊園地への訪問者数が増える傾向があることを示します。逆に、相互情報量が低ければ、晴れかどうかと遊園地への訪問者数はあまり関係がないことを示します。

相互情報量 $I(X; Y)$ は次のように定義されます。

離散型の場合：$I(X;Y) = \sum_X \sum_Y p(x,y) \log \dfrac{p(x,y)}{p(x)p(y)}$

連続型の場合：$I(X;Y) = \int_Y \int_X p(x,y) \log \dfrac{p(x,y)}{p(x)p(y)} dxdy$

ここで、

- $p(x, y)$ は確率変数 X と Y の同時確率分布 ➡ 選択肢 4 は正しいです。

- $p(x)$ と $p(y)$ はそれぞれ X と Y の周辺確率分布

- Σ は全ての可能な X と Y の組み合わせを示す

上記の式により、2 つの確率変数（X と Y）を入れ替えても、相互情報量は同じ値になります。このことを、X と Y に関して「対称である」といいます。 ➡ 選択肢 2 は正しいです。

X と Y が独立の場合（$p(x, y) = p(x)\ p(y)$）には、相互情報量は 0 となります。これは、2 つの確率変数間に依存性がないことを示しています。 ➡ 選択肢 1 は正しいです。

模擬試験 問題・解答の ダウンロード方法

本書には次のページで紹介している URL からダウンロードできる『模擬試験 問題・解答』の PDF がございます。この模擬試験・問題は、本番試験の構成と難易度に限りなく近く作られている問題です。G検定の試験に合格するためには問題を徹底的にこなすアウトプットが重要です。必ず模擬試験・問題で実力診断を行い、解答で復習を行ってください。本番試験に近い模擬試験でリハーサルを行うことは、あなたの力になるでしょう。

Generalist Exam
[clear explanations and quality exercises]
Powerful textbook leading you to success!

本書の模擬試験は下記の URL か QR コードにアクセスし、パスワードを入力することで PDF をダウンロードして利用することができます。

ダウンロード URL

https://www.sbcr.jp/support/4815617790/

パスワードにつきましては上記の URL のダウンロードページ内に記載があります。
正しいパスワードを入力し、[確定] をクリックするとダウンロードできるリンクが表示されます。※**パスワードは大文字・小文字も認識します。**お間違えのないようにお願いいたします。

ダウンロードデータには**「模擬試験・問題（PC 画面用）PDF」**と「**模擬試験・問題（印刷用）PDF」「模擬試験・解答（PC 画面・印刷兼用）PDF」**の３つがあります。G 検定はインターネットに接続できる端末の画面を見ながら受けるオンラインの試験ですので、「模擬試験・問題（PC 画面用）PDF」を PC などで表示して問題を解くとよいでしょう。紙面のデザインもなるべく試験に近くなるように作りましたので、より本番の試験に近い体験ができます。

もし出力紙で模擬試験を受けたいときは「模擬試験・問題（印刷用）PDF」をプリントしてご利用ください。

試験のアドバイスと戦略

●時間配分と時間の管理について

G 検定の試験は 120 分の制限時間の中で行われます。本書の模擬試験も本試験と同じ 120 分の時間を測って解いてみてください。正しく解答するだけではなく、時間内に全て解答してはじめて本番の点数につながります。

また、問題はおおよそ 191 問程度出題されるため、**1 問あたりの持ち時間は 1 分未満**の配分となります。1 つの問題で長く悩みすぎると、あっという間に時間が過ぎてしまい、解けたはずの後半の問題に手を付けられなくなる恐れがあります。**1 分弱悩んでもわからない問題は積極的に後回しにする**のが最良の戦略です。

また、本番試験の画面では「不安な箇所」をあとで見直しできる機能もあります。なので**決して空欄にせずに、いったん仮の答えを選択し、「★マーク」をつけてください。そうすればあとで確認できますので、必ず最後に確認に戻る**ようにしましょう。

● 準備するとよいもの

計算ツール（紙とペン、または Excel などの表計算ソフト）

G 検定では計算問題が出るため、計算ができる態勢を整えておきましょう。また、G 検定では、試験中に検索することや手元の参考書などを参照することが禁止されていません。ただし、時間が短いので、検索や答え探しをする時間がほとんどないと思った方がよいでしょう。

● 知らない用語・技術が出題されたときの心構え

G 検定の問題の多くは、知識として知っていることが期待される内容です。とはいえ、受験生にとって最新の技術動向をフォローすることは容易ではありません。最新の技術や法制度を問う問題は、多くの受験生にとって難問となります。

このような**難問が解けなかったからといって受験者は自信を失う必要はありません**し、それだけで不合格にはなりません。むしろ、知らないことも出題されて当然という心構えをしておくとよいでしょう。

著者は、このような**最新用語の出題は意図的にされている**と考えています。そのため、**しっかり勉強した人は合格できるよう、問題のレベルと配分はよく考えられています。**あえて最新技術について問うことは、**「受験を機に、解けなかった問題については自発的に調べて知識を広げてください」**というメッセージのように受け止めればよいと思います。

● 本番試験の受験環境の確認について

試験前には、本番と同じ環境でサンプル問題を解くことができます。動作環境確認で受験画面の形式に慣れることができます。

「初めて学ぶ人向けの本」「より発展的に学びたい人向けの本」と分けて、「おすすめしたい理由」も併せて紹介しています。これらの文献はG検定に出る知識の理解を深め、より幅広くAIを勉強したい時の参考に役立てていただければ幸いです。

初めて学ぶ人向けの本

●ヤンジャクリン (2023)『これで完璧 ディープラーニング G 検定(ジェネラリスト) 最強の「合格」問題集』SB クリエイティブ

本書の著者によるG検定の問題集。本編300問と模擬試験192問という類をみない問題の数、「出るトコ&重要なポイント」をカバーした良質な問題と丁寧な解説でG検定の合格をサポートします。本書の学習後に、演習を増やしたい方向けです。

●メラニー・ミッチェル (著)、松原仁 (解説)、尼丁千津子 (翻訳) (2021)『教養としての AI 講義 ビジネスパーソンも知っておくべき「人工知能」の基礎知識』日経 BP

G検定に出題される難解な概念を、米国のコンピュータサイエンスの専門家が身の回りの具体例を用いて奥深く解説しています。

●二木康晴、塩野誠 (2017)『いちばんやさしい人工知能ビジネスの教本 人気講師が教える AI・機械学習の事業化』インプレス
韮原祐介 (2018)『いちばんやさしい機械学習プロジェクトの教本 人気講師が教える仕事に AI を導入する方法』インプレス

人工知能の技術を社会に応用するための知識、AI・データ活用プロジェクトの進め方や注意点など、書籍からなかなか学びにくい内容を実践的に教えてくれます。

●浜松ウエジマ (2022)『統計学 × データ分析 基礎から体系的に学ぶデータサイエンティスト養成教室』SB クリエイティブ

文系理系問わずビジネスパーソンに必要な統計学やデータリテラシーの基礎(基礎統計量、可視化、グラフ作成、回帰分析、統計的推定、確率分布、仮説検定、相関関係と因果関係など)を体系的に学び、データ活用業務の現場からの具体的な事例を交えて解説します。手を動かしながらデータを分析する演習も豊富に含まれています。

●馬場敬之 (2017)『大学基礎数学 線形代数キャンパス・ゼミ』マセマ出版社
馬場敬之 (2010)『統計学 キャンパス・ゼミ―大学の数学がこんなに分かる!単位なんて楽に取れる!』マセマ出版社

G検定で出題される可能性のある線形代数と統計学を、大学1年生レベルの相手を想定して、語り口調で、とにかくわかりやすく教えてくれる参考書です。数学・統計学が得意ではない方でも、まるで家庭教師に教わっている気分で読み進められます。

●石川聡彦 (2018)『人工知能プログラミングのための数学がわかる本』KADOKAWA

数学の様々な分野のうち、ディープラーニングの仕組みと特に関連の深い分野を取り上げています。この書籍の内容を学習することで、G検定で頻出な概念をより理解しやすくなり、合格に届きやすくなります。

●平和博 (2023)『チャット GPTvs. 人類』文春新書

生成AIの社会における様々な懸念や課題(学校教育、偽情報、メディア、セキュリティ、情報漏洩、著作権、各国の開発競争)がよくまとめられており、さらに海外の文献やメディア情報も広く包括している点が優れています。

●馬渕邦美 (2023)『ジェネレーティブ AI の衝撃』日経 BP

生成AIの技術、応用例、ビジネス展開の状況、雇用への影響、倫理、各国の規制、将来予測について、広く調査してもれなくまとめられています。

● ChatGPT 研究所 (2023)『ゼロから身に付く！ChatGPT 活用スキル 業務効率化、言語翻訳、文書の要約、万能シミュレーション (I/O BOOKS)』工学社

ChatGPT や最新の言語モデル「GPT-4」の基礎知識を解説し、最適なプロンプトの書き方やプラグインなど実践的な使い方、業務への ChatGPT を使いこなす具体例（翻訳、コーディング、文字起こしなど）がまとめられている実践的な一冊です。

● 友利昂 (2023)『職場の著作権対応 100 の法則』日本能率協会マネジメントセンター

G 検定にも頻出する著作権の問題、業務の中で遭遇する著作権に関する疑問、著作権侵害のリスクとその予防策などを具体的に解説している実践的な1冊です。

より発展的に学びたい人向けの本

● 西内啓 (2013)『統計学が最強の学問である』ダイヤモンド社

G 検定にこだわらず、もっと深く・体系的に統計学を学びたい方向けの1冊です。統計学はなぜ勉強する価値があるのかを実感させてくれます。

● 我妻幸長 (2018)『はじめてのディープラーニング』SB クリエイティブ

初歩的な Python 言語と中学・高校レベルの数学の導入から始まり、Python コードを動かしながらニューラルネットワークを理解していく本です。

● 株式会社アンク (2018)『Python の絵本 Python を楽しく学ぶ 9 つの扉』翔泳社

G 検定の範囲外ではあるものの、Chapter5 の最後で紹介した、AI 開発に最も重要なプログラミング言語である Python を、はじめて学ぶ方に優しく導いてくれるハンドブックです。

● 下山輝昌、松田雄馬、三木孝行 (2019)『Python 実践データ分析 100 本ノック』秀和システム

Python やその分析ライブラリをデータ分析に活用したい人向けの強力な演習本です。実際のビジネスの現場を想定した例題を解くことで、実務の応用力を身につけることができます。基礎から実践まで体系的にスキルをブラッシュアップできる構成です。

● 平井有三 (2012)『はじめてのパターン認識』森北出版

識別規則を学習する様々な手法を解説している本です。第 2 章の識別規則と学習のアルゴリズムの概要、第 7 章パーセプトロン型学習規則と誤差逆伝搬法は必読です。数学の記述は理解できなくても、次に何を勉強すればよいかを示唆してくれます。

● 岡谷貴之 (2015)『深層学習』講談社

基本的な順伝播型ネットワークから始まり、誤差逆伝播〜ボルツマンマシンまで順を追って数学のモデルで解説する本です。機械学習プロフェッショナルシリーズとしては、『画像認識』『深層学習による自然言語処理』もおすすめです。

● Alice Zheng・Amanda Casari (著)、株式会社ホクソエム (訳) (2019)『機械学習のための特徴量エンジニアリング』オライリー・ジャパン

特徴量エンジニアリングの第一歩を習得するための本です。テキストデータやカテゴリ変数の取扱い、次元削減などにおけるベストプラクティスを取り上げています。

CHAPTER 1

[01]
1.8.2
中国語の部屋
http://citeseerx.ist.psu.edu/viewdoc/download?d
oi=10.1.1.120.749&rep=rep1&type=pdf

[02]
1.8.7
中島秀之（2017）レクチャーシリーズ「シンギュラリティ
とAI」（第4回）『AIは加速するが特異点はやって来ない』
https://www.jstage.jst.go.jp/article/
jjsai/33/1/33_95/_pdf

CHAPTER 3

[01]
図3.8.2
"ImageNet Classification with Deep Convolutional
Neural Networks"
https://proceedings.neurips.cc/paper/4824-
imagenet-classification-with-deep-convolutional-
neural-networks.pdf

[02]
ImageNetの公式サイト
http://www.image-net.org/index

[03]
図3.10.1
VGG, "Very Deep Convolutional Networks for
Large-Scale Image Recognition"
https://arxiv.org/pdf/1409.1556

[04]
図3.10.2
GoogLeNet、"Going deeper with convolutions"
https://arxiv.org/pdf/1409.4842

[05]
図3.10.3
ResNet、"Deep Residual Learning for Image
Recognition"
https://arxiv.org/pdf/1512.03385

[06] [07]
図3.10.4、図3.10.5
Google AI Blog
https://ai.googleblog.com/2019/05/efficientnet-
improving-accuracy-and.html

"EfficientNet: Rethinking Model Scaling for
Convolutional Neural Networks"
https://arxiv.org/abs/1905.11946

[08]
図3.11.1
GENERATING IMAGES FROM CAPTIONS WITH
ATTENTION
https://arxiv.org/pdf/1511.02793

CHAPTER 4

[01]
図4.1.1
"You Only Look Once: Unified, Real-Time
Object Detection"
https://arxiv.org/pdf/1506.02640

[02]
図4.2.1
"Rich feature hierarchies for accurate object
detection and semantic segmentation," in
IEEE Conference on Computer Vision and
Pattern Recognition (CVPR) , 2014
https://arxiv.org/abs/1311.2524

[03]
図4.2.2
"Fast R-CNN," in IEEE International Conference
on Computer Vision (ICCV) , 2015.
https://arxiv.org/abs/1504.08083

[04]
図4.2.3

"Faster R-CNN: Towards Real-Time Object
Detection with Region Proposal Networks"
in IEEE Conference on Computer Vision and
Pattern Recognition (CVPR) , 2016
https://arxiv.org/abs/1506.01497

[05]
4.2.3
（YOLOの参考論文）"You Only Look Once:
Unified, Real-Time Object Detection"
https://arxiv.org/pdf/1506.02640

（SSDの参考論文）"SSD: Single Shot MultiBox
Detector"
https://arxiv.org/pdf/1512.02325

[06]
図4.3.1
PASCAL VOC2011 Example Segmentations
http://host.robots.ox.ac.uk/pascal/VOC/voc2012/
segexamples/

[07] [08]
"Mask R-CNN"
https://arxiv.org/abs/1703.06870

[09]
4.4
MeCab（公式サイト）
https://taku910.github.io/mecab/

JUMAN
https://nlp.ist.i.kyoto-u.ac.jp/?JUMAN

Janome
https://mocobeta.github.io/janome/

[10]
CaboCha
http://taku910.github.io/cabocha/

KNP
https://nlp.ist.i.kyoto-u.ac.jp/?KNP

[11]
図 4.5.3
"NLP with gensim (word2vec)"
https://www.samyzaf.com/ML/nlp/nlp.html

[12]
図 4.7.1
"Sequence to Sequence Learning with Neural Networks"
https://arxiv.org/pdf/1409.3215

[13]
4.7.4
ELMo、"Semi-supervised sequence tagging with bidirectional language models"
https://arxiv.org/abs/1705.00108

[14]
4.9.1
"Attention Is All You Need"
https://arxiv.org/abs/1706.03762

[15]
4.10.3
BERT
Pre-training of Deep Bidirectional Transformers for Language Understanding
https://arxiv.org/abs/1810.04805

[16]
4.10.4
OpenAI のブログ
https://towardsdatascience.com/gpt-3-the-new-mighty-language-model- from-openai-a74ff35346fc

[17]
4.10.4
"Language Models are Few-Shot Learners"
https://arxiv.org/abs/2005.14165

[18]
ChatGPT
https://openai.com/chatgpt

[19]
4.10.5
"GLUE: A Multi-Task Benchmark and Analysis Platform for Natural Language Understanding"
https://arxiv.org/abs/1804.07461

[20]
4.12.1
"Training language models to follow instructions with human feedback"
https://arxiv.org/abs/2203.02155

[21]
図 4.13.1
NVIDIA の GauGAN がポピュラーサイエンス誌の 2019 年「Best of What's New Award」を受賞
https://blogs.nvidia.co.jp/2019/12/09/nvidias-gaugan-wins-a-2019-popular-science-best-of-whats-new-award/

[22]
4.13.1
VAE、"Auto-Encoding Variational Bayes"
https://arxiv.org/abs/1312.6114

[23]
GAN、"Generative Adversarial Networks"
https://arxiv.org/abs/1406.2661

[24]
DALL・E2
https://openai.com/dall-e-2

[25]
CLIP
https://openai.com/research/clip

[26]
4.14.3
"WAVENET: A GENERATIVE MODEL FOR RAW AUDIO"
https://arxiv.org/abs/1609.03499

[27]
図 4.14.2
DeepMind Blog: "High-fidelity speech synthesis with WaveNet"
https://deepmind.google/discover/blog/high-fidelity-speech-synthesis-with-wavenet/

[28]
図 4.14.3
Google Cloud Guide
「標準音声、WaveNet 音声、Neural2 音声、スタジオ音声」
https://cloud.google.com/text-to-speech/docs/wavenet

[29]
図 4.15.1
"Rainbow: Combining Improvements in Deep Reinforcement Learning"
https://arxiv.org/pdf/1710.02298

[30]
4.15.6
Asynchronous Methods for Deep Reinforcement Learning
https://arxiv.org/pdf/1602.01783

[31]
図 4.15.3
https://pylessons.com/A3C-reinforcement-learning/

[32]
図 4.15.4
"Exploring Nature-Inspired Robot Agility"
https://ai.googleblog.com/2020/04/exploring-nature-inspired-robot-agility.html

[33]
図 4.16.1
"Show and Tell: A Neural Image Caption Generator"
https://arxiv.org/abs/1411.4555

[34]
"Why Should I Trust You? Explaining the Predictions of Any Classifier"
https://arxiv.org/abs/1602.04938

[35]
4.17.2
公式ドキュメント
https://shap.readthedocs.io/en/latest/

[36]
図 4.17.3
https://github.com/vense/keras-grad-cam

CHAPTER 5

[01]
5.1
内閣府 Society 5.0
https://www8.cao.go.jp/cstp/society5_0/

[02]
AI・データの利用に関する契約ガイドライン
https://www.meti.go.jp/policy/mono_info_service/connected_industries/sharing_and_utilization/20180615001-1.pdf

[03]
5.4.2

Numpy Documentation
https://numpy.org/doc/stable/

[04]
Pandas Documentation
https://pandas.pydata.org/docs/

[05]
Matplotlib Documentation
https://matplotlib.org/stable/

[06]
scikit-learn
https://scikit-learn.org/stable/

CHAPTER 6

[01]
6.1.1
ロイターの報道記事
https://jp.reuters.com/article/amazon-jobs-ai-analysis-idJPKCN1ML0DN

[02]
6.1.1
JST の解説記事、「AI と人種・ジェンダー問題についてアメリカから学べること」
https://www.jst.go.jp/tt/journal/journal_contents/2021/12/2112-02_article.html

[03]
6.2.6
経済産業省、「カメラ画像利活用ガイドブック ver3.0」
https://www.meti.go.jp/press/2021/03/20220330001/20220330001.html

[04]

6.2.8
OpenAI 社の利用規約
https://openai.itshinan.jp/usage-pilicies/

[05]
6.7.2
人間中心のAI社会原則会議
https://www.cas.go.jp/jp/seisaku/jinkouchinou/index.html

[06]
6.8.3
「ディープフェイク、悪い事ばかり？　文化・芸術で可能性秘め　故人の「新作」も誕生」（毎日新聞）
https://mainichi.jp/articles/20220104/ddm/003/070/030000c

[07]
6.8.3
https://www.myheritage.ch/deep-nostalgia

ヤン　ジャクリン

GRI データ分析官・講師

米国籍、小学生より茨城県育ち、東京大学理学部卒、東京大学大学院理学系研究科博士課程修了（理学博士）、高エネルギー加速器研究機構にて博士研究員（素粒子物理学）を経て、2017 年より現職。
【主要実績】国際・国内学会発表 20 件以上、著名科学誌へ投稿多数、科学コミュニケーターとして活動、データサイエンス講座を幅広く開設（G 検定、DS 検定、Tableau、数学・統計学、データ分析、Python 他）
【主要活動】可視化分析（BI）、データコンサルティング、複数の大学（院）の講義を担当、研修事業「picture academy」の立ち上げ、法人研修・オンライン講座等のサービス提供
【特徴】驚異的な行動力と素粒子をも通さない隙のない話術。

上野 勉 （うえの つとむ）

GRI 代表取締役 CEO

大阪市出身、大阪教育大学卒、筑波大学大学院経営・政策科学研究科修了（MS）、JTB、CCC、GAGA を経て、GRI 社を設立。青山学院大学社会情報学部特任講師、神奈川大学大学院経済学研究科講師（現在）を歴任。社会人にデータサイエンス、AI-IoT を教える「picture academy」を主宰。翻訳に、『データマイニング手法 - 営業、マーケティング、CRM のための顧客分析』。本人曰く、"データマイニングに出会ってから人生が変わった"。

G検定のその先へ。本書を実務にも活用するために

　本書を最後まで読んでいただきありがとうございます。最後に株式会社 GRI 代表の上野勉から読者へメッセージを伝えたいと思います。

　本書は「G検定」の合格を第 1 の目的としながらも、より深くより実践的にデータサイエンスの仕事の本質と業務内容を理解していただくことを視野に入れています。そのため、本書には実務の現場からの事例や歴史的なトピック、様々な視点でのコラムなどを設け、多面的に物事を捉えていただけるように工夫しました。本書全体の分量が大きいのはその結果です。

　G検定に合格するために、短期集中的に知識を覚えるような受験対策を行っている方が多いかと思います。しかしながら、それだけではデータサイエンスの面白さ、ビジネスサイドの課題、現場の苦悩や発見などは理解できません。時間のない時は読み飛ばしながら学習を進めていきながらも、**もし読者の皆さんが実際にデータサイエンスの仕事に関わるのであれば、より深くより実践的に学習する入り口として、本書を読んで頂きたいと思います。**そのような想いを込めて、私たちは厚かましくも本書の帯のコピーに『バイブル』と付けさせて頂きました。

　ところで、「データサイエンス」という言葉に馴染みが少ない方もいるかと思います。

　G検定ってディープラーニング（深層学習；Deep Learning）の試験じゃないの？と思われている方は、その通り正解です。もっと正確にいえば、G検定とはディープラーニングに関わる比較的基礎的な知識を網羅的に試す試験です。

> ディープラーニングはデータサイエンスの一分野に過ぎません。実務上、ディープラーニングを超えたもっと広範囲の技術を扱っています。ディープラーニング以外の機械学習の手法（決定木系など）、統計学を用いた「古き良き」タイプのデータ分析、あるいは可視化分析も盛んに行われています。とはいえ、皆さんが G検定を受験する意図には、大きく 2 つあると考えています。
>
> ❶ **ディープラーニングは複雑である。それを応用し技術を進展させるためには、仕組みや予測の根拠を説明できるようにならなければいけない**
>
> ❷ **AI の汎用技術（General-purpose technologies）が、将来の我々に大きな社会的・産業的変化をもたらす可能性がある**

❶に関して

ディープラーニングは開発したエンジニアでさえも、箱（ブラックスボックス）の中で行われているコンピュータの振る舞いについてうまく説明できないことが頻繁にあります。

そのような場合、ある答えにたどり着いたデータサイエンティストが事業の責任を負う担当者に向けて、何を信じて貰えばよいのかを説明することが難しくなります。時間がかかるだけならまだしも、基本的な専門用語も通じないとなると一向に理解が進まず、やらねばならない優先的な仕事が阻害されてしまいます。

事業責任者とデータサイエンティストの間の知識のギャップを埋めることは、ディープラーニング技術を活用する上での大きな促進剤になります。

❷に関して

ディープラーニングは 2012 年ごろから画像認識の分野で注目されるようになって以来、顔認識や画像診断、将棋や囲碁に応用され、自然言語処理や音声認識などの分野でも大きな飛躍を続けてきたということです。

このような成果は、インターネットの通信速度の高速化、分散コンピューティングとクラウドサーバーの発達が背景で力になりました。それでもなお、AI が目指している人間の知的ふるまいを人工的に再現しようとする試みからすると、今のディープラーニングが可能にしていることはほんの、ごく一部になります。それゆえ、今後ディープラーニングがもたらす成果は、大きな社会的変化をもたらす可能性を秘めており、産業界における一大イノベーションを巻き起こすかもしれません。

立ち戻って考えると、AI の研究には長い歴史があり、様々な試みや失敗が繰り返されてきました。先人たちの失敗の歴史から学べることは多く、我々の将来への示唆として学習することは賢い選択だと思います。

G 検定のその先へ。本書を実務にも活用していただけますと幸いです。

株式会社 GRI 代表　**上野勉**

カバーデザイン	西垂水 敦　市川さつき (krran)
本文デザイン・組版・図版制作	柿乃制作所
本文イラスト	長井 康行
編集	鈴木 勇太

■本書サポートページ
https://isbn2.sbcr.jp/22756/

ディープラーニング G 検定 (ジェネラリスト) 最強の合格テキスト
[徹底解説＋良質問題＋模試（ＰＤＦ）]［第２版］

2024年 2月 9日　初版第 1 刷発行
2024年 9月24日　初版第 4 刷発行

著者	ヤン ジャクリン　上野 勉
発行者	出井 貴完
発行所	SBクリエイティブ株式会社
	〒105-0001　東京都港区虎ノ門2-2-1
	https://www.sbcr.jp
印刷・製本	株式会社シナノ

落丁本、乱丁本は小社営業部にてお取り替えいたします。定価はカバーに記載されております。

Printed in Japan ISBN 978-4-8156-2275-6